ГАРМОНИЯ ЖИЗНИ

Проза Ларисы Райт

У каждого человека под покровом тайны, как под покровом ночи, проходит его настоящая, самая интересная жизнь; каждое личное существование держится на тайне.

А. Чехов

Крайняя чувствительность создает посредственных актеров, средняя чувствительность дает большинство плохих актеров и только ее отсутствие дает великих исполнителей.

Д. Дидро

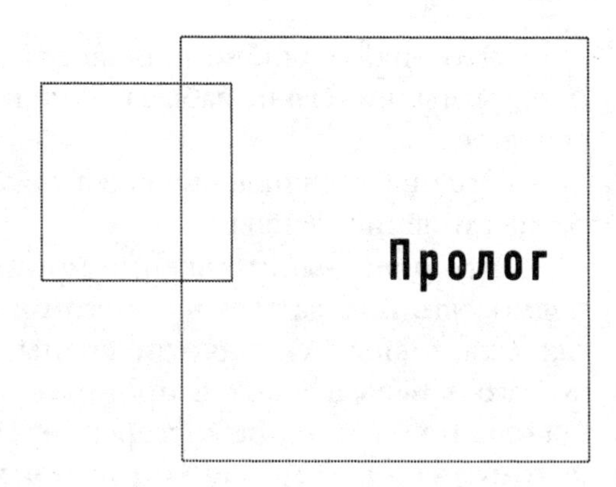

Пролог

— Это она! — завороженно скрипели ступени служебного входа, отзываясь мерным стуком на легкие прикосновения небольших каблуков. Высокие она не любила. Они не давали летать, усмиряли стремление, отбирали свободу, а она всегда любила просто дышать глубоко и полно без всяких остановок.

— Это она! — дружески улыбалось зеркало гримерной, демонстрируя ровно наложенный тон, темные, искрящиеся серебром тени, подчеркивающие выразительный взгляд серых глаз; искусный румянец, что будет казаться естественным даже зрителям бельэтажа; красивую линию чуть тронутых помадой губ: полноватую, сочную, даже слегка припухлую нижнюю и изящную аристократическую верхнюю с ловко приклеенной над ней черной мушкой; и такие же черные, тугие, обрамляющие щеки и струящиеся по плечам навечно завитые кудри парика. А еще молодость, молодость, молодость...

— Это она! — восхищенно щебетали костюмерши и юные девочки-студентки из массовки.

– Это она! – злобно перешептывались вчерашние примы, ничего не забывающие и никого не прощающие.

– Это она! – оживленно гудел тяжелыми фалдами распахнувшийся занавес.

– Это она! – восторженно приняли ее поступь подмостки, подхватили и понесли навстречу мэтру, уже склонившемуся в центре сцены в немом поклоне, столь безыскусном и проникновенном, словно исполнен не в угоду режиссерскому замыслу, а лишь потому, что и сам великий актер хотел воскликнуть: – Это она!

– Это она! – радостным эхом подхватил его немой крик зрительный зал.

Она ответила реверансом, отдавая дань и автору, и постановщику, и лаврам партнера, и авансам, полученным от публики, затем выпрямилась, повернула голову чуть вправо, приподняла подбородок и замерла. Взгляд устремлен чуть выше прожекторов, на лице – мечтательная улыбка. И больше ничего: ни эмоции, ни шороха платья, ни дрожания пальцев – лишь тишина и молчание, пауза на несколько секунд. Но выдержанная так филигранно, с такой естественностью и простотой, что секунды эти кажутся именно той великой актерской игрой, которая дарует обычному спектаклю вечную жизнь.

Еще мгновение – и она дернет кистью руки, выпуская из сжатых рук платок, и повернется к залу. «Этот медленно планирующий кусочек шелка, – объяснял режиссер, – еще раз подчеркнет готовность героини перестать, наконец, заливаться слезами и начать действовать». Актриса не осмелилась перечить, хотя считала, что совершенно ни к чему отвлекать внимание зала от лица героини, на котором еще до начала монолога она собиралась отразить всю гамму обуревающих ее страстей и переживаний.

А потом – речь: сначала тихая, неторопливая, спокойная и почти равнодушная, будто безликая, но с каждым следующим словом словно набирающая силу, черпающая вдохновение из колодца давно сдерживаемых чувств. И наконец – свобода: безразличие и монотонность сменились пламенем, огненным вихрем, слетающим со сцены, вовлекающим зал в свой безумный танец, который проникает в души людей и играет на тех струнах, что через секунду заставят их вставать с мест, рукоплескать и снова и снова ликующе повторять: «Это она!», словно завидуя самим себе – счастливчикам, сумевшим увидеть ее живую театральную игру. Всего несколько секунд – и монолог завершится. Едва уловимый миг между последним звуком и первым хлопком, а дальше – наслаждение: наслаждение триумфом, наслаждение победой, наслаждение заслуженной зрительской любовью. Что ж поделать, если другой она так и не сумела добиться? Возможно, теперь... Нет-нет, не «возможно», а совершенно точно: теперь ее оценят, теперь похвалят, теперь будут гордиться, теперь никто не посмеет усомниться в таланте и едко шептать за спиной обидные слова. Никто. Никто. Даже та, на благосклонность которой она уже давно не рассчитывала, но все еще о ней мечтала. Итак, еще чуть-чуть – и грезы станут реальностью.

Она замолчала. Приготовилась принять аплодисменты и крики «Браво!», ждала восторга, преклонения, милого сердцу и мыслям знакомого гула: «Это она!»

Дождалась. Кто-то настойчиво, с плохо скрытым любопытством шептал совсем рядом с ней:

– Это она?

Голос звучал так близко, что она даже решила обернуться и посмотреть, кто из партнеров так глубоко проник в ее мысли, что позволил себе злую шутку. Она попыталась пошевелиться, но не смогла, а возбужденный шепот между тем не прекращался:

– Это она? Это она? – допытывалась невидимка.

– Кажется, да, – тихо отвечала другая. – Жаль, такая красивая...

– Жаль, – согласилась первая.

Актриса все пыталась увидеть, что происходит. Почему не звучат аплодисменты? Кто позволил двум незнакомкам врываться на сцену и срывать спектакль?! Что происходит, почему костюм, в котором она свободно двигалась всю пьесу, стал вдруг таким тяжелым, что не просто не позволяет сделать шаг, но даже головы повернуть не дает? Вот полный людей зрительный зал, вот их ладони, неистово хлопающие, вот стремящиеся с цветами к сцене особенно преданные поклонники, вот спешащие на поклон из-за кулис актеры, а вот и она сама, ждущая их у рампы, сияющая молодостью, красотой и успехом. Вот же она! Она там!

Внезапно она вспомнила. Там – это во сне, в воображении, в воспоминаниях. Она не там, она здесь. Здесь – в больничной палате. Она не стоит, она лежит. И не в легком воздушном платье, а в тяжелом гипсе, сковывающем все тело, словно стальной скафандр. Она не двигается, не говорит и не видит. Не говорит, потому что изо рта торчит ворох трубок, которые иногда вынимают, и тогда она шепчет неповоротливым сухим языком что-то, что собравшаяся у ее постели куча белых халатов даже не старается разобрать. А не видит потому, что глаза практически все время сдавливает тугая повязка. Раз в день повязку снимают – и тогда она встречается взглядом с одним из врачей, видимо главным, который внимательно всматривается в ее лицо, качает головой и каждый раз говорит, обращаясь то ли к ней, то ли к коллегам, то ли к самому себе: «Ну, ничего, ничего».

Ей так хотелось разгадать тайну этих слов! Если бы только врачи и медсестры хоть на мгновение отвлеклись от бесконечных манипуляций с проводками, трубками, ампулами и мешочками с жидкостью, которые они старались поменять как можно быстрее, чтобы ее голос не успел окрепнуть до момента, пока ей опять не дадут говорить все эти медицинские штучки. Если бы они это сделали, если бы потрудились узнать, если бы наклонились поближе к ее непослушным губам, они бы, возможно, расслышали то, что она пыталась им так долго и настойчиво сказать. Долго. Сколько? Несколько дней? Недели? Месяцы? Она не знала. Знала только, что каждый раз, когда ощущала свободу от трубок, силилась получить то, что все объяснило бы, то, что могло дать надежду или отнять ее навсегда, то, что раньше было ей лучшим другом, а теперь грозило превратиться во врага. Она хотела получить лишь одно и лишь одно слово беспрестанно твердила. Но разве ее вина, что окружающие слышали лишь тягучее, еле различимое «э-э-э-о-о-о» вместо такого понятного и такого необходимого ей зеркала.

Они не прислушивались: суетились рядом, мельтешили, спешили куда-то, словно не давали себе шанса остановиться, присмотреться и выдохнуть удивленно: «Это она?»

– Это она.

Ни вопроса, ни придыхания, ни восторга. Даже в созданной бинтами темноте она будто видит пренебрежительный жест, брошенный в сторону ее кровати.

А кто она? Всего лишь одна из тех, кому надо вовремя ставить градусник и совать утку. Таких у младшего персонала хватает. Кто-то пришел навестить больного? Ну и прекрасно. Значит, какое-то время об этой палате можно не вспоминать. Кто же к ней пожаловал на этот раз? Курьер с цветами от съемочной группы? Петенька с конфетами, которые она не то что есть, даже понюхать не может? Или завтруппой с носовыми платками, в которые она шумно сморкается между скорбными всхлипами и вздохами «что же теперь будет». Что ее ждет: шорох букета, сидящее в печенках занудство, «что он же ее предупреждал и уж теперь-то она наконец одумается, включит голову и станет жить как все» или фальшивые рыдания, перемежаемые рассказами о том, кому отдали ее роли, кто поселился в гримерной и с кем теперь спит главный режиссер? Будто она с ним когда-то спала!

Посетитель все еще молчал, даже дыхания не было слышно. Но его присутствие она чувствовала спрятанной под бинтами кожей.

– Это я.

Если бы она только могла удивиться, или гневно воскликнуть, или презрительно процедить: «Ты»... Но она лишена этого счастья. Она уже представляла себе встречу, мысленно готовилась к ней и упивалась тем, как обдаст холодом и накажет за все. И, конечно, ни разу не подумала о том, что во время свидания она не сможет произнести ни звука. Что ж, пути Господни неисповедимы...

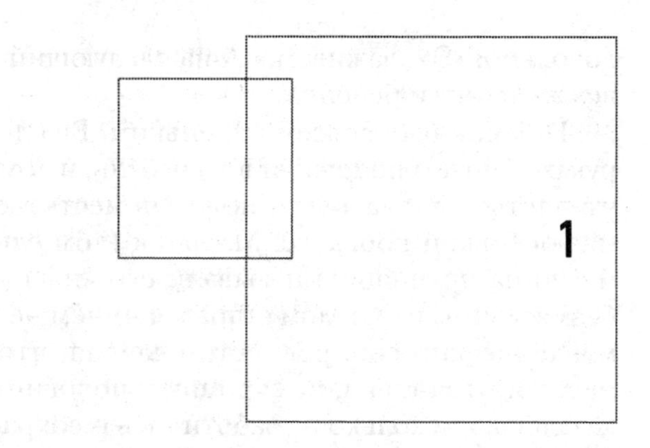

Чувство, в которое дом погрузился два месяца назад, все еще оставалось для него новым. А все от того, что удовлетворить его пока никак не удавалось.

Двухэтажному хорошо утепленному срубу на берегу реки Вятки были знакомы многие ощущения. Он помнил открытое, спокойное счастье, что царило в каждой комнате лет сорок назад. Тогда новый, пахнущий сосной и лаком дом впервые увидел женщину и ребенка. Мужчину он уже принимал как хозяина – тот целый год доводил дом до ума, прилаживая дощечку к дощечке, все время что-то выпиливая, выстругивая и подчищая. Нет, были и другие мужчины, которые сверлили стены дома, стучали по ним молотком, выкладывали печь и тянули провода, но по всему выходило, что главный был этот, первый. Он хоть и появлялся реже других, но всеми командовал и больше всех радовался, когда стройка закончилась и остальные мужчины, собрав инструменты, уехали. Он же остался и еще долго ходил из комнаты в комнату, любовно поглаживая бревна. Несколько раз подходил к окну, смотрел на реку и все повторял довольно: «Эх, заживем!» А на следующий день привез женщину и ребенка.

Ребенок был совсем маленьким. Его держали на руках, а потом положили в колыбель, и дом перестал удивляться и гадать, кто может поместиться в такой малюсенькой кроватке. Мальчик (дом слышал, как мужчина и женщина называли его «наш мальчик») безмятежно спал, и дом старался ничем не нарушить младенческий сон: ревностно следил, чтобы нигде не хлопнула ставня, не скрипнула половица. А люди, казалось, нисколько не заботились о сохранении тишины: бегали, таскали коробки, звенели посудой. А потом женщина вышла на крыльцо и громко воскликнула: «Какое счастье!» Мужчина, стоявший неподалеку, довольно засмеялся. И дом сразу перестал сердиться на шумных хозяев, забывших о своем детеныше, потому что вспомнил о своих соседях: таких же деревянных срубах, скрытых заборами и тенью высоких сосен. И пусть об их присутствии напоминали лишь поблескивание черепиц среди ветвей и дым, вырывавшийся пушистыми клубами из пышной хвои, – они не могли не слышать того, что в еще совсем недавно пустых и казавшихся им смешными и неказистыми соседских владениях поселилось счастье.

Дом и сам испытывал тогда нечто похожее на это чувство. Он был молодым, новым, полным сил, блеска и чистоты. Он не знал еще ни пыли, ни рухляди, которая спустя годы осядет на чердаке, не давая свободно дышать, не было недовольства людей облупившейся краской или покосившимся крыльцом, не ведал неприятных воспоминаний – одни лишь светлые надежды и ясный, ничем не замутненный взгляд в будущее. Дом жил радостным ожиданием, подслушивая разговоры хозяев и планы «поставить следующим летом качели и горку», «разбить к сезону небольшой прудик», «поменять мебель в спальне». Дом впитывал в себя эти мечты, и даже когда наступала поздняя осень, запирали ставни и новая встреча откладывалась надолго (может, заглянут зимой погреться у камина и пробежаться на лыжах по сосновому лесу, а может, не случится оказии, и придется пустовать до лета), дом продолжал слышать голоса и представлять радостно хохочущего ребенка, летящего с горки, мужчину, сидящего с удочкой на берегу пруда, и женщину, стелющую покрывало на новую кровать. Дому не было грустно. Ему было хорошо и спокойно, так как, скрытый от жизненных бурь за высоким забором и безмятежным существованием хозяев, он даже не предполагал, что очередным летом они не приедут.

Они не приехали. Поначалу дом не слишком волновался. Он слышал, как чужие голоса среди сосен возбужденно рассказывали об отдыхе за какой-то границей. Что это за место, дом точно не знал, но понял, что людям оно очень нравится, потому что там теплое чистое море, в котором воды гораздо больше, чем в выкопанном на участке прудике, много солнца, никогда не видного здесь за маковками сосен, и неслыханное количество еды, которую не надо готовить самим. Что ж, дом мог понять желание людей отвлечься и отдохнуть пару недель где-то еще. Он часто слышал, как охал мужчина, опуская тяжелый топор на не желающее поддаваться полено, и как ругалась женщина на в очередной раз забарахливший газовый баллон. А еще в грозу отключали электричество, и вода только из колодца, и пруд после дождя выходил из берегов и заливал и без того покрытые глубокими лужами дорожки... Мужчина тогда клал мостки, женщина надевала резиновые сапоги себе и мальчику, и они осторожно гуляли по саду. Мужчина ходил за ними с какой-то странной штуковиной в руках, которая громко щелкала и выплевывала серый картонный квадрат, на котором через несколько минут появлялось изображение людей. Мужчина громко командовал, где встать его домочадцам и куда посмотреть, а потом с гордостью протягивал женщине картонные квадратики. Та смеялась и говорила с иронией: «Ну, просто Венеция!» Очевидно, женщина не была в восторге от этой самой Венеции, и раз уж участок напоминал ей это загадочное место, не было ничего странного в том, что она решила провести недельку-другую подальше.

Но они не вернулись ни через неделю, ни через две, ни через месяц. В конце июля приехали совсем другие люди. Дрова они не рубили, шашлыки не жарили, рыбу не ловили. Потом отыскали в сарае толстую пленку и накрыли ею горку. Дом даже обрадовался, потому что к тому времени уже устал слышать истошные бабские крики:

– Светка, отзынь от горки, тебе сказано! Убьешься, дуреха!

Дом распрощался со счастьем и познакомился с усталостью и раздражением, которое испытывали новые жильцы и к нему, и друг к другу. Впервые дом с нетерпением ждал конца сезона, и впервые ему казалось, что и люди не могут дождаться окончания своей добровольной ссылки.

Наступила осень, и дом познакомился с нетерпением и беспокойством. Он подгонял время и все время думал о том, вернутся ли те, к кому он привык.

Они не вернулись. Теперь дому каждое лето приходилось открывать свои двери новым хозяевам. Сначала он тосковал, а потом привык и начал вбирать в себя, как старый сундук, новые, интересные чувства. Люди приезжали, ходили с любопытством по комнатам, заглядывали в шкафы и под кровати –

изучали обстановку. А дом изучал людей. Спустя несколько дней люди привыкали к обстановке, и дом проникался их настроением и уже не видел в них ничего нового, интересного и удивительного. Он научился разбираться в человеческих страстях, простых и понятных. Дому приходилось впускать в свои комнаты нежность и грубость, власть и страх, горе и безразличие, похоть и целомудрие – и все эти чувства вместе с их обладателями не будоражили его воображение. Дом клеил ярлыки (этот – чурбан, тот – эгоист, один – жалкий пессимист, другой – жизнерадостный кретин, третий – в общем, неплохой человек, но и только) и погружался в равнодушный сон удовлетворенного хозяина, знающего, чего ожидать от постояльцев.

Но последние несколько месяцев дому не спалось. Он бы с удовольствием позволил себе перестать наблюдать и подслушивать, но новое, неведомое доселе чувство, что вызывала в нем вновь прибывшая пара, не давало этого сделать. Впервые с момента постройки дом испытывал настоящее, жадное любопытство, которое не только не утихало, а с каждым днем вспыхивало все сильнее: «Кто они?», «Зачем сюда приехали?», «Надолго ли?»

Дом привык делать выводы из разговоров, но эти женщины почти все время молчали. Одна лежала на кровати, другая ухаживала за ней: споро, быстро, без церемоний и без всякой жалости. Та, что лежала, иногда начинала плакать, тогда другая хмурилась, хлопала дверью и уходила на улицу. Нервно ходила вокруг дома, потом успокаивалась, возвращалась, кипятила чайник, наливала в розетку варенья и отправлялась поить лежачую. Та уже не плакала, с удовольствием прихлебывала из кружки и удовлетворенно кивала, радуясь то ли возвращению сиделки, то ли сладкому угощению.

Дому хотелось расспросить собаку, пожаловавшую вместе с женщинами, но та никогда не оставалась одна, все больше бегала хвостом за ходячей: с крыльца в сад, из сада в сарай и обратно, из кухни в комнату, с террасы на чердак – и так целый день. Даже за ворота она отправлялась вместе с хозяйкой. А когда шел дождь, женщина строго говорила: «Останься!» – и собака поджимала хвост и нехотя направлялась в комнату больной. Со вздохом устраивалась на коврике у кровати, отбывая повинность, но уже через минуту, почувствовав на своей шерсти женскую руку, переворачивалась и, довольно урча, подставляла человеческим ласкам свое розовое, покрытое репьями брюхо. Женщина неторопливо водила по нему рукой, пытаясь осторожно освободить животное от колючек, собака похрапывала, и дом не решался нарушать это неожиданно образовавшееся единение. На ночь же собака неизменно устраивалась спать у ходячей в ногах, не обращая внимания на скрипы любопытного дома. Лишь иногда, когда, не выдержав гнетущей тишины, дом вдруг особенно сильно хлопал в ночи оконной рамой, собака поднимала морду и предостерегающе рычала, отбивая всякое желание подкрадываться к ней с вопросами.

Дом мучило любопытство, но ему ничего не оставалось делать – только ждать.

2

– Я не хотела этого делать, понимаете? Просто бес попутал, прости Господи! – Женщина судорожно всхлипнула.

– Успокойтесь, успокойтесь, пожалуйста!

– А прежний-то батюшка говорил: «Поплачь, Матрена, все легче будет». – В голосе послышалось разочарование и недоверие.

– Слезами горю не поможешь, – нашел он выход из положения.

– Что правда, то правда, – прихожанка снова была в его власти, – от рева только глаза покраснеют, а толка не будет. Вы уж помолитесь за меня, отец, попросите там наверху, чтоб сильно не гневался, у меня же дети, я ж ради них только, не ради наживы.

– Важен проступок, а не причины, на него сподвигнувшие.

– Вы так думаете? – пугается женщина.

Нет, он так не думал, хотя прекрасно знал, что десять заповедей – незыблемые постулаты, которым неведомы «если», «но» или «в случае». Все по букве закона, все согласно учению. Есть только белое и черное, серого быть не может. Надо только так, а не иначе: вор сидит в тюрьме, грешник горит в аду. Если бы так все и было, тюрем бы не хватило, а рай бы остался пустым. А потому:

– Ступай с Богом.

Женщина, назвавшая себя Матреной, ушла успокоенная. Она вернулась домой, отрезала от подвешенной в погребе украденной коровы очередной кусок отличного мяса и, напевая под нос песенку, отправилась варить детям борщ, напрочь позабыв о душевных терзаниях, владевших ею последние несколько дней. Матрена опустила мясо в кастрюлю и улыбнулась: «Хороший священник, немногословный, проповедей не читает, моралью не кичится и по носу за грехи не щелкает. Надо будет ему не только про корову, но и про муженька Наташкиного рассказать». Матрена же не виновата, что Наташка рожей не вышла, а у нее и стать, и краса в наличии, а вот мужик отсутствует. Ну и случается, привечает она Наташкиного, что такого? Такого не такого, а не по-людски, конечно, надо бы покаяться. Хотя этот новенький может и не понять, уж больно интеллигентный. Как бишь зовут-то его? То ли Сергей, то ли Петр... А и ну его к лешему до следующей исповеди.

Следующую исповедь Михаил прослушал. Нет, он, конечно, помнил, что каяться пришел мужчина, что мужчина этот говорил громко и нервно, но ни в одно слово из его громкой речи Михаил не вникнул. И не потому, что речь была сбивчивая и путаная, а потому, что разобрать суть он и не пытался. Только вставлял изредка, когда вдруг понимал, что наступило молчание, короткие фразы:

– И что же было дальше?

– Продолжай, сын мой.

– На все воля Божья.

Единственно, что он запомнил, – и второй «клиент» ушел довольным и успокоенным: благодарил долго и энергично и все норовил поклониться в пояс и поцеловать Михаилу руку.

К концу дня у Михаила звенело в ушах от душещипательных историй, дрожащих голосов, несдерживаемых рыданий и бесконечных благодарностей. Украденные коровы перепутались с чужими женами и мужьями, утаенным наследством, приблудными детьми и грязной ложью, и он совершенно уверился в том, что чистых и неиспорченных личностей не осталось ни в этой деревне, ни на всем белом свете.

– Как вы это выдерживаете? – Михаил брезгливо скинул с себя рясу и прислонился к дверному косяку, скрестив на груди руки.

С кровати ему улыбалось то, что осталось от некогда ладного, отличавшегося здоровьем, крепким сложением и добрым нравом местного батюшки. Одни глаза (по-прежнему живые и лукавые) и спутанная, длинная, но ставшая очень редкой бородка, которая чуть заметно зашевелилась и тихо произнесла:

– Так я и не выдержал, сынок.

– Вам бы все шутки шутить.

– А что же прикажешь в моем положении делать, плакать, что ли?

Михаил промолчал, не знал, что ответить. Слишком богатой была гамма овладевших им чувств. Он и не понимал этого умирающего старика, потратившего жизнь на таких безнравственных и по большому счету равнодушных к праведной жизни прихожан, и одновременно восхищался им, его целеустремленностью, его несгибаемостью и его желанием до последнего вздоха противостоять неизлечимой болезни, не забывая о взятых на себя обязательствах по руководству паствой.

– Ты одежку-то повесь, сынок. Не разбрасывай понапрасну. – Больной даже сделал попытку приподнять кисть и указать Михаилу на брошенную у порога черную рясу.

Михаил послушался, хотя все еще ощущал неприязнь при соприкосновении с этим предметом. Ему казалось, что ткань пропиталась тем огромным количеством лжи, что он сегодня услышал, а главное, пропиталась той ложью, которую нес в себе он сам.

– Повесил, – зачем-то доложил он, будто имел дело со слепым.

– Вот и славно. В следующий раз наденешь как новенькую: ни складочки, ни залома.

– Не будет никакого следующего раза, – буркнул Михаил, – пойду суп разогрею и покормлю вас, – добавил он сердито и вышел из комнаты.

Михаил давно уже грохотал на кухне посудой, а старик все смотрел любовно на расправленное одеяние священнослужителя, жевал губами жесткие волоски бороденки, будто обдумывал что-то. А потом принял решение, понимающе улыбнулся и тряхнул головой. Тряхнул слишком сильно, не рассчитав, и улыбка моментально сменилась гримасой отчаяния и боли. Однако через мгновение сила духа была восстановлена, и больной смог произнести четко и уверенно, громко ровно настолько, чтобы у того, кто стучал тарелками за стеной, не осталось ни малейшего сомнения в том, кому это предназначено:

— Еще как будет.

3

— Стук! Стук! Стук! — Молоточек выводил одну и ту же дробь уже полчаса.

Собака спокойно спала, не обращая никакого внимания на надоедливый звук, в комнате у лежачей работал телевизор, и дом предпочитал следить за страстями героев в триста пятьдесят четвертой серии низкопробного сериала, а не пытаться понять смысл действий второй женщины. Захотелось ей разобрать на части буфет на террасе — что ж, дом возражать не может. Все одно, времена, когда за стеклами буфета сверкали многочисленные ряды банок с собственноручно сваренным вареньем и цветные фантики шоколадных конфет, которые та, первая, женщина прятала от ребенка, давно миновали, так что жалеть не о чем. Ну, не будет больше старый деревянный друг скрипеть петлями и хранить посуду, ну, найдут для фарфоровой балерины и железного льва другой уголок, где они застынут в своих незамысловатых позах, — ну и ладно. Хотя если бы дом мог, он все же попросил бы женщину не добивать буфет окончательно. Не нравится тебе вещь – пожалуйста, не пользуйся, никто не заставляет. Отдай другому или отвези на свалку, но зачем же издеваться и колошматить битый час по одному и тому же месту? У бедного буфета, наверное, в правом верхнем ящике уж ни щепочки целой не осталось.

– Стук! Стук! Стук!

– Мария, если не выйдешь за меня, я покончу с собой.

– Стук! Стук! Стук!

– Петр, ты говоришь страшные вещи!

– Стук! Стук! Стук!

– Хр... Хр... – Собака спит и не интересуется сериалом.

– Мария, я все-таки настаиваю!

«Какой же идиот этот Петр», – мысленно покачал крышей дом, вглядываясь в экран телевизора.

– Стук! Стук! Стук!

«Бедолага буфет, – сочувственно скрипнула лестница, на которую опустилась женщина с молотком, – жалко его».

«Жалко, что краску не удалось отколупать до конца. Теперь цвет получится чуть темнее задуманного. Конечно, можно будет поиграть светом и с помощью ламп достигнуть нужного оттенка. Но это только в вечернее время суток. При дневном цвете буфету придется щеголять чуть более теплым, чем запланированный, темно-бежевым цветом корпуса. Может, постучать еще? Нет, пожалуй, не стоит. Старые доски, скорее всего, просто не выдержат подобного издевательства и превратятся в щепки. И тогда вместо спасителя она станет убийцей. Не хотелось бы».

Анна легко спрыгнула со ступенек, отбросила молоток, склонилась над большой картонной коробкой, вытащила оттуда шлиф и снова склонилась над буфетом.

— Вжик! Вжик! Вжик! — разнеслось по дому, но никто не обратил внимания на новый звук: собака спала, с подушки лежачей женщины тоже слышалось мерное похрапывание, дом сопереживал героям сериала, а лестница предпочла оглохнуть и ослепнуть (а ну как, чего доброго, ее тоже начнут шкурить, шлифовать и обстукивать?).

Анна работала быстро, то и дело поглядывая на часы. Она знала: в ее распоряжении — полчаса, не больше. Распорядок дня у нее был как при жизни с грудным младенцем, нуждам которого необходимо подчинить все свое существование. Полностью свободные минуты выпадали редко, и мысли, что необходимы они не для отдыха и восстановления сил и душевного равновесия, а для того, чтобы все обитатели дома не умерли с голода, часто угнетали Анну, сдавливали горло и не давали свободно дышать. А разве можно сотворить что-то прекрасное, когда тебе не хватает воздуха? Однако стоило ей заставить себя подойти к мебели, окинуть вещь критическим взглядом, присмотреться к моментально возникающим в голове образам — и она чувствовала, как дыхание восстанавливается и как с каждым движением руки, с каждым новым мазком шлифа по дереву к ней возвращаются силы и потерянное ощущение значимости бытия. В такие моменты из обычной, даже несчастной женщины Анна превращалась в сильного, всевластного Пигмалиона, которого не пугали никакие препятствия на пути к своей Галатее.

— Ну-ка, выключи шарманку! — донеслось из комнаты, и Анна тут же почувствовала, как кто-то невидимый выдернул из нее клапан, удерживающий воздух.

– Ты уснула, а серия еще не закончилась, – сказала она на пороге «палаты» (так про себя Анна называла комнату лежачей). – Я думала, вдруг проснешься, а телевизор выключен. Ты бы расстроилась.

– Индюк тоже думал. Ты что, на часы не смотришь? Уже пятнадцать минут эти болваны языками чешут. Ты же знаешь, я не переношу новости.

– Хорошо-хорошо, не нервничай, – примирительно произнесла Анна, послушно выключая телевизор. – Будешь ужинать?

– Не знаю теперь. Эти звуки испортили мне аппетит.

Это было уже чересчур.

– Как хочешь, – Анна приготовилась исчезнуть из палаты.

– Ладно. Что там у тебя?

– Картофельные зразы, манные биточки или тефтели с рисом.

– Сколько раз можно повторять, что я хочу нормальный кусок жареного мяса?!

Анна про себя досчитала до десяти. В отличие от телевизионных сериалов в ее собственном никто не придумал ограничения бюджета, а потому скучные эпизоды с плохой актерской игрой повторялись изо дня в день с незначительными изменениями, постоянно доводя сюжет до кульминации, но при этом ни на йоту не приближаясь к разрешению конфликта. «Десять», – мысленно закончила Анна.

– Тебе пожарить?

– Ты еще издеваешься! Чем я, по-твоему, должна буду жевать?

– Ты будешь есть или нет?

– Давай биточки. Надеюсь, они не пересолены. И не перегрей, будь добра. В прошлый раз я обожглась.

Дом сочувственно наблюдал за хлопотавшей на кухне Анной. Она что-то мурлыкала себе под нос, то и дело поглядывая на буфет. А несколько раз даже погладила его, проходя от стола к холодильнику и обратно. «Ну, если для того, чтобы не рыдать всякий раз после подобных диалогов, а петь песенки, ей так уж надо избавиться от буфета, то и бог с ним», – решил дом.

Ему нравилась эта женщина, он ей сочувствовал, жалел ее, но не понимал. Старался понять, но не мог. А так хотелось удовлетворить свое любопытство и понять, почему она терпит все упреки и издевательства, почему живет здесь, почему заботится о больной вместо того, чтобы послать к черту старую ведьму, не испытывающую никакой благодарности к чужому труду. Если бы та хотя бы иногда вставала с постели, дом постарался бы что-нибудь придумать, чтобы вызволить свою любимицу из странного плена. У лестницы давно прохудились ступеньки, и одна вполне могла проломиться под тяжестью грузного старческого тела. Видывал виды и ржавый, давно забытый за дверью охотничий капкан, который «нечаянно» свалившаяся с ветхого гвоздя кочерга могла заставить выкатиться в темень ночной террасы и притаиться у ног бредущей в туалет ведьмы. Но больная с кровати не поднималась, и, как назло, над ее кроватью не висело ни полки и ни картины, угол которой мог бы «невзначай» врезаться в висок спящей. Дом перебрал множество вариантов, начиная с распахнутых окон во время отсутствия Анны (глядишь, заработает старуха пневмонию и окочурится) и заканчивая планами самопожертвования на пожаре. Но Анна, уходя, неизменно запирала ставни, а на пожар смелости у дома хватало лишь в воображении.

В общем, при всем желании помочь женщине дом ничем не мог, а она, в свою очередь, хоть и не подозревая об этом, ничем не помогала ему в удовлетворении любопытства. Гостей не приглашала, по телефону не болтала и задушевных разговоров не вела даже с собакой. Дом заскучал и даже, в конце концов, перестал думать об уничтожении лежачей, потому что в этом случае мог лишиться последнего своего развлечения, которое не требовало ни тяжких раздумий, ни душевных терзаний: просмотра телевизора.

Анна к ящику практически не подходила. Включала на террасе минут на десять, слушала тех самых людей, которых старуха обзывала болванами и которые каждый день сыпали длинными текстами под названием «новости». Иногда новости заставляли Анну улыбаться – и тогда дом думал, что ведьма, как обычно, придирается и зря ругает милейших людей, рассказывающих о каких-то изобретениях, или благотворительных фондах, или о новорожденных тигрятах в зоопарке. Но чаще Анна все же хмурилась и с недовольным видом выключала телевизор, бормоча себе под нос что-то о несправедливости жизни, природных катаклизмах и стране идиотов. И тогда дом тоже сердился на «болванов» и приходил к выводу, что даже старуха иногда оказывается не так уж не права. Единственное, что мешало дому окончательно выстроить свое отношение к сидящим по другую сторону экрана людям, было все то же неудовлетворенное любопытство.

– А теперь новости культуры, – сообщал ведущий и лучезарно улыбался, и в то же мгновение раздавался щелчок. Экран гас, а дом вглядывался в лицо Анны. Оно было равнодушным и непроницаемым, но дому все чудилось что-то особенное, и казалось, что таинственные новости культуры не были женщине неинтересны, а нежелание их слушать было вызвано совсем иными, загадочными причинами.

– Ну-ка, принеси биточки, в конце концов! Целый час возишься!

Чаще всего эти окрики заставляли спину Анны вытягиваться в тугую струну, готовую вот-вот лопнуть, но сегодня она лишь отозвалась еле слышно:

– Сейчас, – и продолжила разглядывать буфет.

«Да пусть хоть всю мебель переломает», – решил дом, успокоенный благодушием Анны. Может быть, хотя бы сегодня она не станет горько и безутешно плакать, перед тем как заснуть.

– Ну-ка, ты идешь или нет?

– Ты идешь или нет? – Дверь в комнату возмущенно скрипнула и с грохотом захлопнулась.

Аля нехотя оторвалась от зеркала. Неужели так сложно понять, что мельком брошенный на бегу взгляд никак не позволит оценить себя придирчиво и удостовериться, что внешность лишена каких-либо изъянов. Девчонки любили посмеяться над ней и поучить: мол, на пробы не стоит приходить расфуфыренной, все одно гримеры все сотрут и свое нарисуют. Только Аля не слушала, она не собиралась появляться на студии без искусно подведенных, превращенных в кошачьи, глаз, без накрученной челки и изящных туфелек на каблуках. И если после увиденного режиссер решит взять на роль серую мышку без грамма косметики и в бабушкиных сапогах, что ж, это проблемы режиссера, а не Али. Что же это за режиссер такой, который пренебрегает мнением классика? Чехов же ясно выразился: «В человеке все должно быть прекрасно».

Впрочем, знакомство с классической цитатой Аля предпочла ограничить первой половиной. То ли потому, что вторую попросту никогда не слышала, то ли от того, что в отличие от лица и одежды, которую она лихо шила сама, душа и мысли у нее были далеки от прекрасного.

Милашкой и симпатюлькой называли ее постоянно, везде и всюду. Аля с младенчества привыкла к всеобщему восхищению своими густыми волосами, чудесным личиком, белой кожей, а потом и ладной фигуркой. В школе особых успехов она не выказывала, хотя следует признать, что в послевоенные годы сельская школа была не слишком расположена к поискам новых ломоносовых. Страна нуждалась в мичуриных и стахановых, лозунгом праведной жизни был «Мир. Труд. Май», и Алино равнодушие к знаниям занимало мысли ее родителей в десятую очередь. На первых же девяти местах прочно закрепилось желание привести любимый колхоз к высоким показателям, перевыполнению плана, ударной пятилетке, а там, глядишь, и к полной и безоговорочной победе коммунизма. От дочери требовалось соответствовать гордому званию советской девушки, и поскольку, несмотря на яркую внешность и частое самолюбование, ни в чем более греховном она замечена не была, родители держали ее на длинном поводке: учебой голову не морочили, друзей не навязывали и вставать спозаранку хлопотать по хозяйству не заставляли.

– Успеется, – одергивала мать отца, который, бывало, сетовал на то, что соседские девки до школы успевают скотину на пастбище выгнать да свиней накормить, а «Алька знай себе спит, не тревожится».

– А чего тревожиться-то? Нагоняет еще коров-то на своем веку, – отвечала мать. – Пусть поспит девка. Это у Лопуховых, да Сидоровых, да у нас по одной корове, а у нее с такой внешностью муж наверняка председателем колхоза будет, ей, помяни мое слово, за всех коров отвечать придется. Пойдем лучше, а то опоздаем. Алька, слышь, хватит дрыхнуть, в школу пора!

Хлопала дверь, родители уходили, а Аля вскакивала и усаживалась перед зеркалом. Представляла, как с хворостиной в руках сгоняет коров на колхозные луга, и заливисто хохотала. Хмурилась, топала ножкой и злобно, отчего лицо ее перекашивалось и теряло привлекательность, бросала своему отражению: «Не бывать этому!» Потом не спеша одевалась, перекладывая на кровати все свои три платья и несколько лент и перемеривая все это, прежде чем сделать окончательный выбор. Затем выпивала пустой чай и лениво жевала яблоко, скармливая оставленные матерью теплые пирожки кошкам. «Не хватало еще располнеть, как другие девки, чтобы старушки на околице смотрели тебе вслед и, не стесняясь, одобряли: «Хорошая кость, широкая, рожать легко будет».

Ни полнеть, ни тем более рожать Аля не собиралась, а потому предпочитала держаться в стороне и от жирной пищи, и от деревенских парней, что косились на нее с нескрываемым удовольствием и всячески демонстрировали интерес, то прохаживаясь под окнами, то оставляя на пороге полевой букетик, то провожая скользкой шуточкой, а то и спрашивая позволения родителей свозить дочь в райцентр в кино.

На хождения под окнами Аля внимания не обращала, букеты отдавала жевать лошади, на шутки отвечала едкими колкостями, а вот от поездки в кино не отказывалась никогда и ни с кем. Она бы, не задумываясь, пошла с самим чертом, лишь бы еще раз увидеть Аллу Ларионову в «Садко» или несравненную Джину с плохо выговариваемой и от этого лишь более притягательной фамилией Лолобриджида в «Фанфане-тюльпане». Аля сидела в кинотеатре, впившись ногтями в подлокотники, закусив губу, и, не отрывая восхищенных и одновременно завистливых глаз от экрана, не забывала время от времени отмахиваться, как от мухи, от настойчивых рук очередного кавалера. Она была настолько увлечена действием и героями, что, даже выйдя из кинотеатра, продолжала витать в облаках. Такое пренебрежение отталкивало даже самых настойчивых поклонников, и на второе приглашение не отваживался практически никто.

– И не обижает тебя такое отношение, Алюша? – иногда спрашивала мать, хотя саму ее не могла не радовать неприступность дочери.

– А чего обижаться-то? – недоуменно вскидывала девушка выщипанные в ниточку брови.

Ее обижало совсем другое. Богини царили на экране по праву. Они были шикарны, восхитительны и недосягаемы. Аля же, хоть и вызывала восхищение, шикарной выглядеть не могла ни в одном из своих трех платьев, а недосягаемость ее была вполне условной. Хоть и слыла недотрогой, а все же ходила по одним и тем же улицам, сидела за соседней партой, на нее можно было поглядеть при желании практически в любое время, а при определенной наглости даже и потрогать, пусть рискуя отхватить затрещину. Аля, несмотря на внешность и отстраненность, оставалась для односельчан своей, а она мечтала стать чужой, стать такой же далекой, как кинозвезды. Но где они и где она, Аля? У них и слава, и стать, и талант. А у нее? У нее ничего нет, даже имени. У них вон какие звучные: «Алла», «Джина», «Софи»... А у нее какое-то цветочное: «Аля». Хотя с таким еще можно смириться, а вот когда мать осерчает да начинает Алевтиной звать, тут хоть уши от стыда затыкай.

Так Аля и жила, прочно заблудившись к пятнадцати годам посреди трех платьев, пяти лент и мрачных мыслей о несправедливости жизни. Восемь классов остались позади, и пришло время нелегкого выбора между немедленным определением в колхоз или попыткой поступить в одно из трех имевшихся в райцентре училищ. Ни поваром, ни учителем, ни медсестрой Але быть не хотелось, но перечить родителям не решилась. «Все, что угодно, только не коровы», – мысленно произнесла она и отправилась в район.

– Поварское, – радостно объявила она родителям по возвращении.

Председатель колхоза радостно потер руки: «Глядишь, в столовой появится повариха с пригожей внешностью и новыми рецептами».

Отец задумчиво произнес:

– Ох, потравит нас Алька! Сроду же в руках поварешки не держала.

Мать лишь отмахнулась:

– Все работы хороши. А почему повар-то, дочь? Провалилась в других-то, что ли?

– Ага, – смиренно кивнула девушка. – Там экзамены сложные.

Вполне возможно, что если бы она и попробовала поступить в медицинское или педагогическое, то действительно не прошла бы конкурс, но на пороге этих училищ Аля даже не появилась. Все решили первые секунды ее пребывания на пороге кулинарного техникума. Еще от дверей увидела она восхитительную Валентину Серову, призывно улыбающуюся ей с доски объявлений. Надпись под портретом актрисы гласила: «А ты записался?» Аля увидела объявление о наборе в драмкружок училища, и в голове тут же замелькали дивные картинки грядущего. Путь от сценической самодеятельности к мировой славе не так уж далек и тернист, решила девушка.

С этого момента рационы, диеты, рецепты, порции и прочая не совсем понятная терминология, которой пестрела остальная часть стенда, стремительно ворвались в доселе относительно спокойное и довольно унылое Алино существование. Впрочем, должного внимания основным предметам Аля не уделяла: преподавателей не слушала, витала в облаках, постоянно что-то пересаливала, пережаривала и недоваривала. Девушке было некогда следить за сковородками и кастрюльками, у нее были дела поважнее: она то гадала, когда же начнутся долгожданные занятия театральной студии, то размышляла, в какой пьесе ей дадут главную роль, то вдруг начинала репетировать воображаемые диалоги и, задумавшись, даже подавать реплики, от чего педагоги приходили в замешательство, сердились и грозили отправить ее после экзаменов в казарму:

– Там меню нехитрое: справишься.

Аля не обижалась. Она легко представляла себя в казарме. Только не в качестве поварихи, конечно. Вот она поет про синий платочек, вот вальсирует с каким-нибудь важным офицером, вот читает стихи. Какие бы стихи почитать? Кроме «Лукоморья» и «Белеет парус одинокий», девушка мало что знала и помнила. Впрочем, к тому времени, когда она окажется в какой-нибудь знаменитой воинской части с собственным концертом, стихи найдутся. Не все ли равно, что читать? Главное – как. Так что сначала она почитает, а потом, глядишь, и кто-нибудь из слушателей посвятит ей стихи, как Симонов. «Жди меня, и я вернусь», – шептала она про себя врезавшиеся в память строки и улыбалась, вызывая недоумение и сокурсников, и преподавателей: чему радуется, дурочка?

«Дурочка» же продолжала радоваться всем и всему на свете. Ей нравилось отсутствие родителей с их постоянными намеками о светлом будущем в любимом колхозе, нравился состав сокурсников, точнее, сокурсниц, от которых можно было не бояться получить приглашение пройтись при луне и посмотреть на звезды. Сначала, правда, Аля засомневалась, может ли действовать театральный кружок при полном отсутствии в нем мужчин, но потом решила, что опыт, который она сможет приобрести, играя не только женские, но и мужские роли, может оказаться бесценным. Нравилась ей и жизнь в общежитии, где, несмотря на окутавший все этажи запах плесени и ветхости, все же обитали только люди, а не свиньи и коровы, нравились соседки по комнате – и не потому, что были особенно смышлеными или симпатичными, а потому, что с удовольствием внимали мечтаниям Али, завороженно следили за тем, как она лихо изображает знаменитых актрис, и искренне восхищались:

– У тебя, Алька, талант!

Алькиному таланту было душно, он грозил свариться в кастрюле с и без того переваренными макаронами, или потушиться в рагу, или впрыгнуть в половник с бледным, далеким от нужного цвета и вкуса борщом, но наконец объявили дату и время первого занятия в драмкружке.

– Самое главное в актерском деле? – строго спросил хмурый преподаватель, недовольно оглядев хилую группу из семи учениц.

– Играть, – раздалось сразу несколько голосов.

Аля с ответом не спешила, изучала педагога и пыталась оценить человека, который, по ее плану, должен был помочь ей сделать первый шаг на вершину. Крупный, грубоватый, похожий больше на мужлана, чем на интеллигента, он почему-то с первого взгляда показался ей опытным и знающим. Это означало буквально следующее: первое – глупых вопросов такой человек задавать не станет («играть» – неправильный ответ) и второе – необходимо слушать, внимать каждому слову и безоговорочно следовать указаниям.

«Мужлан» между тем недовольно скривился:

– Игра – это результат большого труда, а основа этого труда в самой игре заключаться никак не может.

Недоуменные взгляды, перешептывания, даже смешки. Аля раздраженно зыркала на девчонок, которые, казалось, сговорились вывести преподавателя из себя.

«Он уедет, – разочарованно думала Аля. – Как пить дать уедет. Он к началу учебы-то не приехал: знал, наверное, что нечего ему здесь делать с такой публикой. Потом, видно, решил рискнуть, да напрасно. Разве охота образованному человеку без толку стучаться в закрытую дверь? Это он с виду такой: вроде ничем и не отличается от наших мужиков, а как заговорит, сразу слышно: порода у него благородная. Такой брехать попусту не станет, почувствует угрозу, перегрызет горло и удалится восвояси. Зачем ему возиться с нами. Кто мы такие? Шавки безмозглые, все, что умеем, – поварешками стучать. Сдался ему наш кулинарный техникум?»

Кулинарный техникум, конечно же, не был храмом Мельпомены, где всю жизнь мечтал работать стоявший перед ними мужчина, в этом Аля была права. Педагогическое или даже медицинское училище подошли бы ему больше. Но откуда было девушке знать, что оба этих «более приличных» заведения не стали бы мириться с опозданием педагога к началу занятий по причине длительного запоя? Никто бы не стал входить в положение «творческого человека» и шептаться, что многие великие любили пропустить рюмочку и пристрастие к спиртному скорее говорит в пользу таланта руководителя драмкружка, нежели об отсутствии оного. Но если бы говорили, то не ошиблись. Талант действительно был, образование тоже имелось. Но коли всем талантливым и образованным всегда сопутствовала бы удача, то не стоял бы этот человек перед студентками поварского училища, мало что смыслящими в театральном искусстве, да и в искусстве вообще. Однако они были какой-никакой аудиторией, а любого актера, пусть даже и бывшего, хлебом не корми, дай поработать на публику. Да, не МХАТ, даже не ТЮЗ, и зрители слушают не с открытым ртом, а даже и посмеиваются, но на то он и артист, чтобы заставить зрителя поверить и пойти за собой.

Он выдержал паузу, за которую, возможно, получил бы «отлично» у самого Константина Сергеевича. Все отсмеялись, отшептались и отшутились, внимание направлено на него. Кто-то смотрит с интересом, кто-то – с тоской и скукой, то и дело поглядывая на часы, а кто-то с улыбкой ждет нового повода для веселья. Нет, с весельем покончено. С этой минуты все серьезно.

– Чтобы знать, как играть, надо знать, что играть, – медленно проговорил преподаватель, выложив каждое слово на витрину ювелирного магазина будто драгоценности, чтобы все предложение было оценено по достоинству.

Они больше не смеялись. Оценили и тон, и значимость сказанного, но не поняли. Пять пар удивленных глаз изучающе смотрели на него и ждали объяснений. Ждали покорно подношения и разжевывания, не пытаясь вступить в дискуссию и самостоятельно понять, «о чем тут толкует этот странный мужик». Впрочем, одна пара глаз была все же живее других, да и обладательница их больше походила на актрису немого кино, чем на будущую повариху: кость тонкая, профиль благородный, осанка правильная – такую сцена полюбит.

– Как вас зовут? – не удержался он. Ожидал, что она смутится, заволнуется, растеряется. Ну как же? Педагог выделил, обратил внимание, проявил интерес. Но нет. Отвечает спокойно, даже с легкой прохладцей:

– Алевтина. Аля. – И замолкает.

Ждет его объяснений, хочет понять его мысли. Она готова слушать и слышать. Она будет внимать, она станет следовать его советам, потому что она (и он это видит), она уже любит сцену и хочет играть, не просто играть, а играть бесподобно. Быть не просто одним из драгоценных камней ожерелья, а тем самым – исключительно чистым и крупным, что приковывает к себе взгляд с первой секунды своего появления и не позволяет отрывать от себя глаз.

Он и не стал отрывать взгляд. Обращался только к ней и объяснял только ей. Объяснял в свойственной ему манере, коротко и грубовато, но Аля уже не нуждалась в пространных объяснениях, ловила каждое слово на ходу и находила ему применение, потому что чувствовала: в механизме, призванном сделать из Алевтины Панкратовой великую актрису, заработали первые шестеренки.

– Читайте, Аля! – приказал мужлан. – И вы все тоже читайте. Через неделю встретимся и обсудим, кто что прочел и как понял.

– А что читать?

«Неужели это спрашивает она? Значит, он ошибся. Значит, чутье уже не то. Значит, для каждой из собравшихся здесь театр – всего лишь навязанный досуг между котлетами и компотом. Но нет. Это не она. Она тоже смотрит на задавшую вопрос сокурсницу с плохо скрытой смесью презрения и самодовольства. Ей-то не надо ничего объяснять, а на остальных, что же, придется потратить еще несколько фраз».

– Что-то несравнимо более художественное, чем «Книга о вкусной и здоровой пище».

– Каких авторов вы посоветуете?

«Это уже, несомненно, она».

– Начните с классики, но позвольте себе вылезти за рамки школьной программы. Если библиотека училища не соответствует вашему вкусу, можете воспользоваться моей домашней. В ней много любопытных экземпляров.

Теперь она вспыхнула. Но не смущенно, гневно. Глаза настороженно заблестели, взгляд стал предостерегающим. Он тут же пошел на попятную:

– Просто скажите, какие произведения вас интересуют, и я принесу.

– Благодарю, – коротко бросила Аля.

«Пусть знает, что и «колхозницы» владеют словечками высшего общества». Впрочем, гнев на милость сменила. Совет показался ей дельным. Чтобы знать, как изображать, необходимо понимать, что именно ты собираешься изображать. И если мечтаешь сыграть какого-то героя, ты должен досконально изучить и его характер, и ту гамму чувств и стремлений, которые им руководят. Зачем мечтать о цыганке, если ее уже с блеском сыграла Лолобриджида? К чему грезить о Марион Диксон, если она принадлежит Любови Орловой? Нет, в жизни Али появятся свои героини, а уж она постарается делать так, чтобы они стали неповторимыми. И Аля с головой окунулась в чтение.

Раньше она не то чтобы не любила читать, просто не нашлось никого, кто смог или захотел объяснить ей, что за бумажными переплетами скрывается целый мир человеческих страстей: разные жизни, интересные судьбы, художественный вымысел и живая реальность, мгновения и эпохи, емкие диалоги и пространные описания. И героини, героини, героини... Раньше ей казалось, что они существуют только в кино. Дома на полках стояли только Ленин, Симонов, Фурманов и Горький. Еще, конечно, бессменные Пушкин и Лермонтов, которыми и ограничивалось ее представление о классической литературе. В школе же учителя делали ставки на науки технические и естественные. Колхозу были необходимы кадры, способные рассчитать необходимый прирост удоя и владеющие техникой предотвращения угрозы половодья, а не витающие в облаках поклонники поэзии. Литературным образованием Али никто не занимался, и она с удовольствием восполняла пробелы.

Девушка читала сутками напролет, ходила с синяками под глазами и переваривала, пережаривала и недосаливала теперь не по неопытности, а из-за того, что между плитой и фартуком у нее постоянно лежал припрятанный томик, не заметный даже острому преподавательскому взгляду. Кино было забыто. Выходные Аля проводила в читальном зале районной библиотеки, не просто прочитывая, а проглатывая Толстого, Чехова, Тургенева, Диккенса, Драйзера, Голсуорси, не переставая удивляться той огромной череде жизней, которые может прожить за свою одну-единственную хороший актер.

Особенно полюбились Але еженедельные обсуждения прочитанного. Другие девочки уже выражали недовольство и все время выпытывали у руководителя, когда же они наконец перейдут от слов к делу, выберут пьесу и начнут репетировать. А Аля лишь посмеивалась над ними. Она словно слышала, как он ответил бы ученицам, если бы, конечно, пожелал ответить.

— Чтобы выбрать пьесу, надо знать, из чего выбирать.

Аля теперь уже знала, из чего можно выбрать, но сделать это не могла, да и не хотела. Слишком много книг еще оставалось стоять на библиотечных полках, слишком много имен еще было не узнано. И вероятность, что впереди ждет еще более интересная роль, более захватывающая интрига и более яркий материал, оставалась слишком большой, чтобы начинать предлагать что-то к постановке.

Другие ученицы студии каждую встречу трещали наперебой:

— «Ромео и Джульетта»! Что может быть прекрасней вечной любви?

— Занимательная история и поучительная, — соглашался «мужлан».

А Аля лишь фыркала про себя: «Шекспир, конечно, гениален, но вряд ли простенькую сказку с плохим концом следует считать самым выдающимся его произведением. «Гамлет» куда сильнее, да и «Макбет» гораздо значительнее. И вообще, если хотеть блеснуть, можно устроить вечер сонетов. И оригинально, и умно, и красиво».

— Может, «Вишневый сад»? Хорошая пьеса и уже стала классикой театральных постановок, — предлагала очередная сокурсница.

— Антон Палыч был бы чрезвычайно рад вашей высокой оценке, но, боюсь, пока рановато, — скромно отвечал художественный руководитель, стараясь невольной насмешкой не задеть девичьих чувств.

«Какой еще «Вишневый сад»?! — недоумевала Аля. — Кому интересно сейчас сочувствовать разрушенным дворянским гнездам и интересоваться судьбой их обладателей?»

– Что-нибудь из комедии деляте? – жаждала поделиться проснувшимся интеллектом еще одна девушка.

– Очевидно, вы имеете в виду комедию дель арте, – поправлял режиссер. – Что ж, мысль интересная... Кого именно вы предпочли бы играть: Коломбину или Арлекино?

Аля про себя хохотала: «Этой дылде больше подошел бы Пьеро. Такой же неуклюжий, унылый, вечно не знающий, куда бы пристроить руки-ноги и как бы убрать с лица постную мину».

– А вы что скажете? – наконец обращал на нее внимание «мужлан», который после первой неудачной попытки к сближению других шагов не предпринимал, но все же Алю не игнорировал, интересовался ее мнением, ибо правило студии, им самим и установленное, гласило, что высказываться на встречах непременно обязаны все.

– Отмалчиваются не на сцене, а в сортире, – грубо заявил он на первом обсуждении, когда кто-то выразил желание помолчать.

Поэтому Але отвечать приходилось. Но отвечать неизменно одно и то же ей пока никто не запретил. Ведь на сцене же можно играть одну и ту же роль. Вот и она проигрывала одну и ту же фразу с разными интонациями:

– Я еще почитаю, а потом определюсь.

И она читала. Но металась вовсе не между Наташей Ростовой, или Татьяной Лариной, или тургеневской Асей. Нет, ей больше импонировали совсем другие героини. Она приходила в восторг от умения плести интриги, которым в совершенстве владела Элен Кулагина, ее восхищали властность Кабанихи и демонизм Настасьи Филипповны. Алю не привлекала праведность, ее прельщал порок. И когда книг было прочитано достаточно, она наконец открыла себе себя. Эгоизм и жажда славы господствовали в ней над всеми остальными чувствами. Не восхищалась она нравственностью и моралью, не дорожила человеческими нормами, а жаждала следования своим. Литературное зерно, как и любое другое сильное оружие, должно упасть на благодатную почву для того, чтобы ростки превратились в добрую пшеницу. Из Али же начал прорезаться к свету и запутываться в колючие, блестящие, коричнево-красные тонкие ветви красивый и злой куст шиповника: майская роза, что прекрасно цветет, одурманивающе пахнет и больно ранит.

И когда в очередной раз «мужлан» поинтересовался, сделала ли она выбор, Аля снисходительно кивнула:

– Я приняла решение.

Сказала так царственно, будто она одна могла указывать, что именно репетировать и чем заниматься театральному кружку.

– Я не буду участвовать в этой самодеятельности, – сказала, как отрезала, и хлопнула дверью.

Закрыла без сожалений за собой и дверь кулинарного техникума. Директор училища пытался было отговорить ее, пообещал даже не отдавать документы без письменного ходатайства родителей:

– С нашей профессией нигде не пропадешь: ни в родном колхозе, ни на чужбине. Это тебе не только я, но и мать с отцом скажут. Так что, коли дурь в башку втемяшилась, сначала их уговори, а потом уж ко мне являйся.

– Понимаете, я слишком люблю жителей своего колхоза, – скромно потупила глазки Аля.

– То есть?

– Боюсь отравить их своей стряпней. Нет, я, конечно, не ангел, – заговорщицки продолжила она, – я вам больше скажу: я первостатейная стерва и парочку односельчан с удовольствием бы отправила к праотцам, но так чтобы всех скопом – это увольте. Тут ведь знаете как: они копыта откинут, судебное расследование, туда-сюда, откуда взялась, где училась, кто диплом выдал, кто бумажку подписал. А я девушка честная, во всем, как на духу, признаюсь. И что оценки были плохие, и что предметы не учила, и науку не жаловала, и поваром работать не хотела, а меня заставил сам товарищ директор, потому что училищу нужны кадры. А что потом происходит с этими кадрами и как они кормят наших советских людей, товарища директора не интересует, потому что дальше собственного носа он не видит и живет исключительно своими интересами, а не интересами партии. Вот так. И пойдете вы если не по статье за «халатность», то по миру уж точно.

– Ах ты... – только и смог вымолвить директор, но документы отдал.

Аля забрала вещи из общежития и отправилась на поиски ценных фолиантов, хранящихся в библиотеке руководителя драмкружка.

– Я с тобой поживу, – с порога заявила она оторопевшему «гению художественной школы» и, заметив робкую, радостную улыбку, тут же остудила его пыл: – Только недолго, полгода примерно, или когда там экзамены в Москве начинаются. В общем, самодеятельности мне не надо, я в профессионалы мечу. А ты, уж будь добр, раз станешь пользоваться моей неиспорченной молодостью, помоги взлететь, обучи, чему нужно. Басня, стихотворение, проза – чтоб все в нужном виде, договорились?

– Договорились.

Договор «мужлан» сдержал. За пользование юным телом отплатил сторицей. Аля была полностью готова штурмовать столичные подмостки. Дарование соответствовало предъявляемым требованиям, вот только внешний вид девушку не устраивал. Три колхозных платьица могли, как ей казалось, отпугнуть московских педагогов, но денег на пополнение гардероба не было. Ее учитель то пропадал в техникуме, откуда приносил жалкие крохи, которых едва хватало на хлеб, то занимался с ней, то возлежал на диване, постигая глубину поэзии Тредиаковского.

– Мог бы улицы с утра подметать, – позволила себе как-то взъерепениться Аля. – Хватило бы не только на хлеб.

– Мне больше ничего не надо.

– Так это тебе не надо!

– А больше у меня никого нет, – только и ответил он. – Жены нет, детей нет, никому ничем не обязан. А если кому и обязан, – он смерил Алю насмешливым взглядом, – так обязательства свои выполняю.

– А если будут? – не успокаивалась Аля.

– Кто?

– Ну там жена, дети...

– Была у меня жена, и ребенок был.

– Ушла?

– Убили. Немцы. И ее, и сынишку годовалого, пока я бойцов на передовой анекдотами да стишками развлекал.

– А если бы ты с винтовкой в атаку, они бы живы остались?

– Нет, конечно. Но это я сейчас понимаю. А тогда актерство возненавидел просто. Туда сунулся, сюда – а ничего ведь не умею больше, только и могу, что читать да декламировать.

– А потом?

– А что потом? Из одного театра сам ушел, из другого вежливо попросили, из третьего выперли со скандалом, потому как, видишь ли, мораль у нас такая: ты пей, пей, да не напивайся.

– Так завяжи.

– Я, Аленька, когда пью, о семье своей забываю, а пить брошу, так они передо мной, как живые, стоят: жена голову на плечо склоняет, а сынишка ручонки тянет, на закорки просится.

– Это у тебя белая горячка. Заведи семью новую – и дело с концом.

– Эх, Аля, Аля! Читай не читай, а простоту души из себя не выселишь. Все у тебя как-то по-деловому, все бесчувственно.

Аля промолчала, стерпела укор. «Не хочет жениться – его дело. Хотя что хорошего в пустом упрямстве? Столько ведь вдовых баб осталось, его бы каждая вторая с удовольствием приголубила, а он уже лет двадцать по убитой жене слезы льет. Чувства ему подавай. Жизнь-то идет, не стоит на месте, ему лет сорок пять, а выглядит на все пятьдесят и ничего не хочет с этим делать. Ну, ни капельки не желает соответствовать молоденькой девушке, что ложится с ним в постель. Не станет покупать ей платьев, да и шут с ним, а о себе мог бы и позаботиться».

Однако новые наряды были, по разумению, Али атрибутом, совершенно необходимым для появления в Москве. И она знала лишь один источник получения дохода.

– Доча! – Отец крепко обнял едва шагнувшую на порог Алю. – А мы как телеграмму получили, так и ждем не дождемся. На зимние-то каникулы ты не приехала, так мы уже соскучились, невмоготу прямо. Мать-то столько наготовила, погреб ломится. Я говорю: кончай кашеварить, к нам повар едет, а она все никак не уймется. Мать, иди глянь, кто приехал.

– Алевтинка! Ягодка моя! Вот и славно, вот и замечательно! Давай-ка, Андрюш, беги к председателю, пусть присылает.

– Кого присылает? – насторожилась Аля.

– Так сватов же.

– Каких сватов? Вы о чем? Я думала, мы при коммунизме живем.

Родители смутились:

– Ты права, дочка. Мы – люди советские, но в колхозе все одно должно быть все чин по чину. Захотел человек жениться – прислал сватов, получил согласие, а там уж и сельсовет не за горами.

– Ясно. А кто жениться-то захотел?

– Так сын председателя.

– А на ком? – Ответ был известен.

– На тебе. Председатель уж и в горкоме договорился: колхозу средства на постройку столовой выделят, будешь там начальницей, наберешь себе поварих и будешь верховодить.

– Значит, я замуж выхожу?

– Ты ведь не против, Аленька?

– Что ты, мамочка? Я очень даже «за». Невесте ведь положено новое платье.

– Конечно, милая. Как заявление подадите, талоны дадут, так и помчитесь в район отоваривать. А о деньгах не беспокойся, у нас припасены, да и председатель добавит.

Аля решила не искушать судьбу и не ждать того, что добавит председатель. Денег, которые обнаружила она на следующий день в ящике с постельным бельем, должно было хватить и на пару новых платьев, и на начало столичной жизни, и, собственно, на билет, чтобы до этой жизни добраться.

Аля добралась. Когда она потом вспоминала о своем бегстве, всегда с гордостью рассказывала, как у нее хватило смелости и решимости противостоять родительской воле и ринуться навстречу мечте. Хотя о том, что ринулась она к ней, прихватив с собой чужие пять сотенных, никому не рассказывала. Зачем лишние подробности? Что сделано, то сделано, а сожаления – удел слабых. Да и не сожалела Аля ни о чем. О чем жалеть? Все туры прошла, в институт поступила, в общежитии устроилась. Значит, деньги брала не зря. Значит, поступила правильно. А разве правильные поступки можно назвать воровством?

Девушка стала студенткой театрального вуза со всеми вытекающими последствиями: репетициями, мастер-классами, спорами до хрипоты о видении образа, посиделками до утра с гитарой и бутылкой вина, походами на киностудии и пробами, пробами, пробами, на которые Аля всякий раз собиралась, как на праздник, выводя из себя соседок по комнате. Вот и сейчас:

– Ты идешь? – нетерпеливая соседка снова распахнула дверь. – Опоздаем же!

– Иду, – Аля нехотя оторвалась от зеркала. Теперь, когда она удостоверилась, что во внешности нет ни малейшего изъяна, можно было и поспешить на встречу с именитым режиссером. Все закрытые прежде двери просто обязаны были распахнуться перед ней.

– Идешь? – раздался визг из-за двери.

– Иду. – Аля вышла из комнаты.

– Иду, – Анна с подносом в руках вошла в комнату. – Что стряслось?

– Ты копаешься!

– Извини, я старалась.

– Ладно, ставь.

Анна поставила поднос с едой на колени к больной:

– Сама поешь? Покормить?

– Сама. Оставь меня.

Анна быстро метнулась к двери, но неожиданно дарованную свободу тут же снова посадили на цепь:

– Постой-ка, по-моему, он висит криво. – Больная показывала на портрет на стене.

– Вроде нормально.

– А я говорю, криво. Мне отсюда виднее. Пойди поправь. Правее. Нет, теперь левее, еще чуть-чуть. Вот так. Теперь вроде сгодится. Иди.

И Анна пошла. На пороге чуть замешкалась, обернулась, снова взглянула на портрет: тонкая кость, благородный профиль, правильная осанка – все висит ровно. Даже размашистая надпись в правом нижнем углу, которая все время казалась Анне какой-то корявой и скособоченной (буквы, словно пьяные, смотрели в разные стороны), теперь выглядела более четкой. Анна прищурилась и даже с такого расстояния смогла прочитать то, что знала наизусть: «Несравненной Алевтине от...»

Росчерк художника – тайна галочек и закорючек, но кто, как не Анна, может сложить из них простую фамилию?

4

– Фамилия? – Врач строго смотрела на Михаила из-под очков.

– Моя?

– Зачем мне ваша? Больного.

Михаил нервно сглотнул:

– Я как-то... Я, в общем... Я, короче, не спрашивал.

– Живете здесь, – женщина сверилась с записями, – третий месяц и не знаете фамилии того, с кем делите крышу над головой?

– Он, – едва не сорвалось с языка «в этой глуши», – здесь почти сорок лет прожил, вам никто его фамилию не скажет.

– Как это?

– А так: отец Федор и отец Федор. При чем здесь фамилия?!

– Фамилия, Мишка, это я тебе скажу, не ерунда какая-то. Ее носить уметь надо.

Отец не кричал, но говорил раздраженно. Мишка всегда пугался именно таких моментов. Отец мог вспыхнуть от малейшей провинности: гаркнуть, отвесить подзатыльник, мазануть обидным словечком, но тут же остывал, как засунутая под холодную воду раскаленная сковородка, и начинал покаянно пыхтеть. Мог он и долго и нудно читать нотации, повторяя миллион раз одно и то же и доводя Мишку до белого каления постоянным заглядыванием в глаза и вопросом: «Ну, ты меня понял?» Эти минуты ввергали мальчишку в уныние и тоску: они были неприятны, но страха не приносили. Отец орал, когда был уставшим (а уставшим он бывал частенько: академиками бездельники не становятся) или когда ругался с бабушкой, что тоже случалось нередко.

Мама в такие минуты превращалась в мотылька, который если и летал по квартире, то делал это очень тихо и аккуратно: так, чтобы ни в коем случае не задеть никого своими неприметными крылышками. Мишка же в силу возраста и безалаберности грозы не чувствовал, поэтому не спешил укрыться в безопасности своей комнаты при первых раскатах грома: вертелся под ногами, сыпал вопросами и, как результат, неизменно попадал под удар. Молния сверкала на семейном небосклоне, приходила из ниоткуда и исчезала в никуда. Вслед за грозой выходило солнце: отец снова улыбался, называл Мишку «проказником» и обещал «надрать уши», а Мишка заливисто хохотал и шепелявил:

— Академики уши не надилают!

Лекциями же о правилах хорошего тона, которые соответствовали статусу отца все же больше, чем громы и молнии, но случались гораздо реже, мучили Мишку исключительно по настоянию матери. Испробовав тысячу и один ласковый способ воздействия на сына, она вынуждена была апеллировать к мужу. Впрочем, как помочь и что именно говорить, отец (даром что академик) не имел ни малейшего понятия. Он привык объяснять и доказывать взрослым, а сын был для него субстанцией чуждой и неизученной, потому нотации выходили скучными и бестолковыми.

Мишке тяжело было разобраться в терминах и выражениях, которыми сыпал отец, он боролся с зевотой, разглядывал обои и думал лишь о том, чтобы не упустить момент, когда нужно будет утвердительно кивнуть на вопрос: «Ну, ты меня понял?». Мишка знал, что вести себя надо прилично, но никак не мог взять в толк, какое отношение к нормам поведения имеет квантовая механика или теория какой-то там относительности, изобретенная каким-то там Эйнштейном. Да и сам отец, рассуждавший монотонным голосом о непонятных вещах, казался невероятно скучным. А разве можно бояться скучного человека?

Мишка и не боялся. Ни скучного и тихого, ни громогласного и буйного. А вот строгого, раздраженного все же опасался. И не потому что расстроенный и уязвленный отец прибегал к каким-то особым мерам воздействия, а исключительно от того, что его грусть и разочарование передавались мальчику, и становилось так мучительно стыдно, что хотелось как можно скорее исправить ошибки и вернуть на лицо отца безмятежное выражение: такое, с которым он рассуждал о молекулярных частицах или светодиодных потоках. А поскольку в своих желаниях Мишка был вполне последователен, то в меру своих сил он старался их претворять в жизнь: слушал папу внимательно, обдумывал сказанное, делал выводы и искренне обещал исправиться.

Вот и теперь ему больше всего на свете хотелось выбежать во двор и навешать тумаков приятелям, которые уже минут десять без устали орали под окном: «Труба, выходи!»

Услышав окрик в первый раз, Мишка залихватски крикнул в форточку: «Иду!» – и метнулся было к двери, но был безжалостно остановлен вопросом, заданным холодным тоном:

– Что значит «труба»? – Отец выглянул в коридор из кабинета: брови нахмурены, глаза смотрят строго поверх очков.

– Так это от фамилии, па! – Мишка решил, что разговор окончен, и даже дернул ручку двери.

– Что значит «от фамилии»?

– Ну, там Михей – Михеев, Клочок – Клочков, Сухарь – Сухоткин, а Трубецкой, выходит, Труба.

– Это у кого выходит?

Пришлось закрыть дверь и обернуться, только вот в глаза посмотреть не получалось. Мишка уставился на носок своего левого ботинка и предпринял новую, такую же неудачную попытку защититься:

– Так у всех.

– Да? А у меня, например, не выходит. У меня Трубецкой – это Трубецкой.

– Ну... я... это... Всех ведь по фамилиям как-то, ну и меня тоже. Пап, да мне не обидно.

– Не обидно тебе? – Отец сощурился и покачал головой, глядя на Мишку так укоризненно, что у того в момент зачесались веки. – А мне, представь себе, очень обидно от того, что мой сын до семи лет дожил, а фамилию носить так и не научился.

– Носить? – Мишка недоуменно оглядел себя: носят футболку, шорты, кеды. Еще сумку носить можно или носовой платок в кармане. Даже, пожалуй, стрижку можно, но фамилию?

– Фамилия, Мишка, это, я тебе скажу, не ерунда какая-то. Ее носить уметь надо. Из таких вот «Клочков» да «Михеев» клочки с михеями и вырастают, а коли хочешь вырасти Трубецким, будь добр впредь на Трубу не откликаться.

Мишка пообещал. И не откликался. И дворовых постепенно (кого тумаками, а кого и слезными просьбами) приучил называть себя просто по имени, но все же не давала ему с тех пор покоя одна мысль: «Так ли уж важно, какая у тебя фамилия? Сонька Хорошева – девчонка симпатичная, но противная. Степка Беленький – чернявый, да и глаза у него темно-карие, а Васька Лень – и вовсе лучший ученик в классе».

Как-то не выдержал, спросил:

– Пап, а разве важно, какая у тебя фамилия?

Ответ был однозначен:

– Без сомнения. Без нее ты никто, понимаешь? Нуль без палочки. А с ней человек, да не какой-то там Клочков, а Трубецкой. Так что давай-ка, брат, чти и не позорь, лады?

– Лады.

– Без фамилии тебя знать не знают и ведать не ведают. Усек?

– Усек.

Мишка усек. И с тех пор старался, чтобы фамилия всегда шагала впереди него. Она и шагала. И пришла в тупик. И уперлась в глухую стену. И теперь может помочь своему владельцу одним лишь: как можно дольше оставаться неузнанным. Незачем местным знать, кто он такой.

– Ладно, – смилостивилась врач «Скорой помощи», – вы, если его фамилию не знаете, свою скажите. Мы пока на вас оформим, а вы, как выясните, сообщите. Должен же здесь кто-то знать. Вы старожилов поспрашивайте. Или документы поищите.

– Хорошо.

– Так как? – Врач прицелилась ручкой в бумагу и приготовилась писать.

– Что «как»?

– Фамилия у вас какая?

– Моя? – Михаилу показалось, что биение его сердца заполнило глухим частым стуком всю маленькую келью. «Сейчас она попросит документ, и все кончено».

– Корнеев его фамилия, – вдруг раздалось с постели, – а моя, доктор, Исаев. Мою пишите, я же не помер еще.

– Смотрите, доктор, очнулся! – Михаил кинулся к кровати. – Видите, ему лучше! Может, не надо забирать, а? Отец Федор, скажите, вы ведь здесь мечтали, в своей кровати. Зачем же в больницу? Какой в ней прок?

– Мне, сынок, никакого, – Старик хитро улыбнулся и сказал ясно и звонко, будто и не лежал больше часа в забытьи: – Едем, доктор!

Уехали. Оставили за собой столб пыли на проселочной дороге, запах болезни в келье и смятение в душе Михаила.

«Прав, старик, снова прав. Он взял меня под опеку и теперь считает себя обязанным жить как можно дольше. Пока он жив, меня не тронут. Старик решил, что в больнице проживет дольше, хотя хотел уйти в своей постели. Наступил на горло собственной песне в угоду моим интересам. Еще и фамилию мне придумал. И чем же мне расплатиться?»

Михаил растерянно оглядел вмиг опустевшее помещение, услышал, как внизу, в ризнице, скрипнула дверь, увидел небрежно повешенную на крючок рясу, вздохнул, горько усмехнувшись: «Вот она – расплата», облачился в церковные одежды и спустился к посетителю:

– Слушаю, сын мой.

– Батюшка, Христа ради, дайте совет...

«Христос ради меня лично ничего не сделал, сколько бы церковь ни утверждала обратное, а вот ради отца Федора я тебя послушаю. Я вас всех послушаю. И советы дам, и грехи отпущу, и на путь истинный наставлю. Вы обретете счастье и покой. А я? Я буду ждать того, кто отпустит мои грехи и отыщет для меня в лабиринте дорог ту единственную, по которой не страшно пойти».

5

Дорога до магазина в любую погоду казалась короткой и ровной. На самом деле она была усеяна ямами, рытвинами и ухабами, туда-обратно – три километра. Но дорога была ровной – Анна шла, углубившись в свои мысли, и не замечала дефектов, – и короткой, так как женщина никогда не успевала всего передумать. А еще дорога была хорошей, изумительной, просто прскрасной, потому что, идя по ней, Анна отдыхала.

Шаг за калитку – и старый дуб у соседского забора начинал выскрипывать ветвями мелодию свободы. Первая сотня метров – поворот и напряженное рычание собаки: за железной изгородью живут две сиамские кошки. В жаркие дни они лежат на заборе, подставив спины солнцу и свесив хвосты вниз. Кончиками хвостов они лениво поддразнивают собаку: «Все равно не поймаешь!» В холод и дождь кошек не видно и не слышно, но собачий инстинкт не дремлет: псина недовольно фыркает и успокаивается только через два дома у красного забора, где стоит лавочка. На лавочке сидит старушка и каждый раз произносит, завидев собаку:

– Ах ты, моя бедненькая!

Собаке такое обращение нравится, она ластится к бабушке, тычется мордой в морщинистые руки, просит новых теплых слов и комплиментов. Для нее любой звук, изданный нежным тоном, – комплимент. Анна собаку не зовет, не торопит, терпеливо ждет, когда старушка вдосталь потреплет жесткую шерсть и снова скажет умильно:

– Ах ты, моя бедненькая!

И тогда Анна окликнет собаку, и они пойдут рядом, и каждая примет бабушкины слова на свой счет.

Через триста метров – колонка с водой. Бывает, Анна останавливается и обливает водой собаку, если та слишком громко дышит или слишком сильно высовывает язык. Иногда женщина складывает ладони в лукошко и пытается донести до собачьей морды немного воды, вода проливается, собака недовольно фыркает и отбегает от колонки. Садится на пыльную дорогу, наклоняет морду, настороженно водит ушами и отворачивается: «Сама пей». Анна такую воду не пьет: в ней микробы, да и колонку трогают все, кому не лень, а у Анны дед от дизентерии умер.

Путь продолжается. Дома и заборы внезапно исчезают, и Анна с собакой входят в березовую рощу. Собака сразу убегает, начинает мельтешить среди ветвей едва уловимой тенью: разнообразие запахов и звуков заставляет ее беспорядочно кидаться из стороны в сторону, пытаясь унюхать что-то самое яркое – то единственное, по следу которого необходимо нестись, не видя и не слыша ничего вокруг. Женщина, в отличие от зверя, всегда идет прямо по тропинке, не отвлекаясь на шорохи и пейзажи. Ничто не может отвлечь ее от дум: ни земляничная поляна, ни куст ежевики на расстоянии протянутой руки, ни мелькнувшая в листве белка, ни выстукивающий мелодию дятел...

Анна торопится. Там, за рощей, после нескольких домов с симпатичными палисадниками ждет новый поворот, а за ним наконец и магазин. Женщина скрывается за дверью, а собака усаживается на землю у входа терпеливо ждать хозяйку с какой-нибудь вкусной подачкой. Собака уверена: Анна стремится быстрее попасть в магазин именно для того, чтобы накормить свою псину куском вареной колбасы или отщипнуть от батона хрустящую теплую горбушку. Собака ошибается. Хозяйка просто спешит скорее покончить с обязательным меню из трех блюд (старушка, роща, прилавок) и перейти к десерту. Десерт, кстати, бывает далеко не всегда.

Довольно часто женщина возвращается домой тем же маршрутом, нигде не останавливаясь и ни на что не отвлекаясь. Но бывает, выйдя из магазина и подождав, когда собака покончит с трапезой, она направляется в другую сторону. Собака семенит сзади и не понимает, радоваться такому повороту событий или огорчаться. С одной стороны, они будут дольше гулять. К тому же на параллельных улицах, по которым они теперь пойдут, можно встретить сенбернара Джека и обменяться с ним новостями. Но с другой стороны, большую часть дополнительного времени собаке придется просидеть у бестолковой, совершенно несъедобной свалки, наблюдая за тем, как Анна ковыряется среди деревяшек и железяк. Впрочем, собака готова поскучать немного, потому что иногда женщина выбирается из горы рухляди с блаженной улыбкой на лице и каким-то непонятным предметом в руках.

— Смотри, какую вещь выкинули, — довольно говорит она собаке. Та послушно тычется мокрым носом в скучный кусок старого дерева и виляет хвостом, делая вид, что одобряет находку. Радости собака не испытывает. Теперь хозяйка понесется к дому, вместо того чтобы, как обычно, идти прогулочным шагом, то и дело останавливаясь и разглядывая уже знакомые и изученные вдоль и поперек домики и дворы. И у калитки тоже стоять не будет, пытаясь оттянуть момент возвращения, а распахнет ее и почти бегом бросится к крыльцу, прижимая находку к груди, словно драгоценность. И даже на вопрос «Ты вернулась? Ну-ка, иди сюда!» ответит не сразу, а только после того, как уберет странный, почти бесформенный кусок дерева в шкаф на террасе.

Таких кусков в шкафу хранилось уже штук пять, и собака недоумевает, зачем заполнять пространство, которое можно приспособить под хранение чего-то гораздо более полезного (мешков с кормом, игрушек или даже одеял, на которых так приятно валяться холодными вечерами), абсолютно бесполезными вещицами.

– Дрова собирает, – шепнул ей как-то на ухо дом. – Зимой печку топить будет.

Собака только недоверчиво дернула мордой. Дом был неглупым, но широко мыслить не мог: слишком мало сторон жизни видел он на своем пристанище за забором. Откуда ему знать, что по ту сторону изгороди все сосны обклеены объявлениями и по одному из них Анна звонила уже несколько недель назад? Потом даже сказала собаке, потрепав ее по холке:

– В ноябре привезут. Сложим поленницу у сарая под навесом, получится компактно. Думаю, на зиму нам хватит.

Собака могла бы рассказать об этом дому, но не стала. Она догадывалась, что, как только эти два этажа любопытства поймут, что ошибались в своих предположениях, то сразу же начнут строить новые и докучать собаке просьбами разнюхать, разведать и доложить. Собака же любила покой и ради его сохранения не собиралась раскрывать тайну сбора деревянного хлама. Хочется хозяйке таскать щепки – пусть таскает.

И Анна таскала. Таскала до тех пор, пока однажды не вытащила из груды мусора почти правильный прямоугольник массива размером шестьдесят на сорок сантиметров.

– Есть! – восторженно сообщила она собаке и, как обычно, поспешила к дому. Прислонила кусок дерева к стене сарая и снова выскочила за калитку:

– Пойдем! Пойдем! – нетерпеливо окликнула она собаку.

Они почти бежали до незнакомого здания с названием «Почта», и Анна пропала там на целых полчаса; собака только ловила через открытое окно отдельные слова:

– Заказным... А что долго ждать? А в дороге не растекутся? Как не несете ответственности?

Анна вышла, держа под мышкой какой-то бумажный сверток. Дома развернула его и повесила на стену. В верхней части была какая-то картинка с деревьями и птицами, а в нижней – палочки и крючочки, которые женщина перечеркивала каждое утро красной ручкой.

– Это календарь, – объяснил дом собаке. – У моих позапрошлых хозяев такой был. Они там тоже все черкали да черкали, пока до дня, обведенного в кружочек, не дошли.

– А потом?

– Пришла машина, грузовик здоровый, они погрузились и уехали.

– Думаешь, мы уезжаем?

– Все когда-нибудь уезжают.

Собака промолчала. Полный стеллаж деревяшек, заботливо убранный в сарай прямоугольник, который Анна перед этим долго рассматривала, оглаживала тряпками и объясняла собаке: «Настоящий дуб, понимаешь?», никак не вязались с мыслями о грядущем отъезде.

Отъезда и не случилось. В обведенный красным кружочком день женщина с собакой снова оказались у вывески «Почта» – Анна внутри, собака у окна, шевелит ушами, ловит каждое слово. Счастливый голос Анны вылетает на улицу серебристым колокольчиком:

– Пила, стамески, шпатлевки, набор молотков, зажимные скобы, стальная вата для полировки, жидкие гвозди. А это что? А... в подарок набор тряпок. Ладно, и на том спасибо, хотя тряпок у меня полон дом. Так, с инструментами все, теперь материалы. Дайте мне накладную. Лаки ретуширующий и светостойкий, морилка, пчелиный воск, растворитель, витражная пленка, мебельные фломастеры, набор красок, очиститель, освежитель цвета, клеи. А где клеи, девушка? Я не вижу. Тут нет. Должна быть еще коробка.

– Сейчас посмотрю.

Колокольчик стихает. Теперь собака только слышит нервный дробный стук. Это Анна, нервничая, барабанит костяшками пальцев по прилавку.

– Вот, нашла. – Что-то тяжелое выпускают из рук.

– Я открою? – Колокольчик слегка дрожит.

– Конечно. – Звук рвущегося картона. – Это все клей? А зачем столько?

Девушке на почте скучно. Почему бы не разнообразить праздное безделье получением знаний?

– Тут обычный ПВА, еще резорциновый и смола.

– Смола?

– Да, желтый клей, или алифатическая смола. Он сильнее и влагоустойчивее, к тому же более вязок и менее текуч. В общем, хорошая штука.

– А это?

– Это анимальный клей.

– Какой?

– Анимальный. Из животных сделан.

– Как из животных?

– Из кожи, нервных тканей или костей, – спокойно объясняет колокольчик. Собака нервно сглатывает слюну, а девушка за прилавком ужасается:

– Какая жестокость!

– Какая жестокость! – сокрушался старшекурсник, слушая сбивчивый рассказ семнадцатилетней Ани о несправедливости членов приемной комиссии. – Так и сказали?

– Да, – девушка размазывала по щекам слезы и поплывшую тушь. – Природа на вас отдохнула. Поищите себя на другом поприще.

– Ну... Может, это дельный совет?

– Что?! – Анна вскочила и рванулась в сторону. «Да уж, хороша! Развела нюни перед чужаком. А онто просто смеется. Она думала, он пожалеть хочет, а он... Они, старшекурсники, небось все такие, приходят в дни экзамена поглумиться над несчастными абитуриентами да похвастаться своей удачей».

– Да погоди ты! Я, между прочим, тут тоже три года пороги обивал, прежде чем пропустили, и тоже всякого наслушался, но я верил, что они не правы, и у тебя, раз ты в это веришь, тоже все получится.

– Я не знаю, верю или нет. Они все-таки мастера, а я кто? Девчонка.

– А режиссеру ты поверишь?

– А ты что, режиссер?

– Ну, почти.

– А что ты снял?

– Потому-то и почти, что не снял еще ничего. Ничего стоящего. Так парочку курсовых.

– Типа «Убийц»?[1] – Аня улыбнулась сквозь слезы.

Во взгляде молодого человека мелькнуло уважение:

– Сечешь в кино?

– Люблю Хемингуэя.

– Ну, до старика Эрнеста мне далеко. Разве что иногда тоже застрелиться хочется, а так ничего общего.

Девушка засмеялась.

– Значит, ты будущий режиссер?

---

[1] Курсовая работа 1956 г. студентов ВГИКа, снятая Александром Гордоном и Андреем Тарковским по одноименному рассказу Эрнеста Хемингуэя.

– Ага. Почему бы будущему режиссеру не прослушать будущую актрису?

– Будущему режиссеру полезно прослушивать актрис настоящих, а будущим актрисам надо учиться у настоящих режиссеров, так что я, пожалуй, пойду. – Аня сделала несколько шагов в сторону, обернулась: – Значит, три года, говоришь, стучался в закрытые двери?

– Было дело.

– Значит, у меня еще полно времени. Ну пока.

– Пока. Подожди, а звать-то тебя как? Мне же надо знать, кого приглашать сниматься в своих шедеврах.

– Аня. Анна Кедрова.

– Кедрова... Кедрова... Кого-то ты мне напоминаешь, Кедрова, а кого, понять не могу.

Девушка лишь пожала плечами:

– Откуда мне знать?

Она лукавила. Кому, как не ей, знать. «Перелетные птицы», «Рассвет у порога», «Письма издалека» и еще несколько десятков названий известных картин, в которых он мог лицезреть улучшенную копию ее лица.

– Прикольная ты, Кедрова. И Хемингуэя знаешь. Мне почему-то тебе помочь хочется.

Девушка скривилась:

– Спасибо. Не нуждаюсь.

– Спрячь ты гордость. Я по-дружески. Метры и койку предлагать не собираюсь, а на руку и сердце не рассчитывай.

– Откровенно. Чего ж так?

– Ну, метры тебе не нужны. Я по речи слышу, что москвичка. Да и сердце тебе мое ни к чему. Во всяком случае, пока я только почти режиссер.

– Дурак ты, а не почти режиссер, – только и ответила Анна и снова предприняла попытку уйти.

Теперь он уже схватил ее за руку. Она вывернулась, зыркнула гневно.

– Эй! Ну, прости. Знаешь, тебе, по-моему, вообще здесь делать нечего. Чистым и непорочным сюда редко удается пробраться.

– Отвали!

– Ты чего ругаешься? Я же комплименты делаю.

– Да засунь ты их...

– Тебе это не идет. На вот, возьми.

– Это еще что?

– Телефон мой. Захочешь поболтать, позвони. Я все-таки могу дать несколько ценных советов.

– Спасибо, наслушалась: либо переспать с известным режиссером, либо держаться подальше от театральных вузов.

– Ты все-таки позвони.

– Смотри не застрелись до этого.

Анна все-таки сунула карточку в карман плаща и поспешила к метро.

Забавный тип. Самонадеянный, конечно, но зато сумел ее приободрить. Во всяком случае, отвлек от грустных мыслей, это точно. Что она делала? Сидела на скамейке, рыдала и все еще читала Чехова. И никак не могла понять, почему этот отрывок из «Цветов запоздалых» председатель комиссии назвал не до конца прочувствованным. Аня столько раз репетировала дома: ложилась на кушетку, расстегивала несколько пуговок на платье и томно шептала: «Я люблю вас, доктор!» – а дама из комиссии, имени которой она даже не знала (тоже мне, актриса погорелого театра!), назвала это «нелепым жеманством». Правда, известный артист, что сидел рядом с ней, заявил, что «басня была вполне недурственной», но дама тут же парировала, что недурственной она может быть на семейной кухне, а не на сцене, где любое произведение должно становиться посредством великолепной актерской игры вершиной литературного творчества. Девушка как раз придумывала сто пятидесятый достойный ответ на эти обидные слова, когда перед ней возник забавный юноша. Она и не думала плакаться в жилетку, но слово за слово, и она уже думала больше о нем, чем о проваленном экзамене. Интересно, у него случайно так вышло или сработал навык хорошей режиссуры: только что она кляла на чем свет стоит членов комиссии, а теперь переключила свой гнев на него, а жгущая ладонь бумажка с телефоном занимала все ее мысли.

Звонить, не звонить? Анна ходила по квартире кругами. То хватала карточку и засовывала ее в лежавшую у телефона визитницу, то перекладывала на свой письменный стол, то возвращала в карман плаща («Скоро осень, потом зима, плащ перекочует в дальний платяной шкаф, а с ним и бумажка до лучших времен»), то снова выкладывала на видное место. Наконец, разозлилась на себя («Да что это со мной, в самом деле?! Слишком много чести!») и решительно отправила бумажку в мусорное ведро.

И в ту же секунду – звук ключа в замочной скважине, скрип открывающейся двери, аромат сладких, кружащих голову духов, звонкий надменный голос:

– Ты дома? Ну-ка, иди сюда.

– Да, я здесь. Привет. – Аня вышла в коридор.

– Снимешь? – С пуфика девушке поочередно протянули ноги, обутые в элегантные сапожки. – Уф, я так запарилась!

– Лето на дворе, – Анна отставила чудо из светлой замши в сторону.

– А когда их носить, как не летом? Ты не представляешь, как я устала. – Женщина легко вскочила с пуфика и встала перед зеркалом, театрально приложила левую ладонь к виску. – Голова идет кругом. На студии все просто с ума посходили. Хотят меня видеть сразу в трех картинах, да еще и Андрон с этим своим воскресным приемом. Нет, я, конечно, счастлива, что он стал академиком, но, скажу тебе по секрету, он мог бы им стать и без меня. Я к этому отношения не имею и сидеть в компании этих скучнейших ученых совершенно не хочу. Но придется, моя дорогая, придется. Такая уж судьба у жены академика. – Женщина небрежно погладила Аню по голове: – Ну-ка, ты что пригорюнилась? Тебе-то на этом мероприятии присутствовать необязательно. Я, кстати, видела отца, он будет ставить одну из трех картин. Он о тебе спрашивал. Так что в воскресенье как раз можешь отправиться к нему. Ну, там кино, кафе... Какая там у вас обязательная программа?

Об обязательной программе Аня, в отличие от собеседницы, имела прекрасное представление. «Кино с Людочкой. Кафе с Танечкой. Ты, Анютка, пока посиди у меня, если хочешь. Малыш, ты еще ждешь? Представляешь, мы тут в кафе встретили N-ского, он всех тащит в Дом кино, ему недавно отвалили премию и требуется обмыть. Так что не злись на папу, засунь ключ под коврик. Что? Остаться ночевать, а завтра проведем день вдвоем, как хотели? Малыш, ну ты же уже не совсем малыш. Должна понимать: я приду не один... И потом, завтра – уже не сегодня, правда? Так что давай-ка дуй домой и созвонимся, ладно?» Очередного звонка приходилось ждать целую вечность.

– А на прием ведь еще одеться надо, и прическа... Представляешь, я сейчас заглянула в «Чародейку», так Татьяна в отпуске. Сорвалась, чертовка, даже не предупредив. И что мне теперь делать?

– Ты прекрасно выглядишь.

– «Прекрасно» – это не роскошно. А у академика должна быть роскошная жена. А где, кстати, он сам? – Женщина оторвалась от зеркала.

– Не знаю. Наверное, на работе. Я сама только что пришла.

– Понятно. Вы, значит, все где-то гуляете. И это как раз в тот день, когда у Маши выходной. Значит, я должна после тяжелого дня вставать к плите, браться за пылесос, утюжить рубашки...

– Обед Маша приготовила вчера, квартиру убрала, рубашки Андрону погладила, так что выйди из образа угнетенной трудом Золушки.

– Как ты разговариваешь?!

– Просто надоела театральщина.

– Театр, моя милая, надоесть не может. Ладно, пойду перекушу что-нибудь. Никто ведь не предложит погреть и подать.

– Ты ничего не хочешь у меня спросить?

– А надо?

– Ну, как все прошло.

– А что проходило-то?

– Я вообще-то поступить сегодня пыталась. Я ведь тебе говорила!

– Да? Ну, значит, я забыла. Прости. Ну и как? Поступила?

– Нет.

– Видишь, поэтому я и запамятовала. Я же говорила: все это пустое. Дурь и блажь. Какая из тебя актриса? Все, я сейчас умру с голоду.

Женщина скрылась в ванной, зашумела вода. Аня юркнула на кухню, из последних сил пытаясь сдержать слезы, кинулась к помойному ведру, вытащила бумажку, метнулась в свою комнату. Щелканье пальца по клавишам:

– Привет, это Анна. Ну, сегодня в сквере...

– А-а-а... Видишь, я еще жив.

– Скорее слышу. Ты помочь обещал.

– Я готов.

– И-и-и?

– Хватай как можно больше литературы и дуй ко мне. Высотку на Котельнической знаешь? Второй подъезд, я встречу.

– У тебя что, в твоих хоромах книг нет? – Девушка растерялась. Ответ прозвучал неожиданно резко:

– Сейчас нет. – И уже мягче: – Так придешь?

– Приду. А что приносить?

– Приноси свое любимое, там разберемся.

Вместо плаща – ветровка, вместо лодочек на каблуках – стоптанные кроссовки, волосы, утром распущенные по плечам, собраны в тугой хвост и скрыты под кепкой. Ничего от чеховской Маруси.

– Ты просто Гаврош, – Андрон, столкнувшийся с девушкой в дверях, удивленно приподнял брови. – Куда, на баррикады? – Он вопросительно взглянул на тяжелые коробки в ее руках.

– Практически.

– И что будешь защищать?

– Честь и достоинство.

– Ага. Ну, это дело хорошее. Тебе помочь?

Но Аня уже за порогом. Только крикнула в ответ:

– Сама справлюсь!

– Сама справлюсь, спасибо, – вежливо откликнулась Анна на предложение девушки подождать почтальона.

– Зря. Тяжесть-то какая! Он бы на багажник велосипеда поставил и довез бы вам. А хотите, оставляйте, он попозже привезет.

– Нет-нет! – испугалась Анна. Как можно оставить такую ценность? Она подхватила коробки и вышла на улицу, окликнула собаку: – Пойдем!

– Подождите, – девушка выскочила за ней и смущенно проговорила: – Я забыла спросить: а зачем вам все это?

– Зачем? – Анна поставила коробки на землю, разогнулась и ответила. Нет, не девушке. А кому-то далекому, только ей одной ведомому. – Защищать буду.

– Что? Что защищать?

Но Анна уже снова с коробками. Повернулась спиной и пошла восвояси. И девушка уже не слышала, как чуть шевелятся в такт тяжелым шагам губы странной посетительницы:

– Честь и достоинство. Честь и достоинство. Честь и достоинство.

6

Достоинства свои Аля подчеркивала не зря. Упорство и старание рано или поздно должны быть вознаграждены, кому-то везет уже в этой жизни, кому-то, возможно, в следующей. Алю же удача накрыла своим крылом не просто быстро, а буквально сразу же. Ей не пришлось годами обивать пороги студийных кабинетов и с надеждой во взгляде протягивать ассистентам по актерам свои самые удачные фотографии. Буквально с третьих проб она вернулась с предложением пусть небольшой, но заметной роли второго плана и письмом к руководителю курса с просьбой закрыть глаза на пропуски занятий студентки первого курса Панкратовой. Записку хоть и со скрипом, но приняли к сведению – и Аля отправилась в свою первую в жизни киноэкспедицию.

Условия съемок были, конечно, далеки от тех, что нарисовала себе в воображении девушка, мечтавшая о жизни, как у экранных див: номер в провинциальной гостинице приходилось делить не только с коллегой, пока такой же далекой от звездного статуса, но и с клопами. Вставать заставляли рано, потому что доверенная Але роль требовала сложного грима, а ложиться, напротив, рано не удавалось, так как отогревавшаяся алкоголем на осенней площадке съемочная группа устремлялась в гостиницу не за отдыхом, а за продолжением банкета.

Аля от коллектива не отставала, однако и с массой не сливалась. От предложенной рюмки не отказывалась, но до беспамятства никогда не напивалась, над скабрезными шутками посмеивалась, но поводов шутить над собой не давала. Сплетни выслушивала с интересом, не одергивая болтунов, но и в унисон с ними не пела. Ухаживания мужской половины экспедиции принимала, казалось бы, благосклонно, но никого не выделяя и не давая поводов для ревности и выяснения отношений. За ней закрепилась репутация умницы и красавицы с легким характером. Никто и предположить не мог, что характер этот был тщательно продуман и отрепетирован для того, чтобы как можно быстрее избавиться от соседства не только с клопами, но и с второсортными актрисульками, от недвусмысленных предложений именитых и не слишком киноперсонажей и от подъемов в угодное режиссеру, а не ей – Алевтине – время.

Месяцы жизни с образованным человеком и его призыв к чтению не прошли для девушки даром. Книги учат людей мыслить, и Алино увлечение литературой помогло ей перевоплощаться в обличье, нужное людям. В кресле гримера сидела покорная Гризельда Боккаччо, в гостинице кутила с приятелями крыловская Стрекоза, объяснения в любви выслушивала то еще невинная сестра Керри Драйзера, то бесстрастный Онегин, то Медной горы хозяйка.

Такая политика беспрерывной игры принесла плоды. Из экспедиции Аля вернулась с двумя новыми записками для руководителя курса (партнеры не желали видеть рядом с собой на съемочной площадке никого другого и успели протолкнуть ее в очередные киногруппы), с благодарственным письмом в деканат от режиссера (который был доволен не столько ее актерской работой, сколько разыгранной перед ним невинностью, что удержала его от очередного адюльтера), с двумя предложениями руки и сердца и с воспалением придатков, которое, по утверждению врачей, при отсутствии серьезного лечения грозило оставить ее без потомства.

Аля считала врачебный прогноз скорее благоприятным, чем пугающим. Ей – молоденькой, амбициозной девушке с запятнанной душой – дети казались хлопотной обузой на пути к успеху. Поэтому времени на анализы и процедуры она попросту не тратила, лечилась спустя рукава и, услышав вердикт «Беременность крайне маловероятна», испытала гораздо больше облегчения, чем расстройства. К тому же огорчение было вызвано лишь тем, что обоим кандидатам в мужья пришлось отказать, хотя один из них оказался неожиданно перспективным (молодой, но уже известный оператор вполне мог оказать необходимое содействие начинающей актрисе). Однако оба претендента мечтали не только об Алиной благосклонности, но и о настоящей семье, где о них бы заботились и рожали детей. Это не входило в Алины планы:

ей самой нужна была опека, она, и только она, должна была стать ребенком в своей семье.

Поняв, чего она хочет, девушка, однако, не бросилась сломя голову воплощать желания в жизнь. Аля просто решила не размениваться по пустякам, а терпеливо ждать своего счастья. Счастьем же ей представлялся человек немолодой, предпочтительно уже с детьми и, конечно, влиятельный в артистических кругах: режиссер, драматург, писатель, а еще лучше министр (Фурцева?). Одна беда: министры по киноэкспедициям не ездили, писатели и драматурги хотели принимать восхищение, а не дарить его, а известные режиссеры, естественно, оказывались женаты. И хотя многие из них были не прочь предложить (да и предлагали) Але посильную помощь в обмен на ее благосклонность, она никогда не торопилась соглашаться, а бывало, и грубо отказывала, если не видела в предложенной сделке выгоды.

К концу обучения в Алином послужном списке имелись четыре удачные картины, несколько предложений от ведущих московских театров и столько же намеков от художественных руководителей этих театров.

– Любишь кататься, люби и саночки возить, – заявил один из них. – Все покупается, все продается.

– У всех цена разная, – бесстыже усмехнулась она в ответ. – Я стою дорого.

И упорхнула в Ленинград сниматься в какой-то грандиозной военной киноэпопее, которой все критики заранее прочили оглушительный успех. «При таком прогнозе я могу надеяться, что в скором будущем смогу попасть в любой стоящий театр с парадного входа, а не с дивана в кабинете худрука, – думала молодая актриса, засыпая под стук колес скорого поезда. – В конце концов, несколько месяцев можно провести и без столицы. Ленинград ничем не хуже всех тех городков, в которых мне приходилось околачиваться неделями в ожидании натуры. Нет, ничем не хуже».

Ленинград оказался гораздо лучше любых ее представлений. Уже на следующий день после приезда она твердо знала, что чеховское «В Москву! В Москву!» – это блажь тех, кто никогда не был в этом сказочном царстве дворцов и каналов, и что она никогда и ни за что не хотела бы отсюда уехать.

Впервые в жизни Аля влюбилась. Влюбилась так, что все остальное сразу перестало иметь значение. Она готова была сниматься в любом фильме, если он ставился на «Ленфильме», готова была умолять режиссеров и сулить им что угодно за право быть принятой в труппу не только БДТ и Александринки, но и какого-нибудь малоизвестного ленинградского театра. Аля была очарована рябью воды, что, казалось, сутками напролет отражала настроение города: то тихое, умиротворенное, то бурное, переполненное страстями прошлого. Девушку восхищала величавая осанка многочисленных мостов, упругими стрелами соединяющих набережные, ее поражала грандиозность колонн здания, что называлось на бумаге музеем, а в народе по-прежнему Казанским собором. Ее впечатляли дворцы, хранящие за своими фасадами секреты своих прежних хозяев... В общем, Аля сочла этот королевский город достойным своей персоны и во что бы то ни стало решила в нем задержаться.

Решить легко – сделать гораздо сложнее. Съемки не могли продолжаться вечно, новых предложений от «Ленфильма» не поступало, а труппы ленинградских театров не жаловались на отсутствие талантов и распахивать свои объятия перед юной «почти москвичкой» не спешили. Алей все сильнее овладевали смутное беспокойство и чувство неуверенности в завтрашнем дне. Возвращение в Москву без каких-либо явно обозначенных планов на будущее означало угрозу распределения в провинцию, о чем уже заболевшая звездной болезнью девушка не могла думать без содрогания. А думать приходилось.

– Уедешь, а мы останемся! – насмехались над ней лошади Клодта на Аничковом мосту.

– Я буду царствовать здесь, а ты станешь примой Урюпинска, – ехидно улыбалась с афиши знаменитая актриса.

– Мы свои, местные, с папой-генералом и пропиской в кармане, – читала она во взглядах выпускниц ЛГИТМиКа. – Если и придется уезжать, то не больше чем на три года. А ты? Ну, не всем же в столицах рождаться.

И отравляющие существование письма:

«Как чудесно было бы, Аленька, если бы тебя распределили к нам поближе. Конечно, в районе театра пока нет, но в Пензе, говорят, хороший. Председатель был там несколько раз. Говорит: «Спектакли чудесные, душу на части рвут». Так что это по твоей части. Ты ведь у нас настоящая звездочка. Взглянуть бы на тебя хоть одним глазком! Понимаю, времени у тебя нет: режиссеры рвут на части. Только и видим тебя что на экране. А направили бы тебя в Пензу, глядишь, и виделись бы почаще, и в театр бы у нас был повод сходить. Ты уж похлопочи там на комиссии, чтобы уважили нашу просьбу. И пиши, ладно? Мама».

Если бы и стала хлопотать Аля о чем-либо, то уж точно не о направлении в Пензу.

«Аленька, милая, почему ты не пишешь? Неужели так загружают ролями, что некогда черкнуть родителям пару слов? Если так, то надо обратиться к Фурцевой и попросить разобраться с режиссерами, которые так бесчеловечно обращаются с артистами. Я вот что подумала, дочка: зря мы с отцом так переживали и расстраивались из-за твоего поступка, людям в глаза не могли смотреть после твоего исчезновения. Мы ведь всегда надеялись на то, что ты будешь продолжать жить достойной жизнью советского человека и трудиться во славу светлого коммунистического будущего нашей страны. Актерство представлялось нам занятием мелким и бесполезным. Однако сейчас я думаю, что и в этой профессии возможно добиться больших высот, если создавать образы честных, порядочных, сильных женщин, а не профурсеток, вроде твоей Вали из последней картины. Я, конечно, понимаю, что любовь украшает человека, но советская женщина должна больше всего на свете любить Родину и не забивать себе голову бессмысленными страстями. Надеюсь, ты станешь разборчивей. Где ты теперь снимаешься? Мама».

– Где надо, там и снимаюсь, – только и ответила Аля. И не на бумаге, а у зеркала. И не с доброй дочерней улыбкой, а с перекошенным от негодования и злости лицом.

«Алюша, так и не дождались от тебя весточки. Недавно нам в клуб привозили «С тобой в разведку». Чудная картина! Нас с отцом просто переполняла гордость. Твоя Нюра – воплощение чести и отваги. Именно такими – смелыми, бесстрашными – представлялись мне партизаны. Бывало, стою в тылу у станка на заводе, слушаю вести с фронта и все думаю: как только женщины решаются вместо того, чтобы укрыться где-нибудь вдали от бомбежек, лезть в самое пекло и шнырять под самым носом у треклятых фашистов? И не я одна тогда удивлялась. А теперь, на тебя посмотрев, удивляется и весь наш колхоз.

А девчата маленькие все, как одна, хотят теперь быть как Алевтина Панкратова. Так что популярность у тебя, дочка, неслыханная. Я думаю, что по окончании распределения ты можешь даже не оставаться в Пензе, а смело возвращаться и организовывать у нас в клубе кружок театральной самодеятельности. Председатель, я уверена, даст добро и выбьет тебе хорошую ставку, а от желающих учиться у тебя, естественно, отбоя не будет. Что скажешь? Целую, мама».

Что тут скажешь? Аля сказать не могла ничего. Она уже не злилась и не раздражалась, только хохотала, как сумасшедшая, перечитывая абсурдное предложение матери. И чем веселее и беззаботнее был ее смех в первые дни после получения письма, тем больше грусти и обеспокоенности слышалось в нем, когда перечитывала она эти строки соседке по гостиничному номеру в Ленинграде.

– Ты? В пензенский театр? Ой, держите меня! – притворно хваталась за живот коллега по съемочной площадке.

– Смешно, правда? – пренебрежительно дергала плечом Аля, боясь признаться в том, что с каждым днем перспектива оказаться на далекой от столичного театра сцене становилась все реальнее.

Вид дворцов, мостов и каналов повергал ее теперь в уныние, коридоры «Ленфильма» навевали усталость, щебет молодых актрис вызывал раздражение. Слишком сильным оказалось сожаление от того, что в скором времени придется со всем этим расстаться. Она больше не бродила по улицам, не покупала в кондитерской конфет, чтобы гонять чаи со съемочной группой, не вчитывалась в имена актеров на афишах ленинградских театров, не пыталась примерить город на себя, чувствуя, что он ускользает в зыбком тумане белых ночей. Аля почти поверила, что судьба повернулась к ней спиной. Но вдруг:

– Сегодня съемки до четырех, потом все свободны, – объявил помощник режиссера, не забыв добавить в интонацию заветную нотку интриги.

На интриги брат-актер падок. И вот уже помрежа рвут на части вопросами:

– С чего такая милость?

– За чье здоровье свечку ставить?

– Главный вспомнил о том, что артисты – тоже люди?

– А дорабатывать придется? Я в выходной не могу, у меня спектакль.

– Не у тебя одного.

– Нет, у него, видите ли, планы, а мы побоку.

– А меня, вообще, из театра только на день отпустили. Сказали: «Что там играть-то: «Кушать подано». Полчаса – все дела». А если перенесет теперь сцену? Что мне тогда делать?

– Тогда – не знаю, – откликнулся наконец помреж, – а сейчас – бежать во Дворец культуры имени Первой пятилетки.

– Да что я там забыл-то?

– «Таганка» приехала! – Помреж не скрывал торжества. И тут же со всех сторон:

– «Таганка»?

– «Таганка»!

– Какой состав?

– И Высоцкий? А Высоцкий?

– А что привезли?

– Какая разница, все равно билетов не достать.

– Значит, наш режиссер на спектакль отправится.

– А как же? Ему-то контрамарочку отстегнули.

– Эх, мне бы хоть одним глазком...

– А я двумя посмотрю, – торжественно объявил помреж, взметнув вверх правую руку с двумя зажатыми в ней бумажками.

– Билеты... Билеты... Билеты... – на одном дыхании прокатилось завистливое эхо.

– Два. Один...

– Продашь? Продай мне! Сколько хочешь?

– А почему сразу тебе? Я бы тоже не отказалась.

– А давайте жребий бросим...

– Ох, я такая неудачливая...

– Слышь, Серега, продай! Как человека, прошу!

Серега только улыбался загадочно, потом отреагировал:

– Билет не продается, а дарится безвозмездно. – Быстро подошел к Але, протянул: – Держи!

– Мне?!

Аля почувствовала, как сердце заколотилось в предвкушении неимоверного, почти непостижимого счастья. «Таганка» в те годы была мечтой всех и каждого, а уж студенты театральных вузов дневали и ночевали у порога знаменитого театра, лишь бы заполучить вожделенный билетик. Аля дневать и ночевать не могла, потому что много снималась, а когда наконец оказывалась в Москве, вынуждена была сидеть за учебниками и репетировать курсовые работы, чтобы догнать свою мастерскую и не вызвать неодобрение руководителя, который и так был недоволен вечно отсутствовавшей студенткой. И что же? Получается, если гора не идет к Магомету... «Таганка» сама приехала к ней, и отказаться, несмотря на упадническое настроение, невозможно.

Настроение вмиг улучшилось, Пенза снова стала призрачно далекой, занудный помреж Серега, которого Аля прежде избегала, оказался довольно милым, а злые глаза завистливых коллег – добрыми. Казалось, весь мир радуется вместе с ней и категорически запрещает возвращать вожделенный билет.

Билет лежал в маленькой дамской сумочке – лакированной с золотыми веточками-застежками, под названием «ридикюль», что ее хозяйка, Алина соседка по комнате, выговаривала с почтенным придыханием. Сама Аля крутилась у зеркала: укладывала локоны и рассматривала макияж так придирчиво, будто собиралась на самые важные в жизни пробы. Нет, она и не помышляла проникнуть в святая святых и понравиться кому-то из ведущих актеров или (почему бы и нет?) самому Любимову. «Таганка» казалась ей настолько нереально волшебным театром, что хотелось выглядеть достойной этого волшебства, окунуться в миг, когда иллюзия превратится в реальность, стать принцессой, случайно попавшей на бал.

Происходящее в фойе Дворца культуры имени Первой пятилетки на бал походило мало. Актеры, одетые революционными матросами и красными командирами, что-то воинственно выкрикивали и, отбирая у зрителей билеты, протыкали бумажки штыками винтовок. Публика крутила головами одновременно и боязливо, и восхищенно. Перешептывались:

– Какая находка!

– Отличное воссоздание атмосферы!

– Высоцкому так идет бушлат!

– Говорят, он снова будет сниматься у Хейфеца здесь, на «Ленфильме».

– А что за картина?

– Пока не знаю, вроде по Чехову что-то. Я слышала, что пригласили Даля, Терехову и Максакову[1].

---

[1] Речь идет о картине «Плохой хороший человек» по повести А.П. Чехова «Дуэль».

Сказочное настроение Али на какие-то секунды помрачнело: «Других пригласили, а про нее забыли. А она бы тоже могла и по Чехову, и с Высоцким». Но грустные мысли быстро были вытеснены новыми всеобщими вздохами восхищения:

– Демидова!

– И Золотухин, Золотухин!

– Где? Где?

– Да вот же, с винтовкой.

– А у Хмельницкого лента пулеметная.

– Точно. И гитара. А почему гитара не у Высоцкого?

– Да они же все поют.

– Я думала «Доброго человека...» привезут, а тут...

– Вам не нравится? По-моему, очень смело. На злобу дня, так сказать.

– А Брехт не на злобу дня? Доброта в современном мире – понятие устаревшее. И потом обидно: Москва бурлит, Москва кипит, обсуждает, а у нас винтовки со штыками.

– Ну, нам тоже есть что обсудить: «Мещане» в БДТ или «Пигмалион» в Ленсовете. Фрейндлих просто...

– Да «Пигмалиону» уже десять лет скоро стукнет! Смотрите, Филатов в бескозырке!

Аля вспомнила красавицу-актрису, чей исполненный достоинства взгляд провожал ее с театральных афиш, и почему-то стало обидно и за нее, и за весь театральный Ленинград, и за самих ленинградцев, рвущихся посмотреть на московских актеров, как на небожителей, хотя в их родном городе могли встретиться таланты и равные по силе, и даже более яркие, чем столичные.

Двери в зал распахнулись, артисты, поддерживавшие революционную обстановку в фойе, начали грозными окриками подгонять публику к партеру и амфитеатру. Людская река потянулась к креслам, помреж Серега решительно схватил Алю за руку, чтобы их не раскидало по разным берегам, но девушка руку выдернула и стремительно «поплыла» против течения. Ей захотелось уйти, она почувствовала, что очарование волшебства исчезло. Она хотела проникнуть в сказку, а оказалась... Аля вдруг живо представила себе антракт, во время которого зрители станут обсуждать не постановку, не игру актеров, а их внешний вид и личные проблемы:

– Играет превосходно, с надрывом, но ощущается какая-то потрепанность, надлом.

– Говорят, он употребляет.

– Да что вы?!

– И не только алкоголь.

– А что же еще? Я не понимаю. Нет, вы объясните.

– А вы слышали, что N ушла от А к Б, а потом вернулась, но он не смог простить, и теперь они разводятся, а на сцене продолжают играть любовь?

– Неужели? Какая прелесть!

Аля всех этих прелестей слышать не хотела. И это нежелание во сто крат пересилило внутренний голос, требовавший увидеть игру великих и уверявший, что не стоит обращать внимание на сплетников, которых везде пруд пруди. Аля об этом знала, но плавать в одном с ними пруду не хотела даже ради Высоцкого, Филатова и Демидовой.

Она бросилась к выходу.

– Вас проводить? – перегородил ей путь уже немолодой элегантно одетый мужчина.

Девушка окинула его взглядом: лет сорок пять – пятьдесят, одет с иголочки, пахнет хорошим одеколоном, явно прибалтийским, улыбка располагающая, теплая, вот только глаза... глаза настороженные, прохладные и смотрит мимо Али, будто охватывает взглядом все фойе и пытается запечатлеть происходящее в памяти, словно на фотографии. Но вот двери в зал захлопнулись, поглотив в сумраке кресел отчаянно пытавшегося выплыть вслед за Алей помрежа, и незнакомец посмотрел прямо на девушку. В глазах мелькнуло и участие.

– Если подождете буквально минуту, я вас провожу.

Аля хотела пробормотать «Спасибо, не надо», или «Не стоит», или еще какой-нибудь вежливый отказ, но он продолжал смотреть на нее, и не было в его взгляде ни просьбы, ни мольбы, ни даже вопроса, один суровый приказ, который она просто обязана была исполнить. И она не решилась ослушаться. Кивнула, встала рядом, поежилась под отчего-то ставшими неодобрительными и одновременно жалостливыми взглядами гардеробщиц, буфетчицы и даже уборщиц. Ожидание не затянулось. В двери дворца решительно скользнул мужчина, похожий на нового Алиного знакомца как две капли воды. Он был помоложе и повыше, но серый костюм сидел на нем так же безукоризненно и пахло от него тем же тонким прибалтийским запахом и опасностью. Мужчины коротко кивнули друг другу. Вновь прибывший прошел в глубь фойе и прислонился к колонне, а Аля услышала обращенное к ней сухое и резкое:

– Пойдемте!

Всю дорогу до гостиницы он засыпал ее вопросами о съемках и актерах, о разговорах на площадке, о высказываниях режиссера и других членов съемочной группы, а Аля, отвечая мимоходом безобидную околесицу, размышляла о своем. О том, кто неожиданно повстречался на ее пути, она догадалась уже через полквартала странных проводов, но, вопреки общепринятому желанию поскорее избавиться от такого провожатого, почувствовала неожиданный интерес. Он хочет использовать ее в своих целях – что ж, она может быть ему полезной. Но, как говорится, баш на баш.

– Вы оставьте мне свой телефон, – сказала она, прощаясь. – Я, если вспомню что-нибудь интересное, позвоню.

Изумленный взгляд, вскинутые брови – он привык к людской нелюбви. Но телефон оставил, даже два. По первому, явно рабочему, Але на следующий же день отозвалась женщина со стальным голосом и объявила, что она «дозвонилась в приемную товарища Артемьева», а вот по второму в течение дня не отзывался никто, и только вечером раздался отрывистый, деловой баритон вчерашнего знакомого:

– Слушаю! Говорите!

Говорить Аля не стала. Не стала ни в тот раз, ни через неделю, ни через десять дней, но звонить продолжала регулярно, проверяя, не раздастся ли на другом конце провода женский голос. Ей отвечал резкий, раздраженный мужской. И через две недели, когда перспектива объятий пензенской драмы стала слишком навязчивой, Аля решилась:

– Я бы хотела встретиться. Это Алевтина Панкратова. В командировку дня на три? Встретиться с вашим коллегой? Нет-нет, я бы предпочла с вами. Да, конечно, подожду до четверга. Да, в центре города будет лучше. Хорошо, просто погуляем.

Аля уже понимала, что тогда, две недели назад, наряжаясь на спектакль «Таганки», она действительно собиралась на самые важные в своей жизни пробы. И она их провалила. Разве так – короткая юбка, вызывающие локоны, яркая помада – должна выглядеть сама скромность и целомудрие, с которой не стыдно и по улице пройтись, и друзьям представить? Сейчас, когда она выпросила у судьбы второй шанс, партию следовало разыграть безукоризненно.

Женщина со стальным голосом, восседавшая в приемной, оказалась именно такой, какой Аля себе ее представляла: очки, пучок, неказистый костюм, полное отсутствие косметики, тонкие, плотно сжатые губы и никакого интереса к молоденькой уборщице, в которую Аля перевоплотилась в клозете закрытого ведомства. Впрочем, для обладательниц глаз с поволокой, отменного бюста, который грозил разорвать и без того слишком вольное декольте, жалостливо рассказывающих, что она потеряла ключи от квартиры и «папа-полковник» (фотографию которого Аля увидела пять минут назад на Доске почета) будет очень недоволен, если его дочь по милости бдительной охраны станет разгуливать под дождем в ожидании конца рабочего дня, – для таких девиц охрана не могла не сделать исключения. Через десять минут после искусно разыгранной сцены Аля, облачившаяся в синий халат и старые, залатанные чулки и вооружившаяся ведром и тряпкой, уже вертелась вокруг дамы с пучком и безостановочно зудела:

– Кабинет бы убрать. Мне бы кабинет убрать!

– Я же ясно выразилась, – щеки бесцветной дамы грозили приобрести свекольный оттенок, – Юрий Николаевич в командировке. В кабинете прибрано, и без его разрешения...

– У вас свое начальство, у меня свое. Пыль, она всюду проникает – и через окна закрытые, и через двери заколоченные. А ну как на меня проверку напустят, что тогда? И уволят ведь по вашей милости, а меня на руках двое младшеньких после смерти родителей остались. – Аля шмыгнула носом и провела грязной рукой по вмиг покрасневшим глазам. – Чем я их кормить стану? Ну что вам стоит кабинет открыть, а? Я ж одна нога здесь, другая там: пыль смахну, пол освежу, и готово. Вы постойте со мной, посмотрите, если не доверяете.

– Ладно.

Женщина встала из-за стола, держа спину настолько прямо, что, казалось, та сломается при любом неосторожном движении. Спину, однако, держали уродские широкие каблуки и предостерегали ее от перелома. Каблуки застыли на пороге кабинета, прислонив спину к косяку двери. Плотно сжатые губы и цепкие глаза неотрывно следили за перемещениями девушки и тряпки. Аля и сама не знала, что хотела найти в кабинете, какую зацепку, какую помощь. Быстро стреляла глазами по сторонам, не забывая орудовать шваброй. Ее внимание привлек томик Тургенева, неожиданно затесавшийся среди собрания сочинений Ленина, неизменного «Капитала» и, конечно же, Конституции. Под портретом Брежнева стоял комод с незатейливыми статуэтками и несколькими курительными трубками. На маленьком столике у торшера лежала прикрытая «Правдой» книга. «Марина Цветаева», – прочитала Аля, смахивая со столика пыль. Тургенев, Цветаева, трубки – хорошие детали для успешной реализации плана, но того единственного, бьющего прямо в цель элемента Аля пока не видела. Она взялась за письменный стол хозяина кабинета – и вдруг...

– Какая красивая! – Она повертела в руках фотографию женщины, осторожно обтирая тряпкой рамку.

Губы надзирательницы сжались еще плотнее, потом процедили:

– Поставь на место, пока не разбила.

– Конечно, конечно. – Аля выпустила снимок, отвернулась, отложив в памяти темные, чуть раскосые глаза, светлые волосы, высокие скулы и волевой подбородок. – А кто это? – спросила почти небрежно.

– Много будешь знать... Давай заканчивай, некогда мне!

– Только со шкафа смахну. Она, знаете, на маму мою чем-то похожа. Та тоже красавицей была, пока ее болезнь проклятущая не доконала. – Алю нисколько не смущал момент похорон собственной живой и вполне здоровой матери. – Вот не поверите: если в профиль посмотреть, так прямо вылитая мама, – новый всхлип и движение грязных рук по глазам.

– Эта женщина тоже умерла, – голос секретарши потеплел. Почему-то многие считают, что лучшим утешением в переживаниях может стать рассказ о чужом тоже свалившемся на кого-то горе. Аля склонна была считать, что от трагедии отвлекают положительные эмоции, но мнение очкастой дамы в данный момент играло ей на руку. – Жена Юрия Николаевича. Ее уже десять лет как нет.

– Такая молодая! – Аля решила, что имеет полное право снова подойти к портрету. Взяла фотографию, повертела в руках.

– Да, – сухо произнесла секретарь, оказавшись рядом с Алей. Она тоже смотрела на снимок, и в холодных глазах ее, как показалось девушке, на мгновение мелькнула жалость. – Рак, – отрывисто добавила женщина и потом чуть более нежно: – Юрий Николаевич так убивался.

– Я тоже до сих пор не могу оправиться от смерти родителей.

– Вот и он все никак забыть не может, – в голосе неожиданно послышалось отчаяние. – Столько лет прошло, а он...

«Классический пример влюбленности в шефа», – догадалась Аля.

– У меня-то забот много, не погрустишь особо. Брат с сестрой еще маленькие, о них заботиться надо.

– А ему заботиться не о ком. Она ему и женой была, и ребенком. «Зачем, – говорил, – мне дети, если у меня Светланка есть?» Надышаться на нее не мог, если бы только пожелала, он бы и звезду для нее достал.

– А она? Она его любила?

– Да я-то откуда знаю! – неожиданно разозлилась женщина. – Давай выметайся, хватит лясы точить!

Аля послушно покинула кабинет. Она узнала более чем достаточно. Объект ее интереса был одинок, нелюдим и безнадежно влюблен в давно покойную супругу – отличный материал для достижения собственных целей.

Перед назначенной встречей Аля провела целый час в кресле гримера. Не потому, что сходства было так сложно достичь, а потому, что образ она собиралась воспроизводить много дней подряд и требовала от художника подробнейшей инструкции, что, как и в какой последовательности наносить. После того как у актрисы не осталось ни малейших сомнений в своих способностях, она отправилась в костюмерную «Ленфильма», откуда под расписку забрала черную юбку-карандаш ниже колена, черную же кашемировую водолазку, высокие сапоги и короткий жакет из светлой замши, – все то, во что была одета женщина со снимка. В номере девушка переоделась и придирчиво себя осмотрела: новые пробы обязаны были закончиться полным ее триумфом.

Триумф не заставил себя ждать.

– Простите, меня сложно узнать, – сказала она, подходя к скамейке, на которой до этой минуты безучастно восседал человек, встречу с которым по собственной воле не назначил бы ни один нормальный актер. Человек взглянул на нее и онемел. Аля же безмятежно продолжала: – Для роли перекрасили, придется теперь так походить (на ней был парик, но съемочных дней осталось совсем немного, и уж тогда ничто не помешает отправиться в парикмахерскую).

– Вам очень идет, – выдавил он, нервно сглотнув.

– Спасибо. Пройдемся?

– Конечно, – он встал со скамейки и осторожно взял ее под руку.

И они пошли. Она говорила, говорила, говорила...

– Есть предложение сыграть Асю. Не могу решиться. Уже стольких великих переиграла, а на Тургенева не решаюсь. Знаете, он ведь мой любимый писатель. По-моему, нет никого более трогательного и проникновенного.

Он ничего не отвечал, только осторожно пожимал ее локоть.

– Так быстро летит время. Смотрите, уже темнеет, а небо какое красивое, – продолжала Аля как ни в чем ни бывало, – помните, как у Цветаевой: «Облачко, белое облачко с розовым краем выплыло вдруг, розовея последним огнем...»

– «Я поняла, что грущу не о нем, и закат мне почудился – раем», – подхватил он, уже прижимаясь к ней все теснее и не сводя с ее лица восторженных глаз. – Может, зайдем в кафе? Становится прохладно.

Аля не кокетничала и не робела. Она старательно играла в естественность:

– С удовольствием.

Удовольствие заключалось в хорошем кофе с коньяком, который появился на их столике через минуту после демонстрации удостоверения, и в осознании того, что ни одно из сказанных ею слов не пропадает даром, ни один из продуманных жестов не остается незамеченным. Аля могла бы всю жизнь прожить в далеком колхозе, не позволяя мечтам распространиться дальше избы или скотного двора, но судьбе было угодно, чтобы она стала актрисой. И она ею стала. Хорошей актрисой, такой, которая может без малейшего напряжения сыграть очень сложную партию и смотреться в ней настолько органично, что самый искушенный зритель не заметит подвоха.

Не заметил и он. Не рассмотрел игры ни в речи, ни в движениях, ни во взгляде. Ни в том, как она нежно улыбалась, ни в том, как сиюминутно, будто от волнения, поправляла волосы, ни в том, как позволила проникнуть в голос дрожащему серебристому колокольчику, когда вдруг всплеснула руками и смущенно проговорила:

– Ох, Юрий Николаевич, я и забыла, у меня же для вас подарок!

– Подарок?!

– Да, честно говоря, это презент одного режиссера. Иностранного, он приезжал знакомиться с «Ленфильмом», зашел к нам на съемки, всех осыпал благами, которые нам, право, ни к чему. Женщине такое, – она робко протянула своему спутнику сверток, – действительно без надобности, но мне почему-то показалось, что вам это пригодится. Я ведь не ошиблась, Юрий Николаевич? Такой мужчина, как вы, просто обязан быть ценителем хорошего табака. Я просто вижу вас в кресле с трубкой. Есть у вас дома такое кресло?

Он держал в руках пачку отменного американского табака, который Аля на свой страх и риск приобрела у пилота международных авиалиний.

– Я обязательно вам его когда-нибудь покажу, – только и сказал он, и тут же смутился, засуетился, начал оправдываться: – То есть, конечно, если вы согласитесь, если позволите. В общем, не сочтите за дерзость...

Она лишь положила руку на его ладонь и осторожно ее погладила. А потом снова говорила, придумывала истории из детства, никогда с нею не происходившие, рассказывала о дедушкиной библиотеке, в которой «просиживала часами». Оба деда умерли до ее рождения, один погиб на войне, другой скончался еще раньше от туберкулеза, и ни один из них не то что не владел раритетной библиотекой, но и книги в руках не часто держал. Аля вдохновенно сочиняла душещипательные рассказы и не проронила ни слова, ни полслова ни о коллегах, ни о режиссерах, ни о других влиятельных в индустрии кино людях, слова и поведение которых могли быть интересны представителю всем известных органов власти.

А он ни о чем и не спрашивал, охваченный наваждением. Он уже не помнил об истинной цели встречи и мечтал лишь об одном: чтобы она никогда не закончилась. Конечно, он не сможет повернуть время вспять. Конечно, не сможет предложить этой женщине то, что мечтал подарить той, другой.

Пятнадцать лет назад он – еще молодой и зеленый капитан – женился по большой любви и увез жену на несколько лет в Канаду. Он работал в посольстве, она изучала французский, гуляла по улицам Оттавы, заходя в магазинчики и покупая дешевые вещички для их казенной квартиры. Она была совсем юная, нежная и талантливая. Ему хотелось защищать ее от всех и всего, а в те минуты, когда она, чуть наклоняя голову, так, что светлые локоны заслоняли половину лица, перебирала струны и затягивала глубоким, чуть хриплым голосом «Я ехала домой...», он точно понимал, что он уже приехал, нашел свой дом и другого ему не надо. Этого тихого счастья, этого ничем не объяснимого поклонения не понимал и не принимал никто из его окружения. Ни коллеги, не упускавшие шанса стряхнуть с себя на какое-то время семейные оковы и организовывавшие «сугубо мужские» выезды то на рыбалку, то на экскурсию в Монреаль, то «на задание» в Ванкувер, ни жены этих коллег, встречавшие его на территории посольства под руку с женой, в то время как их благоверные «трудились на благо Отечества», и злобно пожимавшие плечами и ядовито шептавшие: «Что он в ней нашел?»

Если бы каждый мог объяснить, что такого необыкновенного и особенного он нашел в своем любимом, магия чувства испарилась бы. Любят просто потому, что любят, без всяких причин. И он любил. Любил девушку вполне ординарную, не хватавшую звезд с небес и не обладавшую уникальными талантами. Многие умеют играть на гитаре, имеют приятный голос и легко ориентируются в иностранных языках, ни о чем больше не мечтая и ни к чему не стремясь. Его жена не задумывалась о будущем, не планировала заводить детей. Возможно, была инфантильна, радовалась заботе и вниманию мужа и боялась того, что придется с кем-то это делить. А может быть, она просто интуитивно понимала, что будущего у нее нет. Но он ничего такого не ощущал, он продолжал мечтать, рассказывать ей, как отвезет ее в Париж («Года три на Родине, милая, и ты будешь стоять у Эйфелевой башни»), как выведет на Елисейские Поля, как отведет в «Максим» и будет с упоением слушать ее очаровательный голосок, заказывающий lescargot[1].

Через три года, перед самым назначением в новую командировку и за неделю до того, как ему дали майора, у нее обнаружили рак. Предстояла серьезная операция, длительное, тяжелое лечение, реабилитация.

---

[1] Улитка (*фр.*).

– Поезжай, – говорила она. – Я справлюсь, есть родители, они помогут. Постой у башни за меня.

– Но я хочу стоять с тобой, а не за тебя.

– Я поправлюсь и приеду, – пообещала она, но обещания не сдержала.

За два года было три операции, шесть курсов химиотерапии и бесконечное количество медицинских светил, беспомощно разводивших руками. И такое же бесчисленное количество обещаний приехать, устроить, разобраться... Но майор – это не пустой звук. Звание – не награда, а обязанность. Он был вынужден находиться там, где ему предписали, и казнить себя за то, что не отказался от назначения и все же уехал в Париж. Он казнил себя, когда она болела, казнил, стоя у гроба, казнил и через десять лет после ее смерти, так и не сумев разубедить себя, что в таком исходе красивой истории нет его вины. И сидевшая перед ним молодая женщина казалась ему не просто точной копией той, другой, давно ушедшей, а самим искуплением.

Да, он был уже немолод, не мог предложить ей прогулок по Елисейским Полям, хотя его опыт и связи могли помочь проложить дорогу к красной дорожке Канн (все же он был не последним человеком). Погоны майора он давно сменил на полковничьи, и генеральские не казались ему недостижимыми. Он обзавелся собственным кабинетом и верной секретаршей, как собака, охранявшей вход, преданно заглядывавшей в глаза и плохо скрывавшей за старомодными очками и плотно сжатыми губами влюбленность в хозяина.

Конечно, он давным-давно не занимался слежкой за актерами, для этого существовали подчиненные, которых он время от времени проверял лично. Впрочем, во Дворец Первой пятилетки он отправился совсем не по работе, он хотел посмотреть спектакль. Высоцкий, Хмельницкий, Золотухин – имена. Собирался пройти через служебный вход, но, как назло, из-за угла навстречу к нему выскочил один из тех, кого он самолично направил курировать гастроли свободомыслящего театра.

– Виноват, товарищ полковник, – доложили ему тихим шепотом, – покурить отлучился. Пойдемте в фойе, там много интересного можно услышать. Я уже столько всего записал. В антракте, наверное, тоже весело будет, но это уж мой сменщик будет на ус мотать.

– Идите домой, капитан. Вы свободны, – только и ответил он, и протиснулся в фойе, предъявив удостоверение.

Как тут смотреть спектакль, когда уже через пять минут, казалось, только ленивый не окинул его презрительным, всепонимающим взглядом? И разве сможешь доказать им, что просто хотел посмотреть пьесу? Да и разве станешь что-нибудь доказывать? А зачем тогда приходил? А вот хотя бы за этой девушкой, рвущейся к выходу.

– Вас проводить?

Он думал просто притвориться, что пришел за ней, а оказалось, что только за ней он и приходил. Если бы только она теперь в это поверила, если бы только захотела, если бы только она согласилась...

– Мы увидимся снова? – только и решился спросить он за время всей встречи.

– Когда? – Ее вопрос был скорее деловым, чем смущенным.

– Завтра? – Его голос звучал гораздо более робко.

– Хорошо, я позвоню завтра, когда закончатся съемки, – кивнула Аля, исчезая за дверью гостиницы.

На следующий день она позвонила лишь извиниться, сказала, что все еще занята на площадке (обманывала), и на другой, и на третий... И лишь спустя неделю, когда он уже готов был бежать и переворачивать вверх дном павильоны «Ленфильма», назначила новую встречу.

Никто не смог бы объяснить, откуда в юной Але взялись такая женская искушенность, такая опытность в любовной игре, такое умение манипулировать. Тем не менее не прошло и месяца, как она получила официальное предложение, которое без лишних раздумий приняла.

Свадьба для без пяти минут генерала казалась довольно скромной: несколько проверенных друзей одного с женихом возраста. Столько же их жен, похожих одна на другую, как матрешки: костюмы одинакового кроя (юбки ниже колен, подчеркивающие скорее недостатки фигур, чем достоинства, и пиджаки, обтягивающие телеса, привыкшие к праздной жизни). Ушные мочки оттягивали драгоценные камни; золото душило шеи; тяжелые от шиньонов, а не от собственных волос «бабетты» делали своих обладательниц еще более массивными, а елейные голоса, расточавшие комплименты, поздравления и пожелания долгой и счастливой жизни, казались искусственными на фоне завистливых глаз и кривых ухмылок.

Пришли еще директор универмага, товаровед, директора каких-то институтов, хирург и два стоматолога – все, как на подбор, скучные и занудные, одним и тем же стандартным поцелуем прикасавшиеся к руке невесты, одним и тем же монотонным голосом певшие дифирамбы жениху и зачитывавшие бездарные, совершенно неоригинальные, давным-давно кем-то придуманные поздравления. И никакого капустника – только чинные тосты. И ни одного анекдота. Как можно? Ни грамма портвейна – только качественная водка и непременно с икрой. И ни танцев, ни плясок, ни актерского кабацкого угара с шутками-прибаутками, гоготом, матом и папиросами... Чинные беседы, вежливые, приторные улыбки, кольца хорошего табака из дорогих трубок.

– Ты хоть его любишь, Алечка? – только и спросила приехавшая на свадьбу взволнованная, но довольная мать, которой Аля все же сподобилась отправить телеграмму: «Познакомилась человеком. Приезжай свадьбу».

На свадьбу мать и приехала, но с каждой минутой праздника делалась все задумчивей и печальней.

Аля лишь отмахнулась: мол, люблю не могу, что за вопросы!

– Тебе жить, – коротко, но емко парировала мать.

Аля только плечами повела, взглянула искоса, будто хотела сказать: «Да что ты можешь знать о жизни? Больше половины просидела сиднем в одном колхозе, пахала как лошадь, а толку ноль. Из интересов – одни коровы, а царь и бог – председатель. Хотя о любви все же заговорила. Собственно, почему нет? У них же с отцом она одна на двоих: святая и неразделенная, к нашей советской родине. Интересы государства куда выше и значимей собственных. Вот и вся любовь. Спасибо, увольте. Такого счастья мне не надо».

– Аленька, а деток-то рожать? Уж больно не молодого ты выбрала себе в спутники.

– А не спеть ли нам, Юрий Николаевич, чего-нибудь этакого?

Аля быстро схватила гриф гитары, пока причитания матери не дошли до чужих ушей. Она чуть склонила голову: так что светлые (уже свои) локоны спустились на один глаз, тронула струны и завела нежным бархатистым голосом: «Я ехала домой...» Гитару она освоила на первых съемках, вокал поставили в институте, ну, а про давнюю любовь мужа к романсам догадаться ей было нетрудно по звучавшим из его проигрывателя Шульженко, Камбуровой и Вертинскому.

Аля взяла последнюю ноту. Гости одобрительно закивали, кто-то даже раздобрился на несколько хлопков, мать умильно промокнула платочком глаза. Аля мысленно скривилась – для кого был разыгран весь этот спектакль, купился в очередной раз, встал с наполненной рюмкой и искренне произнес:

– Моя жена – прекрасная женщина.

Послышался поддерживающий мужской шепоток и делано равнодушный женский. Аля заметила, как снова заулыбалась мать, принимая похвалы в адрес дочери на свой счет. «Смейтесь, кивайте, шепчите, завидуйте, улыбайтесь, – думала Аля. – Вы можете сколько угодно соглашаться с ним или нет. Да-да, вполне можете не соглашаться, даже спорить. Что верно, то верно: не такая уж я и прекрасная женщина. Я прекрасная актриса, и я предоставлю вам возможность это понять».

Так думала она, склонив светловолосую голову и нежно обнимая инструмент. И никто не смог бы угадать в этой истинной ласке и нежности, в этой скромности и невинности того напора, той страсти, того огня, что будет пылать через много лет на портрете в старом доме перед кроватью немощной старухи.

7

Женщины в церковь заходили чаще. Михаил по неопытности сначала считал их более набожными, чем мужчин, более скованными предрассудками, убеждениями и традициями, но вскоре получил отличную возможность убедиться в ошибочности такого взгляда. Отнюдь не все женщины направлялись к иконам, не все склоняли колени и ставили свечи, большая часть, негромко переговариваясь, терпеливо ждала очереди на исповедь.

Исповедовались охотно и много. И не потому, что грешили часто, а потому, что словом перемолвиться да совет получить от умного человека каждой хотелось. В интеллигентности и прозорливости служителей церкви никто не сомневался, а потому и Михаила воспринимали если не в качестве истины в последней инстанции, то, во всяком случае, в качестве доброго и мудрого наставника.

А Михаил... Михаил так устал смиренно улыбаться, покачивать головой и выдумывать утешения на слезы и жалобы! Ему претило играть, ему наскучило наставлять. Если бы он получил знак о пользе своего занятия, то, возможно, смиреннее относился бы к своей участи, но прихожане выливали на него свои проблемы, ждали с надеждой, когда же он выловит из этого котла людских поступков, смердящего хитростью, похотью и трусостью, что-нибудь стоящее и наградит спасительным «Покайся», или «Прочти трижды «Отче наш», или еще каким-нибудь мало значащим и совершенно, с точки зрения самого Михаила, не успокаивающим совесть лекарством... Он выслушивал, и награждал, и отпускал с миром, но сам мира не чувствовал. Не ощущал своей пользы, не чувствовал необходимости. Да, приходили, да, делились, да, внимали. И только.

Если бы был с ним рядом отец Федор, то объяснил бы, что любому человеку не так важно, чтобы с ним говорили, гораздо важнее, чтобы его слушали и слышали. Но Михаил остался один, и некому было вести с ним философских бесед о природе человеческой души. А души между тем в большинстве своем были настолько бездуховны, что если и могло их спасти нечто, то уж никак не троекратное прочтение молитвы.

– Я, батюшка, не виноватая, вот те крест. Щас нормальных-то днем с огнем не сыщешь, а чтоб у него еще и руки не из одного места росли, такие попросту перевелись. Ну ежели ходит ко мне мужик, даром что женатый, что же, мне его гнать, что ли? Он мне и пол залатает, и потолок побелит, и детям гостинцы принесет. Как же его гнать-то, коли от него одна польза?

А что ответить? У него самого познаний на этот счет не больно много. Разве что:

– Блуд – это смертный грех.

– А меня пугать не надо. Я пуганая. Я пришла, рассказала. Может, и покаялась даже. А раз покаялась, грех отпусти – и дело с концом.

«Лихо получается. Ворочу, чего хочу, а отвечать за это не собираюсь». Но так Михаил только думает. Произносит старое, знакомое, ожидаемое:

– Иди с миром.

Или другая исповедь:

– Я если о чем и жалею, отец, так о том только, что хворостина оказалась никуда не годной и сломалась через пять ударов. Так бы ему, обормоту, несдобровать. Ишь удумал, учительнице на стул жабу положить! Ни стыда ни совести!

– Зато ребенка своего дубасить – это и не стыдно вовсе. – Мысли оказываются мыслями вслух.

– А чего ж тут стыдного? Скажете тоже! Будто вас мамка никогда ремешком не охаживала?

Женщина, не стесняясь, говорит то, что думает, и тут же зажимает руками свой болтливый рот. Вот ведь бес попутал священнику такое ляпнуть! Но священник-то ненастоящий, поэтому конфуза не замечает, удивляется только:

– Меня?

Михаил пытается представить свою мать с ремнем в руках. Тщетно. Не получается. Разве что тоненький ремешок, и не в руках, а на поясе собственноручно связанного трикотажного платья. Мама за всю жизнь пальцем его не тронула, даже голос не повысила ни разу. Окрики, нотации и поучения были отцовской повинностью. У мамы же для «любимого Мишеньки» имелись только ласка в неограниченных дозах и в самых обильных порциях.

– Пару схватил.

– По какому?

– По географии. Не смог перечислить все пятьдесят американских штатов.

– Позор! – резюмировал отец. – И это сын академика! И это наше будущее!

– Неплохо было бы знать хотя бы сорок девять, – мягко говорила мама.

– Позор! – заключал отец и громко хлопал дверью. И почти одновременно с хлопком двери мать прижимала его к себе и весело шептала в ухо:

– Лично я вспомню разве что десяток. А ты сколько вспомнил?

– Двадцать пять.

– Герой!

– Я Петьке Сафроненко по физии смазал.

Бабушка хватается за сердце, отец брезгливо кривится:

– Михаил! Что за выражения! Надо говорить: «Ударил по лицу».

– Ну, ударил, – покорно соглашается Мишка, но на отца не смотрит, не сводит взгляда с матери, которая старательно изображает недовольство, пытаясь нахмурить брови. Но те не слушаются, ползут вверх удивленными домиками и открывают веселые искорки в глазах. Наконец глаза становятся серьезными:

– А за что ты его ударил?

– За дело.

– Господи помилуй! – чуть не крестится испуганная бабушка.

– Не дерзи! – продолжает кривиться отец.

– Ну... за дело, значит, за дело, – протягивает соломинку мама. – Пойдемте лучше чай пить.

И только после чая допрос с пристрастием – и выяснение причины, и разговоры о том, что драка – это не метод. Это отец так считает. Он меряет шагами комнату и монотонно рассуждает о том, что «добро, которое должно быть с кулаками, – и не добро вовсе, а так, одно название».

– Но это ведь не я придумал! – пытается выстроить защиту Мишка.

– Не ты. А тот, кто помудрее и поизвестнее, придумал еще и теорию «непротивления злу насилием», но тебе, видно, слова великих нипочем.

– Папа, я же девочку защищал!

– Тоже мне, Ромео! Ты мне и директору школы прикажешь про эту любовь-морковь рассказывать? – Отец сокрушенно качает головой и выходит из комнаты, как всегда, оставив последнее слово за собой.

– Девочку, говоришь? – Мама уходить не спешит. – Герой!

И столько искренней гордости в этом слове, столько довольства, столько нежности, что Мишке и в голову не приходит сомневаться в собственном героизме.

– Так что же ты молчала? – Михаил с искренним недоумением разглядывал новую знакомую.

Впрочем, новой знакомой эту девочку назвать можно было с большой натяжкой. Она приходила уже второй месяц. Но приходила всегда по-разному. То врывалась шумным ураганом, внося с собой в комнату сначала тепло бабьего лета, потом кружащий голову яркими красками листопад, затем холодный, пробирающий до костей ветер. То вдруг робко останавливалась у порога, словно не имела ни сил, ни желания пройти дальше, походила на брошенную собаку, которую выгнал хозяин и не сказал, куда ей теперь податься. То вдруг, не церемонясь, не раскланиваясь, но и не стесняясь, быстро проходила в комнату, усаживалась на кровать, поворачивала голову к окну и смотрела вдаль с отрешенным видом, словно хотела сказать: «Ах, мне совершенно все равно, что вы мне сейчас будете говорить».

Она никогда не была одинаковой. Она казалась книгой, в которой, если Михаил и мог что-то прочесть, то не больше одного предложения. Потому и встречал ее всякий раз с настороженностью, потому и относился до сих пор как к новому человеку.

А как иначе, если уже целый месяц он пересказывал ей мастер-классы известных актеров, помогал ставить этюды, разучивал с ней басни и до хрипоты спорил о том, какое слово надо выделять в строке «Февраль. Достать чернил и плакать...», а она даже не потрудилась сказать ему, что все эти занятия ей попросту не нужны? Она бы и дальше не потрудилась рта раскрыть, если бы только он не включил ей запись. А как гордился собой, как ликовал, что удалось выклянчить, достать хотя бы на один день. А каким самодовольным голосом заявил, усаживая ее перед телевизором:

– Смотри и учись!

Она посмотрела минут пять, потом пожала плечами:

– Я это видела раз десять.

– У тебя есть запись? – Он не мог поверить. Видеомагнитофоны были огромной редкостью. Если кто и мог похвастаться подобной вещицей, так только сын академика.

– Нет. Я так видела. Живьем.

– С ней в главной роли?

– А с кем же? Она дублеров не выносит.

– Откуда тебе знать?

– Поверь, я знаю.

– Тьфу! Терпеть не могу злой бабской зависти. Она – великая актриса. А ты кто? Девчонка! Как ты можешь с таким пренебрежением отзываться?!

– А вот могу!

Она вскочила со своего излюбленного места на кровати. Глаза пылают огнем, мелкие кудряшки трясутся. Миша тоже сердится, но ее воинственный вид отчего-то его смешит. «Надо сказать ей, чтобы избавилась от мелкого беса на голове. Сделала из себя овцу и блеет теперь».

– Да ты права не имеешь! Ты ее совсем не знаешь, и она тебе никто.

«Будет дальше спорить, пошлю к черту. Зависть, конечно, – двигатель прогресса, и в творческих кругах без нее не обойтись, но все хорошо в меру. Великими восхищаться надо, уважать их и...»

– Она – моя мать.

Вот так. И разве можно назвать эту девочку не незнакомкой, а как-то иначе? Целый месяц бегать к студенту на обучение, слушать, затаив дыхание, его разглагольствования, входить в образ и читать тексты так, как он скажет, слушать его советы, словно он не третьекурсник, а маститый режиссер, – и все это когда у тебя дома, под боком самая настоящая, состоявшаяся, успешная, знаменитая актриса! Да какая актриса – звезда! Как тут широко не раскрыть глаза, не схватиться за голову, не закружиться по комнате в вихре непонимания и не вымолвить:

– Так что же ты молчала?

Никаких объяснений. Пожатие плеч, взгляд в окно. Наконец спокойное, ничего не выражающее:

– А зачем говорить?

– Как?! – Теперь она представляется ему не просто незнакомкой, а по меньшей мере незнакомкой-идиоткой. – Ты зачем сюда ходишь, свое время тратишь, если у тебя дома такой профессионал?

– Дурак ты! – Она вспыхнула.

Он действительно дурак. Тут же спохватился, начал извиняться неумело:

– Я не то хотел сказать. Ты приходи, сколько хочешь. Я просто не понимаю, к чему все эти уроки, репетиции, копания в текстах. Мы могли бы сходить в кафе, или в кино, или вот на дачу съездить. Поехали, а? Я тебя с нашими познакомлю. Режиссеры знаешь какие фантазеры? Не соскучишься.

– А мне и так не скучно.

– Нет, серьезно, Ань, – он осторожно взял ее за руку, рука немедленно отдернулась, – мы могли бы просто дружить, если тебе есть с кем заниматься.

– Да не с кем мне. С чего ты взял?! – Теперь уже девушка кружила по комнате недовольным вихрем.

– Ты же сама сказала, что она твоя мать. Она могла бы с тобой заниматься.

Вместо ответа – оглушительный, резкий смех, но совсем не веселый.

– Ладно, допустим у нее нет времени: гастроли, слава, мужчины. – Девушка недовольно кривится, и Миша тут же осекается («Вот незадача – болтанул лишнего, но он же не виноват, что пресса никогда не побрезгует известить публику об очередном громком романе звезды»). – Ань, но ты же не станешь спорить с тем, что она в состоянии нанять для тебя любого, даже самого дорогого репетитора.

– Да не станет она никого нанимать!

– Но почему?

– Я же сказала: не терпит она ни дублеров, ни конкурентов. И своими руками растить себе смену тем более не станет.

– Это, по-моему, бред какой-то! Да какая нормальная мать откажется помочь своему ребенку?!

– Да? – Вихрь на секунду остановился, а потом обрушился на него всей мощью обиды: – А какая нормальная мать, жена академика, станет выселять своего сыночка из шикарной квартиры в общежитие? Думает, видак разрешила из дому взять, сразу лучшей на свете мамашей стала?

Громкий хлопок пощечины, резкий крик:

– Заткнись!

Она – незнакомка. Те, кого он знает, никогда не простили бы. Схватились бы за алеющую щеку, залились бы слезами обиды и выскочили бы за порог, чтобы больше никогда на нем не появляться. А она только на кровать осела. Глаза сухие, смотрят без обиды, скорее с осторожным любопытством, и голос спокойный:

– Извини.

– И ты меня.

С тех пор разговоры о матерях между ними – негласное табу. А жаль. Ему так хотелось тогда рассказать о том, что когда-то, не так уж давно, он был героем, и мама была той, что никогда не даст своего героя в обиду. Он и расскажет со временем, чуть погодя. Все это было так давно... А теперь:

– Родители меня не били, – спокойно ответил Михаил испуганной своей откровенностью тетке.

– Оно понятно. Они же у вас, наверное, люди интеллигентные. Словами объяснять умеют.

– Это не объяснить словами.

Четырнадцатилетний Мишка притаился за кухонной дверью и слушал, как мама своим обычным спокойным голосом о чем-то говорила с подругой. Хотя нет. Не совсем обычным. Что-то ведь заставило его подкрасться к двери и навострить уши? Если бы разговор был праздным, мальчишка им бы не заинтересовался.

Подруги к матери приходили часто. Всем нравилось бывать в хорошо обставленной большой квартире, пить, сидя за дубовым столом в светлой двадцатиметровой кухне, дорогой, привезенный из-за границы кофе. И непременно с конфетами, причем не с карамелькой, не с батончиками, а с «Белочкой», или с «Суфле», или с «Мишкой» (тем, что на Севере). Женщины сидели за столом, обжигали губы о горячий напиток, разлитый в настоящие чашки из тонкого фарфора, стряхивали пепел с импортных сигарет, что мама, не скупясь, доставала из недр бара, и неспешно беседовали о премьерах, о выставках, о каких-то общих знакомых, имена которых Мишка не знал и не пытался запомнить. Мама никогда не пыталась избавиться от его общества. Он уходил сам. Эти разговоры с перебиранием фамилий, впечатлений и чувств, которые в силу возраста были мальчику чужды, а потому неинтересны, казалось, не привносили в его мир ничего, кроме скуки.

– Вы подписались на Джека Лондона? – задавался вопрос между глотком и затяжкой.

– Я уже получила первый том, – в голосе матери слышалось оживление. – Потрясающие рассказы. Не оторвешься!

– А «Маленькая хозяйка...» в каком томе будет?

– Говорят, в третьем. Но рассказы, поверь, ничем не хуже. Лондон мне открылся с какой-то новой стороны. Так жизненно, так правдиво! Такое впечатление, что написанное происходит не где-то и с кем-то, а с тобой здесь и сейчас.

– Да, Лондон – великий писатель.

Очередная затяжка – и Мишка спешил ретироваться, пока его не спросили, читал ли он Лондона, Драйзера, Голсуорси и великих русских писателей, трудами которых заставлены полки в гостиной.

Немного теплее относился он к воспоминаниям. Иногда вместе с сигаретами из бара доставали коньяк – и тогда Мишка с удовольствием появлялся на кухне послушать, как разомлевшие от спиртного женщины ударяются в веселые, одновременно меланхоличные и нескончаемые «А помнишь?» Именно подогретая алкоголем память маминых подруг помогла ему узнать, что отец, будучи доцентом, играл на гитаре не только романсы, но и вовсю горланил дворовый шансон, а порой даже снисходил до еще малоизвестных бардов. Мишка хотел бы это услышать. Пение в их семье считалось прерогативой матери, и пела она в основном иностранные, но отчего-то родные Мишкиному сердцу песни.

– Tombe la neige[1], – разливалось по комнате бархатистое сопрано, и Мишке казалось, что пушистые снежинки кружатся в доме вместе с мелодией.

---

[1] Падает снег (*фр.*).

Отец же давно превратился в слушателя, гитару в руки не брал и снисходил лишь до того, чтобы иногда, увидев, как гости – такие же важные, как он сам, ученые, профессора и академики – начинали покачиваться в такт дивной музыке, подпеть несколько слов, изображая удовольствие.

Из воспоминаний Мишка узнал и то, что знакомство родителей состоялось в студенческом походе, и что мама была старостой курса, отличницей и подающим надежды биологом, и что она отказалась от какого-то невиданного международного гранта на обучение, полученного в аспирантуре, потому что в случае отъезда никогда не смогла бы выйти замуж за отца.

– И курила бы ты сейчас те же самые «Мальборо», – говорила хорошо принявшая на грудь очередная подруга, – и запивала бы «Наполеоном», и обстановочка была бы такая же богатая, только твоя личная, а не казенная. И разъезжала бы небось на «Мерседесе», а не на «Волге».

– Ну, зато «Волга» с водителем, – пыталась отшутиться мама.

– Я серьезно, – обижалась подруга.

– В таком случае, – мама тоже вмиг становилась серьезной, – объясни мне, пожалуйста, зачем мне квартира, машина и коньяк без него? Хотя без него только и останется, что коньяк.

Подруга терялась, отмахивалась, говорила непонятное Мишке:

– Ничего-то ты вокруг себя не видишь.

Мама соглашалась:

– И не хочу.

А Мишка терялся в догадках: чего такого особенного она не видит и почему, если мама могла иметь столько всего интересного без папы, она этого не имеет.

Впрочем, такие воспоминания случались довольно редко. Гораздо чаще на кухне раздавалось:

– А помнишь, как Тамарка надела парик и отправилась к Борьке на свидание, а он ее не узнал и все пытался познакомиться?

– А помнишь, как бутылку портвейна на билеты в Большой поменяли?

– Ага. Пришли, а там Плисецкая в главной партии.

– А помнишь, в доме кино рядом с Лановым сидели?

– А на выставке Дали у служебного входа с Глазуновым столкнулись.

– Вот видишь, как выгодно быть женой академика.

И женщины смеялись, а Мишка восторженно крутил головой и слушал, слушал, слушал до тех пор, пока воспоминания не приобретали опасный характер:

– А помнишь, в Политех бегали?

– Да, столько народу собиралось на литературные вечера.

– И ведь заслушивались же, и стихи знали, и учили, и повторяли.

– Удивительно. Сейчас как-то уже не так.

– Да, меняются поколения.

Тогда Мишка соскальзывал со стула и спешил укрыться в недрах квартиры от разговоров о вымирании культуры, деградации молодежи и просьб прочитать хотя бы несколько строк из Вознесенского или Рождественского.

Он даже представить себе не мог в те годы, что посиделки с подругами матери оказывают на формирование его личности гораздо большее влияние, чем нотации отца, который читал лекции до того скучным голосом, что физика и математика представлялись Мишке не менее скучными и нудными. Зато литература, искусство, живопись, поэзия казались ему живыми. Они были наполнены эмоциями, царившими на кухне, весельем, беззаботным смехом и затаенной грустью. Мальчик начал читать, и в подростковом возрасте мог и поддержать беседу о Джеке Лондоне, и продекламировать что-то из Евтушенко. Иногда его просили, и он с удовольствием откликался на просьбы, видя, какое удовольствие доставляет этим матери. Но чаще о нем не вспоминали, потому что он сам потерял интерес к кухонным посиделкам. Нового там ничего не происходило, а все старое он знал наизусть. К тому же у любого нормального подростка найдутся дела гораздо более важные, чем участие в беседе двух, а то и трех-четырех не вполне трезвых женщин. Возможно, он не рвался туда и потому, что при желании мог слышать все из своей комнаты. Дверь на кухню никогда не закрывалась, а женщины говорили возбужденно и громко, так что нужды таиться и подслушивать не было никакой.

Не было бы ее и в тот день, который начался как обычно: звонок в дверь, поворот ключа в баре, пачка сигарет, бутылка коньяка и фарфоровые чашки на столе. Голос матери – спокойно и тихо о чем-то рассуждающий. Тихо. Слишком тихо. Мишка выглянул из своей комнаты, прошлепал по коридору: кухонная дверь была закрыта. Странно, непонятно, интригующе и даже немного страшно. Ну, как тут не опуститься на корточки и не превратиться в слух?

– Этого не объяснить словами, – услышал он, как с грустью повторила мама.

– Ну, сделай усилие! Мне действительно непонятно, что может заставить настолько раствориться в человеке, настолько забыть о собственной гордости?

Долгое молчание. Мишка даже губу прикусил, чтобы ненароком не выдать своего присутствия. Потом мама ответила:

– Может, это просто любовь?

– Люби! Люби, кто тебе не дает? Но и о себе не забывай тоже!

– А я только о себе и думаю в данной ситуации.

– Глупости!

– Вовсе нет.

О какой любви говорили женщины, какую такую ситуацию имели в виду, Мишка так и не понял. Заметил только, что подруга эта к ним в дом больше не приходила. Впрочем, как и другие. Не было больше беззаботных посиделок, песен под гитару и дыма в форточку. Мама становилась все грустней, все больше лежала на диване, уткнувшись в книгу, а то и без нее и на все Мишкины расспросы лишь отмахивалась:

– Это не объяснить словами.

– Оставь ее, – только и вздыхала бабушка, – не приставай!

Мишка не приставал, хотя ему очень хотелось понять, куда подевались веселые тетки, чем так озабочена мама и почему папа теперь пропадает в своем институте даже по выходным.

Мамина дружба с диваном закончилась так же внезапно, как началась. В один прекрасный день она поднялась и объявила, что пойдет работать.

– Работать? – охнула бабушка. – Да куда? Кто тебя возьмет-то?

– Кто-нибудь да возьмет, – мама побежала к зеркалу, вытащила из ящика косметичку и начала краситься.

– Работать! – обрадовался Мишка.

Ему было пятнадцать, и отсутствие в доме матери открывало радужные перспективы. Конечно, оставалась еще и бабушка, но она имела обыкновение ходить на рынок, в магазин, в прачечную. К тому же у нее тоже были подруги, которых время от времени необходимо было проведывать.

Работу мама нашла в каком-то научном биологическом журнале. У нее появились коллеги, авторы и цветы. Папа перестал работать в выходные, снова стал обращать на Мишку внимание и читать нотации. Хотя однажды вместо нотации прозвучало:

– Ты скоро станешь старшим братом.

И Мишка полез обниматься к отцу, потом накинулся на маму, поднял ее – маленькую, хрупкую, закружил по комнате, а она смеялась довольным, бархатистым своим сопрано, а бабушка все охала, охала и причитала:

– Поставь скорее, еще уронишь!

Отец просто наблюдал. А потом мама взяла гитару и запела про падающий снег, хотя на дворе зеленел май и снега в помине не было.

Мишка вдруг задумался о том, как несколько недель назад не смог ответить на вопрос учителя литературы, что такое счастье. А теперь он знал: это падающий снег и скользящее по нему бархатное сопрано. Но только все равно он не смог бы это объяснить словами. Да и зачем? Слова были не нужны.

– Не все можно объяснить словами, – неожиданно согласился Михаил с драчливой прихожанкой, – но бить детей все же не следует.

– Я уж постараюсь, батюшка.

Женщина была его ровесницей, и Михаил с трудом сдержался, чтобы не прыснуть от этого все еще непривычного ему обращения. Но сутана требовала соблюдения правил игры, и он поднял правую руку, собрал пальцы в горсть и осенил крестом свою доверительницу. Она ушла успокоенной, не ведая о том, какую бурю чувств подняла своим признанием в душе того, кого принимала за священника.

Михаил вышел из церкви, пересек двор и вошел в дом, в котором наконец-то снова смог превратиться в себя самого. Он снял сутану, аккуратно повесил на гвоздик (уроки отца Федора не прошли даром), лег на кровать прямо в джинсах и в футболке и перед тем, как провалиться в тяжелый сон, вспомнил лукавый стариковский взгляд, ничуть не омраченный тяжелой болезнью, и подумал: «Ох, неспроста вы это затеяли, отец Федор. Ох, неспроста...»

8

Непростые отношения собаки и дома достигли апогея. Собака ходила, валялась и лаяла, где хотела. Всюду совала нос, что-то вынюхивала и постоянно шевелила ушами, не желая делиться с домом своими наблюдениями. Вообще, дом ничего не имел против собак. Они всегда нравились ему больше кошек. Возможно, потому, что люди, жившие в доме, оказывались преимущественно собачниками, а может быть, потому, что однажды летом к гостившей в доме кошке сбегались все коты округи и устраивали ночью такой концерт, что не давали спать обитателям дома, чей покой он привык охранять. Кошки с домом не церемонились: точили когти об обои, а то и об обивку мягкой мебели, висели на занавесках, отдирая их от карниза, рылись в мусорном ведре, раскидывая помои по кухне. Собаки были все же аккуратнее: сворачивались у камина и грели косточки, сладко похрапывая. На шторах не качались, по шкафам не скакали и не орали по весне дурными голосами. Собаки существовали, не нарушая того, что дом ценил превыше всего: его собственного покоя. Они относились к нему с почтением, не претендуя на лучшие места в комнатах и признавая главенство людей.

Эта собака была другой. Она все время вертелась около женщины, мешая дому рассматривать новую хозяйку и делать умозаключения. Женщина суетилась возле больной, и собака вертелась тут же, будто могла помочь протереть пролежни или поменять белье. Женщина отправлялась в сад, собака бежала следом, не отставая ни на шаг. Женщина доставала свои сокровища: начинала шкурить, клеить и красить, собака садилась подле, внимательно рассматривая инструменты в коробке, будто размышляя, каким из них может воспользоваться, чтобы помочь хозяйке.

Дом сердился. Люди были его привилегией. Он хотел знать о них все, он любил слушать и делать выводы из разговоров, обрывков фраз и даже взглядов. Но женщина разговаривала только с собакой, да и то как с ребенком:

– Сейчас мы здесь подкрасим, а вот тут покроем лаком. У нас знаешь какой комод получится? Всем комодам комод.

Или еще:

– Это, Дружок, называется кисть. Кисть, понимаешь? Ну, что ты тычешься носом? Я же сказала: «Кисть». Получай по носу, любопытная Варвара.

Дому бы радоваться: собаку ругают, но в этой ругани столько любви, что дом только еще больше завидует и возмущенно скрипит дощечками под легкими шагами женщины.

А иногда она садится на кухне, опускает руку вниз к собачьему уху, говорит:

– Давай, Дружка, с тобой посидим, повспоминаем, – и замолкает.

Пальцы женщины скользят по густой, блестящей шерсти. Собака сидит, боясь шелохнуться, и вздрагивает только тогда, когда ей на голову неожиданно падает горячая капля из слез женщины. Тогда собака вскакивает, ставит лапы ей на колени, заглядывает в глаза и пытается облизать лицо. В такие минуты дом почти любит собаку, потому что она утешает его любимицу, жалеет ее. Но дом старше и мудрее собаки. Он знает, что гораздо больше пользы вышло бы не из собачьего сочувствия, а из его – дома – участия. Если бы женщина только доверилась, если бы начала говорить, стены бы все услышали, и приняли бы, и впитали, и растворили бы без остатка. Да только она молчит, сидит и плачет. И если что и способно вырвать ее из тягостных раздумий, так только зычный окрик:

– Ну-ка! Иди сюда.

Дом всегда удивляется: у немощного тела – такой сильный голос.

Собака не удивляется, тут же оборачивается и скачет на зов веселым козликом и даже не видит, что хозяйке совсем не весело, что она не спешит на клич, что походка ее из легкой, девичьей превращается тут же в тяжелую поступь. А дом все видит, да только объяснений не находит. Слышит только:

– Ну-ка, подай! Ну-ка, принеси! Ну-ка, помоги!

Женщина подает, приносит, помогает. В основном молча. Иногда задает сухие вопросы, получает такие же сухие ответы, и все. Никакого движения, никакой информации. Дом даже имени женщины не знает, и это его с каждым днем угнетает все сильнее.

И безумно раздражает собака, которая своим присутствием снимает в женщине напряжение и помогает ей плакать молча, не выплескивая наружу всех своих чувств.

Но на любой улице, как правило, наступает праздник. Во вселенной все же не забыли о доме и о его пристрастии к всезнайству. Прислали же зачем-то к воротам этого большого человека, который стоял и кричал на всю улицу:

– Анюта! Принимай гостей.

«Анюта, – понял дом. – Красивое имя».

Не успел он порадоваться долгожданному подарку, как тут же получил второй. Женщина поманила собаку в комнату и оставила ее за закрытой дверью. Тут же послышалось недовольное сопение и обиженный скулеж, заскреблись когти, но женщина, не обратив внимания, поспешила к воротам.

Дом был так счастлив, что тоже не стал придавать значения тому урону, который может нанести двери расстроенная заточением собака, и стал внимательно прислушиваться к разговору, который от ворот неторопливо перемещался к крыльцу.

– Вот теперь Москва тебя поймет, – говорил большой человек. – А то все негодуют: «Куда подевалась? Почему пропала?» А теперь все понятно: срослась с природой, живешь – горя не знаешь.

– Да уж куда мне, – невесело усмехнулась женщина, распахивая входную дверь и пропуская гостя на террасу.

Дом почувствовал негодование: что он себе позволяет, этот толстяк! Свалился как снег на голову, рассказывает о безоблачной жизни, а она, между прочим, ревет через день.

Но мужчина неожиданно погладил женщину по голове, и дом осенило: это он пошутил так неудачно, это у людей такие странные приемы поддержки. Пускай. Анюта улыбается, и ладно. А собака пусть знает, что не одна она утешать умеет.

– Ты чего запропала-то, мать? Операцию сделала. Лицо давно поправила. Выглядишь как новенькая. Иди играй. Театры ждут, зрители в нетерпении, режиссеры готовы удвоить гонорары, – он говорил громко, заполняя собой все большое, светлое пространство террасы.

«Актриса, – понял дом. – Хорошая актриса, зачем-то сбежавшая из Москвы. И операцию делала. Болела, наверное...»

– Нет, подумать только, куда забралась... Знаешь, как только я скажу, где ты обитаешь, здесь выстроится очередь из жаждущих с тобой пообщаться и заграбастать в очередной проект.

– Только попробуй кому-нибудь ляпнуть, где я...

Если бы дом мог сесть, он бы сел или просто упал бы в обморок от удивления. Он не предполагал, что эта женщина может командовать и угрожать. Да еще как командовать: решительно, бесцеремонно – тут любой пойдет на попятный.

Огромный незнакомец не стал исключением: картинно поднял вверх руки, сделал несколько шагов назад, сел на стул:

– Ладно, ладно, я – могила. Кто там у тебя? – Он обернулся на дверь, из-за которой слышался нетерпеливый скрежет.

– Дружок.

– Новый? Старый? Молодой? В годах? Я его знаю? Он из наших? Где снимался? У кого? На «Кинотавр» приезжал? Что ты смеешься?

– Не знаю, на какой вопрос ответить.

– На все.

– Ладно. Это собака.

Гость немного смутился, но тут же пришел в себя:

– Какая порода? Сколько лет? Где взяла? А родословную получила? Знаешь, питомник имеет большое значение. Ну, что ты смеешься?

– Смеюсь, потому что ты пытаешься выглядеть докой даже в тех вопросах, которыми тебе интересоваться ни к чему.

– Ты об аллергии? Не думал, что ты помнишь. Так слушай, моя последняя пассия откуда-то притащила кошку, и ничего... живем.

– Вместе?!

– Ага. Она с кошкой, я с антигистаминными. Так что с утра дозу принял. Можешь выпускать своего кобеля.

– Это девочка.

– Дружок?

Дому замечание показалось справедливым, он хотел бы услышать разумное объяснение, но женщина не посчитала нужным углубляться в историю происхождения имени собаки.

– Я не на псину тебя посмотреть пригласила.

– Извини, как я сразу не догадался. Тебе нужна роль? Какую ты хочешь? Ты решила играть в моем новом фильме? Я польщен. Беру, не глядя. Ты поэтому держишь в тайне свое местопребывание? Я понял: после случившегося ты решила покрыть себя ореолом тайны. Слушай, классный ход! Сама догадалась или продюсеры надоумили? Они нынче ушлые. Ой, на прошлой неделе, представляешь, подходит один...

Анна уже жалела, что позвонила Эдику. Она настолько привыкла к одиночеству за эти месяцы добровольной ссылки, что теперь ей было бы тяжело выдержать общение с любым, даже спокойным человеком. А спокойствие и Эдик – понятия несовместимые. С другой стороны, если бы у нее был другой вариант, она бы им непременно воспользовалась, но из всех кандидатур, что она перебирала в голове последние несколько недель, Эдик был, как ни крути, самой подходящей. Конечно, он слыл (и являлся) известным балаболкой, но не трепачом. Выражением «Я – могила» бросался со значением, а не для красного словца. К тому же всегда чувствовал грань, перед которой необходимо остановиться, то есть при всей кажущейся простоте и склонности к панибратству обладал феноменальной интуицией. Кроме того, Эдик был отличным профессионалом, обладал хорошими связями и, как никто другой, мог оказаться Анне очень и очень полезным.

– ...нет, ну надо же такое вообразить, а? Лезть ко мне с подобными просьбами! Будто у меня времени вагон и маленькая тележка и...

– У меня тоже просьба к тебе...

– Во, мать, я же знал, что не просто так зовешь.

Дом вдруг увидел, как изменилось лицо Анны: из усталого, немного раздраженного, но живого и даже приветливого оно вдруг превратилось в холодное и отстраненное, заледенело. Дом даже забеспокоился: «Сейчас она его выставит, и я опять ничего не узнаю: ни кто он такой, ни зачем приезжал, ни почему она его пригласила». Но опасения оказались напрасными. Мужчина оставался верен себе: он прекрасно чувствовал настроение собеседника и мгновенно уловил, что Анна дошла до точки кипения.

– Все. – Он быстро приложил руку к груди, слегка наклонившись, мол, извиняется, и сделал вид, что закрывает рот на воображаемую молнию. – Молчу, молчу. Говори, я весь внимание.

– Говорить мне нечего. Буду показывать.

Анна скрылась в смежной с террасой комнатушкой, и через мгновение оттуда донеслись странные звуки: словно что-то тяжелое толкали по полу.

– Тебе помочь? Что ты там делаешь? – забеспокоился гость.

Собака же за другой дверью перестала скулить и притихла. Если бы дом мог усмехнуться и злорадно потереть руки, он бы непременно это сделал. Мужчина не имел ни малейшего понятия о происходившем в кладовой, а собака наверняка сейчас сидела в замешательстве и шевелила большими ушами, пытаясь определить, кто, что и куда тащит. Да куда ей! Зато дом все видит, все слышит, все знает, да и в отсутствии логики его нельзя упрекнуть. Кто, как не он, был свидетелем многочасовой работы Анны с лобзиком, лаком и красками? Собака в тот раз просто лежала рядом, сладко похрапывала и совсем не интересовалась процессом. Она не следила за тем, как куча старого дерева превращалась в по-настоящему красивую вещь, и даже не проснулась, когда воодушевленная Анна резко вскочила на ноги и громко воскликнула: «Готово!» А дом все видел, и радовался за женщину, и живо представлял, как в этот симпатичный шкафчик она поставит посуду, или книги, или одежду, или... Но Анна сначала выставила его на поляну – единственный открытый солнцу пятачок на участке, а через несколько дней, когда первоначально яркие цвета поблекли под воздействием ультрафиолета и смотревшаяся новой вещь приобрела налет старины, спрятала мебель в кладовую и, казалось, совершенно забыла о ней. «Почему? – недоумевал дом. – Для чего столько стараний, столько времени, столько трудов? Для того чтобы похоронить все в темной комнате? Выходит, все зря...»

Теперь дом ликовал. «Ничего не зря. Все со смыслом. С одной ей, Анне, пока известным смыслом». Дом тоже чувствовал себя причастным к тайне. Ведь он точно знал, что именно собиралась женщина вытащить на террасу и продемонстрировать гостю.

Дом не ошибся. Через секунду Анна возникла в проеме, таща за собой какую-то бандуру, покрытую серой тканью. Мужчина бросился на помощь, но она ее не приняла.

– Сядь на место и смотри внимательно!

Анна подтянула свой секрет на середину террасы и, внимательно осмотревшись вокруг и проверив угол падения света, сбросила ткань на пол.

И гость, и дом не сводили глаз со шкафа. Дом проверял свою память, сопоставлял две картинки (прежнюю и настоящую), рассуждал сам с собой о том, правильно ли он запомнил основной цвет, количество цветов и завитков на рисунке, расположение резьбы и других декоративных деталей. А мужчина... Мужчина замер на несколько секунд от неожиданности, затем нерешительно привстал, присвистнул то ли от изумления, то ли от внезапно охватившего его волнения, бросился к шкафчику и принялся его осматривать со всех сторон, робко поглаживая корпус и повторяя, словно в бреду: «Оно! Оно!»

Только Анна не смотрела на свое творение; она внимательно следила за Эдиком и с каждой новой секундой, с каждым его очередным «Оно!» чувствовала, как ее раздражение, злость, неуверенность и боязнь разочарования сменяются всепоглощающей радостью. Она не ошиблась. Она позвала того, кого надо было позвать. Того, кто все понял без лишних слов, того, кто сразу оценил, того, кто найдет этому нужное применение.

Эдик без устали вертелся вокруг шкафа, не переставая дотрагиваться до него. Он то подходил ближе, то отходил дальше, то вдруг бросился к выключателю, оставив на террасе только сумеречный свет от тусклого бра.

«Хороший ход, – подумала Анна. – Я до этого не додумалась». А вслух сказала:

– По-моему, будет прекрасно смотреться из зала.

– Я вижу, – отрывистый отклик, и больше ничего.

Эдик не мог оторваться от предмета своих исследований. Он вдруг сделался очень увлеченным и перестал реагировать на внешние раздражители. Отличный признак попадания «в яблочко». Анна развеселилась.

– Ты похож на собаку, встретившую хозяина после долгой разлуки. Скачешь вокруг шкафа в полном восторге, обнюхиваешь, трешься вокруг.

– Если бы у меня был хвост, я бы вилял им до тех пор, пока он не отвалился бы, – откликнулся мужчина, наконец оборачиваясь к Анне. – Но хвоста нет. И как я могу выразить свое восхищение?

Он широкими шагами пересек террасу, сгреб женщину в охапку и звонко расцеловал в обе щеки, оторвав от пола. Когда же бурное проявление чувств было закончено и Анна вновь крепко стояла на земле, Эдик разжал объятия и пытливо спросил:

– Ну, и где ты этому научилась?

Аня возвращалась домой, продолжая раздраженно спорить со своим горе-учителем.

«Ишь, умник нашелся! Какая нормальная мать не наймет педагога своему ребенку?! Нормальная, может, и наймет... Тоже мне режиссер! Где это видано? «Тарковский», мыслящий ярлыками. Еще и руки распускает. Нет, тут, конечно, она сама виновата, болтанула лишнего. Только кто ему дал право лезть с нравоучениями: «Зачем тратишь время? Попроси маму! Мама научит, мама подскажет...» Ну, как тут сдержаться?»

Она и взорвалась. И дала маху. Ну, так извинилась же и на пощечину даже не слишком обиделась. Нет, все-таки немножко обиделась. Руками махать все равно нельзя. Он, правда, тоже одумался, даже дружбу стал предлагать и на дачу к друзьям позвал. Как же, поедет она, раскатал губу! Но все равно приятно. Хотя, может, это он так, по доброте душевной старается ее от занятий отвлечь? Понял, что не выйдет из нее никакой актрисы, вот и пытается перевести отношения в другую плоскость, чтобы она позабыла о несбыточных мечтаниях. Нет, пустяки. Зачем ему целый месяц тратить на читки пьес и разбор эпизодов, если она – полная бездарность? Во всяком случае, не ради ее прекрасных глаз. Уж в чем-в чем, а в этом можно было быть уверенной на сто, даже на все пятьсот процентов. Она, конечно, девочка симпатичная, с этим не поспоришь, но вряд ли увлеченный ею юноша станет являться к ней на встречу с другой, всячески демонстрируя близость отношений.

А Мишка романтические встречи с представительницами прекрасного пола не скрывал. Забытые кем-то из пассий вещи не прятал, записную книжку, пестревшую женскими именами, держал на видном месте, да и несколько раз знакомил пришедшую чуть раньше оговоренного времени Аню с девушками, сидевшими не просто в его комнате, а на его коленях. Разве станет так себя вести влюбленный и очарованный? Нет. А уж если он не влюблен и не очарован, то пыль в глаза пускать не будет, и если сочтет ее полной бездарностью, то так и скажет. И не станет ломать голову и тратить время на поиски новых методик преподавания и интересных заданий. А значит, как ни крути, надо его слушать, пытаться выполнить требуемое, даже если это обидно, даже если ей кажется, что он не прав.

Вот сегодня, например, когда буря утихла и они начали заниматься, он что сказал? Сказал как Станиславский: «Не верю!» Как она ни старалась грустить о смерти чеховской Маруси, ничего не получалось. Он все продолжал кричать, что не верит, а она верила в то, что он не верит, расстраивалась, но ничего не могла с этим поделать, пока он, наконец, не спросил:

– Ты хоть понимаешь, чего я от тебя хочу?

– Понимаю. Подлинности. Ты же сам говоришь.

– А где она должна быть, эта подлинность?

– В речи, во взгляде, в движениях.

– В душе, Ань. В душе должна быть подлинность. Ты думаешь, если ты звуками скорбишь, а в голове рассуждаешь о том, какой суп на завтра сварить, зритель этого не заметит?

– Я не думаю про суп.

– Да какая разница, про что? Ты должна думать о том, что у людей любовь, а она умирает, и он ничего не может сделать. Боже мой! Какой ужас! И тогда тебе поверят. Поверят только тогда, когда ты будешь чувствовать то, что чувствуют твои героини.

– Если подлинно страдать с каждой из них, то можно сойти с ума!

Он вдруг побледнел.

– Ты что?

– Ничего. Ты здесь ни при чем. Страдать не надо, но надо понимать это страдание. Надо чувствовать, надо понимать, почему так, а не иначе, надо проникать в сознание героев, представлять все тонкости их душевной организации, ощущать причинно-следственную связь слов и поступков и сопереживать им в полной мере. Иначе невозможно любить отрицательных героев. А если не любить своих героев, то невозможно играть.

Она подумала над его словами. Сопереживать Марусе из «Цветов запоздалых» было легко: прекрасная, но несчастная, умирающая от чахотки девушка, слишком поздно нашедшая свою любовь и почти не имеющая времени насладиться наконец обретенным счастьем. Что может быть проще сочувствия такой героине и понимания всех горестей ее бытия? Но понять и принять зло гораздо сложнее.

– А как полюбить отрицательного персонажа? Как научиться сочувствовать его зависти и склонности к интригам? Как отстаивать его право на плохие поступки?

– А ты не начинай с персонажей. Начни с людей.

– Как это?

– Обрати внимание на нечто априори неблаговидное и попробуй это принять, понять, а потом и полюбить.

– Маньяка? Вора? Убийцу?

– Не лезь в бутылку. Кроме откровенного зла, в мире полным-полно недостойного материала. Ищи!

Легко сказать. А где искать? Кого? Как? Об этом он не сказал. Видите ли, его задача «только направить на путь, а идти по дороге надо ей самой». А куда идти? Об этом он сказать не удосужился. И где найти прекрасное в ужасном? В этом нищем, что ли?

Аня замерла как вкопанная. Мужчина сосредоточенно копался в помойке, не обращая на нее никакого внимания. Время от времени он удовлетворенно крякал, вынимал из железных баков какие-то видавшие виды деревяшки, складывал на землю и снова углублялся в пристальное изучение мусора. «Найти прекрасное!» – приказала себе Аня и тут же обозлилась на себя за доверчивость к несостоявшемуся режиссеру и за собственную глупость. Что прекрасного можно найти в грязнуле, копающемся в помойке? Она собиралась двинуться дальше, как вдруг:

– Подержи-ка! – От ящика ей протягивали нечто, бывшее когда-то стулом. – Боюсь, если поставлю его на землю, развалится, а мне не хотелось бы. Раскрошится не под тем углом, потом не соберешь.

Человек, которого она окрестила нищим, настойчиво тыкал в нее шаткой конструкцией и смущенно улыбался. Лицо его, морщинистое и худощавое, было чисто выбрито, черное, драповое пальто – не новое и не модное, но явно не с чужого плеча – сидело аккуратно, ботинки, ношенные, судя по всему, не один сезон, все же не выглядели явно стоптанными, а руки, крепко державшие шаткие ножки стула, источали сильный, заглушающий «ароматы» помойки запах ацетона. «Не нищий», – догадалась Аня и, отбросив колебания, приняла у него добычу.

«Не нищий» благодарно кивнул, собрал с земли кучу деревянных обломков и пошел прочь от мусорных баков, коротко бросив:

– Пойдем!

– Куда? Я не собираюсь никуда с вами идти!

– Я тебя и не зову. Мне стул нужен. Будь добра, донеси, а потом иди, куда шла.

Пораженная бесцеремонностью странного человека, Аня хотела шваркнуть этот дурацкий стул о землю так, чтобы он превратился в щепки, но неожиданно вспомнила завет «Принять, понять и полюбить» и, выставив перед собой деревяшку, словно щит, отправилась следом.

Он подошел к ступенькам в один из таких подвалов, в которые в те времена спускались только сантехники и крысы, и Аня снова заколебалась: перспектива спускаться туда с незнакомым мужчиной казалась верхом безрассудства. Но разве она когда-то отличалась послушанием и благоразумием? Вряд ли маньяки поджидают своих жертв у помойки в надежде заманить их к себе выуженным из мусора шедевром, да и на шедевр зажатый в ее руках стул никак не тянул.

Аня спустилась с лестницы и шагнула за скрипучую дверь. За ней не пахло ни сыростью, ни плесенью, ни затхлостью – ничем таким, чем должно пахнуть в нежилом помещении, где часто прорывает трубы. Зато пахло другим, знакомым каждому человеку, – краской, лаком и деревом. К этим запахам едва уловимыми оттенками примешивались еще несколько. Особенно ярко чувствовался один – неприятный и резкий. Аня не сдержалась, втянула носом, закашлялась.

– Морилка, – сказал мужчина, нащупывая выключатель.

– Что? – Девушка зажмурилась от яркого света.

– Морилка, говорю, воняет. Я в нее нашатырь добавляю, чтобы к дереву лучше прилипала, а нашатырь, он, собака, злой. Зато в обморок не хлопнешься, – он весело хохотнул, аккуратно опуская куски дерева на матрас в углу. – Вот так-то лучше. – Он обернулся к Ане, протянул руки за стулом: – Давай его сюда. Ну, чего замерла?

А замереть было от чего. Просторный подвал оказался заставлен антиквариатом. Шкафы, комоды, буфеты, столы на резных ножках и стулья с царственно выгнутыми спинками не стояли чинно, как в дворцах и особняках, а беспорядочно загромождали пространство обыкновенного подвала современного девятиэтажного панельного дома.

Девушка оторвала взгляд от мебели и посмотрела на стены, увидела зеркало, увитое тонким, аккуратно изготовленным деревянным плющом, среди листьев которого виднелась голова маленькой деревянной птицы.

– Малиновка, – коротко объяснил мужчина, поймав Анин взгляд. – Ох, и намучился же я с ней, никак не хотела получаться, зараза! Да отдай же мне стул! Зачем так в него вцепилась, непутевая? Того и гляди сломаешь!

Аня разжала пальцы, не сводя глаз с пташки. Наконец обрела дар речи и спросила:

– Это все вы делаете?

– Нет, покупаю, – снова хохотнул он. – Ладно, топай, мне работать надо. Спасибо за услугу. Будет время, я тебе гребешок смастерю.

– А можно остаться? – вырвалось у нее как-то само. Она даже подумать не успела, зачем просит, а уже сказала. Желание опередило мысль.

– Зачем это? – Он нахмурился, но посмотрел с интересом.

– Просто, я просто... – Девушка никак не могла найти объяснения.

– Ишь, какая простая, – поддел он ее. – Просто мне ни к чему. Те, кто просто, они только мешают, а мне помощь нужна. Будешь помогать?

На этот раз ей действительно не понадобилось долго думать.

– Буду.

Следующие два часа она копалась в деревяшках и инструментах, выискивая требуемые и выслушивая довольное ворчание:

– Я же сказал – тонкую, а ты мне целый брусок даешь.

– Ну, что это за кисточка, а? Это же кисть! Почти валик. Ты сама видишь, что тут тонкая работа? Как я могу сюда кистью ткнуть? Говорю ведь: кисточку принеси!

– Цвет морской волны – это цвет морской волны, а это, как ни крути, бирюзовый, и не спорь, пожалуйста!

Аня и не думала спорить. Баночек с красками на стеллажах было едва ли не больше, чем песчинок на пляже, и каждая, по уверениям мастера, имела неповторимый оттенок, поди разбери, где бирюза, а где морская волна. Кроме красок, стеллажи были уставлены и другими разнообразными по калибру банками, склянками, коробками и целыми ящиками.

– Вам все это нужно? – не удержалась она от вопроса.

– Да кто разберет-то за сорок лет?

– Сорок? Вы здесь живете сорок лет?

Он захохотал: громко, беззаботно, от души.

– Вот ты с виду умная девка, а глупости говоришь. Ну кто же тут жить сможет, а? Столько запахов и ни одного полезного. Тут, кстати, не то что я, они, – он кивнул на мебель, – тоже долго не протянут. Сыровато, знаешь ли, и темно.

Он взглянул ей в глаза, поймал взгляд, полный искреннего непонимания и любопытства, смилостивился: широко улыбнулся.

– Ладно, расскажу. Заслужила. Даром, что ли, ты тут со мной два часа мучаешься?

Аня осмелела от такой благосклонности и даже позволила себе присесть на один из шедевров, так и не выпустив из рук склянку то ли бирюзы, то ли волны.

Андрей Александрович Горобец происходил из семьи потомственных охотников, однако от предков своих, отца и деда, унаследовал только фамилию и умение ориентироваться в лесу. Этот навык сослужил ему хорошую службу, когда он – недавний студент авиационного училища, а теперь двадцатилетний командир экипажа, – выпрыгнул из подбитого немцами горящего самолета и через несколько минут повис, запутавшись в парашюте, среди раскидистых ветвей сосны. Что делать? Куда идти? Где фашисты? Где наши? У него не было ни еды, ни питья, ни оружия. Единственной амуницией оказался чудом не выпавший из кармана перочинный ножик, которым он сначала освободил себя от парашюта, а потом аккуратно вырезал в стволе дерева небольшие ступеньки, позволившие спуститься с высокой сосны целым и невредимым. К своим добирался он несколько недель, перебиваясь грибами, ягодами и березовым соком. «Была бы зима – погиб бы, а так отощал только да профессию приобрел», – шутил он впоследствии.

Вечерами, еще достаточно теплыми и не темными, не имея сил двигаться дальше, чтобы не сойти с ума от страха, тревоги и одиночества, он вырезал ножиком из найденных сучьев и палок тарелки, столовые приборы, разнообразные рамочки и даже картины. Одну из них, особенно удачную, с изображением старика у моря и золотой рыбки, он не оставил лежать под кустом, где ночевал, а принес с собой в военную часть, откуда его отправили сначала в госпиталь, а потом и вовсе в тыл на завод, так как полученная во время падения контузия «подарила» ему проблемы с сердцем и лишила возможности вновь управлять самолетом.

После войны, когда встал вопрос о получении новой профессии (авиация без пилотирования молодого человека не привлекала), он достал свою картину, купил билет на поезд Минск – Москва и отправился поступать в художественное училище. Обладателя медалей и воинского звания, конечно, приняли без заминки и впоследствии никогда об этом не пожалели. Андрей Горобец стал прекрасным мастером, замечательным художником по дереву и великолепным театральным декоратором.

– Так вы в театре работаете?

– Я, детка, работаю, где предложат. У меня семеро по лавкам и все кушать просят.

Андрей Александрович, конечно, кокетничал. Детей у него было трое, причем все уже вышли из того возраста, когда родители обязаны о них заботиться. Но работать ему действительно приходилось много: перестанешь служить искусству, позволишь себе расслабиться – и не заметишь, как придет на смену поросль из молодых да зубастых, что не просто откусят талантливую руку, а сожрут с потрохами и не подавятся. Потому и проводил Горобец долгие часы в подвале, придумывая нечто неординарное и воплощая это в жизнь.

– Смотри! – Он показал на комод вишневого цвета с инкрустациями в виде деревьев на дверце. – Будет стоять у Раневской в гостиной.

– У Фаины Георгиевны? – изумилась Аня. – Вы хотите сказать «стоял»?

– Нет. Будет стоять. У Людмилы... на сцене. В спектакле, значит, задействован будет, поняла теперь?

– Поняла. Только... – Аня замялась.

– Ну, говори, говори, не ломайся!

– Зачем же вы, такой известный и талантливый, по помойкам роетесь?

Он расхохотался громко и от души, а потом так же внезапно оборвал смех и стал исключительно серьезным и задумчивым. Поднялся, неторопливо подошел к матрасу, где все еще лежали собранные в мусоре деревяшки, бережно взял несколько, повертел в руках, потом сказал с горечью, не оборачиваясь к девушке:

– Люди не ведают, что творят.

Затем в два прыжка пересек комнату, сунул Ане в руки какой-то брусок, спросил резко:

– Что это?

Она пожала плечами:

– Кусок дерева.

– Кусок дерева, – передразнил он ее. – Вот и они так думают и спешат избавиться как от ненужного барахла. Долой прошлое! Вперед, к светлому будущему! Да здравствует минимализм: «Хельга» в гостиной, «Минск» на кухне и в гараже «Салют». А это, моя дорогая, не кусок дерева, а часть старинной мебели, из обломков которой еще можно сотворить что-то стоящее. Но разве кто-то думает об этом? Нет! Всё долой! Всё на свалку! Как будто у тех, кто избавляется от прошлого, может быть достойное будущее.

– Ну, это спорный вопрос.

– Ладно, поспорим в другой раз, а сейчас смотри-ка. – Он вернулся к матрасу, поднял с него еще несколько совершенно непривлекательных, с Аниной точки зрения, кусков дерева и перенес их к верстаку. – Посиди пока! – велел он гостье и принялся за дело.

Минут через двадцать перед Аней стояло нечто, вполне напоминавшее стул. Конечно, его нельзя было назвать образцом надежности, но и куском дерева он быть перестал.

– Это только двадцать минут. А если в дело пустить лак, краску, заняться декорированием и полировкой, то через несколько дней можно получить вполне достойный предмет века так восемнадцатого. Так-то.

– А разве нельзя найти настоящие вещи, не развалившиеся?

Он снова засмеялся, но теперь тихо, по-доброму:

– Экая ты смешная! Настоящие, они в музеях да во дворцах. Кто же их тебе даст? Вот и приходится в контейнеры заглядывать, вдруг хоть частичку того самого, древнего, удастся урвать? Можно, конечно, и новые доски состарить, но это уже не так интересно.

– Выходит, вам здорово повезло, что люди не ведают, что творят?

– Выходит, что так. Ладно, ты не умничай! Подай-ка мне лучше вон ту дощечку.

Аня подала. И подавала еще несколько месяцев, забегая к Горобцу то на час, то на два в день. Подавала тихо и молча до тех пор, пока, наконец, не решилась.

– Научите меня, – выдохнула чуть слышно в ту секунду, когда рубанок перестал строгать, а пила еще не завизжала. Выдохнула и затаилась, даже зажмурилась в ожидании недовольного молчания. Но ответом была секундная тишина, которую прервал спокойный ответ:

– Я думал, ты никогда не попросишь.

Мастер трижды пытался привить любовь к собственному делу своим детям, но всякий раз терпел неудачу. Не возникло у них желания идти по его стопам. Старший стал врачом, средняя дочь – научным сотрудником, не вылезающим из библиотек, а младшая, хоть и подавала надежды превратиться в талантливого художника, тяготела к холсту, а не к рубанку. У Горобца же, как у любого творческого человека, существовала потребность поделиться с кем-то своими знаниями. И вот когда он уже почти смирился с мыслью, что потребность эта так и останется неудовлетворенной, появилась Аня.

Андрей Александрович секретов не жалел, с удовольствием раскрывал ученице тайны резьбы по дереву, не уставал ее хвалить и с гордостью повторял, что когда-нибудь она обязательно превзойдет своего учителя.

– Станешь Моцартом, и я тебя отравлю.

Она отнекивалась, смеясь:

– Нет, я актрисой буду!

– Одно другому не мешает, – спокойно возражал он.

Она не спорила, но в душе не могла согласиться. Актриса, в свободное время придумывающая декорации, почему-то казалась ей нелепостью. Нет, у актрисы должны быть другие занятия, да и времени свободного не найдется. Одно другому мешает. Либо актриса, либо...

– Мешает, – сказала Анна, глядя куда-то сквозь восторженного Эдика.

– Кто мешает? Кому мешает? Я спросил: где ты этому научилась?

– Там уж не учат (больное сердце Андрея Александровича Горобца не настучало ему длинной жизни). Так что: берешь или нет?

– Спрашиваешь! Сколько ты хочешь за это чудо?

– Договоримся.

– Ладно. Тогда мне нужны еще кровать, стол и кресло.

– Стол и кресло я уже сделала. Они в сарае. А кровать пока не готова. Но к премьере я успею, ты ведь еще даже репетировать не начинал.

– Так я и не начну, пока ты не согласишься играть.

– Я не соглашусь, Эдик.

– Что за ерунда! Раньше ты никогда не ломалась. А теперь почему?

– Потому что одно другому мешает. Либо я, либо мебель.

– Тогда ты.

– Мебель, Эдик, мебель. Ты уже это сам понял, просто сказать боишься. Хороших актеров гораздо больше, чем хороших декораторов, так что не упусти свой шанс, иначе позвоню другому режиссеру.

– Ладно.

Он согласился слишком легко, и Анна не могла не порадоваться. Это значило только одно: мебель была гениальной, ничуть не менее гениальной, чем ее актерская игра.

– Кофе будешь?

Она сварила кофе, и они еще какое-то время посидели на террасе, болтая об общих знакомых, репетициях, спектаклях и новостях театральной жизни, которыми гость охотно делился с хозяйкой. Собака за дверью снова устроила громкую возню, почуяв запах бутербродов, которые Анна поставила на стол. А дом опять стал раздражаться, потому что надеялся уловить в разговоре какое-то объяснение происходящему, а подвывание и царапанье мешали слушать.

Впрочем, посиделки были недолгими. Эдику не терпелось проникнуть в сарай, чтобы оставить там новую порцию восторгов и отбыть в Москву, где без него, конечно, все застопорилось, а то и вовсе замерло. Анна отправилась его провожать. Дом озадаченно обдумывал услышанное: известная актриса, которая может вернуться на сцену, но вместо этого мастерит декорации для театральных постановок и скрывает свое местонахождение. Почему? Объяснения этому дом не находил, как не находил и ответа на вопрос, отчего всегда и всем недовольная, постоянно дергающая Анну больная молчала во время визита режиссера. «Жива ли?» – забеспокоился дом, заглядывая к старухе в комнату. Она лежала на кровати, вперив взгляд в портрет на стене, а по щекам ее медленно и скорбно катились слезы.

Анна вернулась на террасу, выпустила собаку и вошла в комнату к больной, даже не дождавшись обычного «Ну-ка!»

Женщина оторвала взгляд от портрета, посмотрела на Анну и прошептала тихо, но внятно, так, что услышал даже старый дом:

– Спасибо!

9

Аля Панкратова была права: актрисой она была первоклассной, а женщиной довольно средней, к тому же малоопытной. Никто не объяснил ей, что устроить брак гораздо легче, чем его сохранить, особенно тогда, когда представления об этом браке и интерес к нему у мужа и жены лежат в совершенно разных плоскостях.

Она наивно полагала, что великовозрастный (по ее меркам) муж, видевший в жене свое призрачное счастье, будет ценить подарок судьбы и исполнять любой каприз по первому требованию. Но он расценил Алино появление как шанс на возвращение в прошлое. Он никогда не забывал, что первая жена была обычной девочкой, милой, приятной и не слишком требовательной: жила интересами мужа, его успехами и, в конце концов, даже жизнью поплатилась, боясь встать на пути его дипломатической карьеры.

От Али муж ожидал той же кротости и участия: горячих обедов, чистой квартиры и задушевных разговоров. Поначалу она полностью отвечала его требованиям: подносила, подавала, убирала и, глядя в глаза, с придыханием интересовалась:

– Как на работе?

А он, очарованный покладистостью, молодостью, грудным голосом и поволокой в очах, рассказывал даже то, что требовалось оставить в стенах кабинета. Аля слушала, изображая подлинный интерес и тайно выжидая подходящий момент. И такой момент наступил. Муж вручил ей билеты в театр:

– Прекрасная пьеса, отличные актеры, тебе понравится.

Она не сомневалась. Вот он, шанс заявить о своих истинных желаниях, хватит с нее борщей, пылесосов и политики!

После спектакля, который действительно оказался силен и постановкой, и актерской игрой, она, выслушивая хвалебные отзывы мужа, сказала с ленцой, делано равнодушно:

– Хорошая пьеса. Но была бы еще лучше, если бы главную роль играла я.

– Без сомнения, моя королева, – тут же согласился муж, хватая ее руку, поднося к губам и нежно целуя.

Алино сердце заколотилось. Вот оно: стоит только намекнуть, и роль в кармане, стоит хвостиком махнуть, и любой режиссер у ее ног.

– Но тебе ведь всего этого не надо, – ласково продолжал муж. – У тебя есть я.

– Конечно, – от неожиданности она не нашла достойного ответа.

Да, она не хотела играть в провинциальном театре. Да, хотела остаться в Ленинграде. Но провинциальный театр все-таки во сто крат лучше ленинградской, пусть даже и шикарной, кухни. Аля ожидала легкой победы – достойного места в труппе БДТ или

Ленсовета, но и, получив неожиданный отпор, сдаваться не собиралась:

– Мне прислали сценарий, – сказала она через несколько недель. – Режиссер – мой хороший знакомый, многому меня научил, отказываться неудобно.

– Я решу эту проблему, милая. Завтра же вышлем ему письмо из министерства, чтобы деятели культуры отныне не беспокоили тебя подобными глупостями.

Алин мир перевернулся. Она была уверена, что для любого мужчины жена-актриса – это гордость, но выбрала именно того, которому нужна была просто жена. Пришлось смириться с мыслью, что Ленинград она с помощью мужа получила, но ленинградские подмостки стали от нее только дальше, чем были. Что же... Раз она смогла из далекой деревни пробиться на большой экран, неужели, живя в Ленинграде, она не выйдет на его сцену? Оставалось только одно: играть в открытую.

– Я была на «Ленфильме», согласилась на эпизод.

– Зачем?

– Я хочу вернуться в кино.

На следующий день режиссер, пряча глаза и стараясь убрать дрожь из голоса, в роли отказал.

– Куда ты наряжаешься?

– В театрах начинается прослушивание.

– Удачи.

Вечером:

– Тебя взяли?

– Сразу в два!

– Поздравляю.

Следующие два месяца перед началом нового сезона и сбора труппы Аля особенно вдохновенно готовила, убирала и изучала репертуар, примеряя на себя разнообразные роли. Однако своей фамилии в распределении ролей не нашла ни в одном, ни в другом театре.

– Пока ролей нет, – коротко, почти грубо объявил один худрук, пресекая дальнейшие расспросы.

Другой оказался поразговорчивее:

– Деточка, у меня семья, дети. Их кормить надо.

Аля растерялась:

– Но я ведь хорошая актриса, зритель на меня пойдет, я никого не отпугну.

– Я в этом не сомневаюсь.

– Так почему же?

– Извините, милая, я не могу лишиться работы.

И снова Аля осталась в блаженном неведении.

– Во Дворце Первой пятилетки организуют вечер памяти Веры Холодной. Меня пригласили участвовать.

– И в чем заключается это участие?

– Изображать знаменитые сцены из фильмов.

– Разумеется с партнерами?

– Ну, конечно!

– Занятно.

– Да, это просто замечательно. Я так соскучилась по игре! Наконец-то живая работа. Что толку числиться в театре, если нет ролей. А тут хорошая возможность напомнить о себе. Мне обещали прекрасных партнеров.

Через несколько дней организаторы вечера отказались и от своих обещаний, и от Алиного участия.

– Вы могли бы сразу сказать, что не можете, – заявил ей режиссер, не скрывая обиды.

– Как не могу? Я могу.

– А здесь написано, что не можете, – он швырнул ей бумажку известного ведомства – и все Алины злоключения получили логическое объяснение.

Сдерживая ярость, она предприняла последнюю попытку.

– Я действительно могу, а это, – Аля кивнула на бумажку, – просто ерунда какая-то.

– Деточка, – теперь режиссер смотрел на нее с сочувствием, – я бы на вашем месте поостерегся называть официальный документ ерундой. Здесь, как говорится, черным по белому, и я не в силах что-либо изменить.

Открытие было мрачным и ужасающим: театр и кино закрыли перед ней свои двери на слишком крепкий засов под названием КГБ. Но Аля не была бы собой, если бы не попыталась его взломать. Она могла бы объявить открытую войну, перестать играть роль примерной и довольной жизнью женщины, но, столкнувшись с таким противником, боялась потерять не только театр и кино, но и Ленинград. Да и кто знает, до каких границ простирается гордость и чванливость мужа: возможно, он предпочтет отправить непокорную жену к праотцам, чем дать развод. А если и отпустит, так играть все одно не позволит.

Побег из плена должен был стать гораздо более продуманным. Тут дело не могло ограничиться кражей из шкатулки пятисот рублей.

– Ну его, это актерство, – сказала она, наливая мужу из супницы в тарелку ароматной ухи. – Когда мне играть, если за домом смотреть надо.

Он тут же с готовностью поцеловал ее руку и подхватил:

– А ребеночка родишь, и вовсе времени не будет свободного.

– Конечно, милый. Ни минутки. А кого ты хочешь?

– Девочку. Такую же, как ты, светленькую, миленькую. Родишь мне маленького ангелочка?

– Непременно, – обещала Аля, а сама бегала к знакомому врачу на аборты. Хоть ей и говорили, что беременности маловероятны, но они почему-то случались с завидной регулярностью.

Муж все ждал прибавления в семействе и частенько заводил разговоры о будущем ребенке, о том, как он будет расти и как они его станут воспитывать. Аля же делала вид, что разговоры эти ее смущают, пыталась заглушить его беспокойство тем, что беременность все не наступает, и поспешно переводила беседу в другое русло:

– Расскажи лучше о работе, – просила она как можно более мягким, доверчивым тоном.

И он рассказывал.

А она слушала, но теперь не равнодушно и отстраненно, не играя в участие и интерес. Она по-настоящему интересовалась, впитывала, как губка, каждое слово, боясь пропустить свой шанс на избавление от тягостного гнета.

«Еще год – и мое имя окончательно забудут. Появятся другие актрисы, и звезда Алевтины Панкратовой погаснет, так и не засияв по-настоящему. И я останусь стоять у плиты и буду ложиться в постель с этим старым, хитрым чекистом – и все из-за того, что однажды сделала неверную ставку».

Подобные мысли одолевали ее постоянно, заставляли держаться и не опускать руки, и спешить слушать, слышать и понимать. Она надеялась, что супружество станет первой ступенькой ее будущего восхождения по каннской лестнице, но оно оказалось самым тяжелым булыжником в заборе, отделяющем Алю от Золотой пальмовой ветви.

Но Аля не была бы Алей, если бы не попыталась сдвинуть этот камень с места и превратить его из препятствия в точку опоры. Она не впервые ставила перед собой цель и, конечно, не тратила время на пустые мечтания и размышления о горестной своей судьбе. Она была абсолютно уверена в том, что слезами горю не поможешь, и в том, что спасение заключается в действии, а не в ожидании внезапно счастливо сложившихся обстоятельств. Жизнь доказала ей, что судьба порой подбрасывает приятные сюрпризы, но лишь тому, кто к этим сюрпризам готов и сумеет правильно воспользоваться манной небесной.

Чтобы слово «развод» из нереального стало повседневным и осязаемым, необходим был план, ничем не уступающий тем планам, что созрели в Алиной голове для удачного поступления и выгодного замужества. Женщина тратила дни и ночи на обдумывание ситуации, но озарения не наступало. Она напоминала себе слепого котенка, который беспомощно тычется в углы картонной коробки, пытаясь выбраться до того, как наступит прозрение. Слепому необходим поводырь, способный задать направление. Аля же верного пути не знала, поэтому пыталась идти одновременно по множеству дорог.

Она попыталась стать неинтересной и скучной: завернулась в домашний халат, стерла с лица косметику, обзавелась клубками и спицами и вернула волосам натуральный темный оттенок. И что же?

– Ты такая уютная, – только и сказал муж, присаживаясь на диван рядом с Алей, которая методично сматывала нити разноцветной шерсти в один большой клубок, прикидывая, что с ним делать дальше (вязать она не умела и не испытывала ни малейшего желания учиться). – Именно об этом я всегда мечтал: тихое, семейное счастье с обычной женщиной, – сказал он, прижимаясь к ней крепче и запуская пальцы в длинные черные кудри. – Знаешь, а темный цвет идет тебе даже больше. Такая цыганистость появилась манкая.

Все Алино существо готово было визжать от разочарования и гнева: «Я не обычная женщина. Не обычная! Яркая и манкая – вот где правда, а остальное – плод твоего воображения, идиот!»

Ей так хотелось вытащить из своей головы цепкие лапки, все крепче опутывающие ее своей паутиной, но приходилось терпеть и улыбаться, и играть в спокойствие, тепло и покорность и злиться, злиться, злиться... Нет, не на себя за пустые мечты и корыстные намерения, которые неожиданно не оправдались, а исключительно на того, кто не позволил им оправдаться.

Аля забросила игру на гитаре и на все робкие предложения мужа спеть и сыграть отвечала мягким отказом, ссылаясь на усталость, отсутствие настроения или неожиданную боль в горле. Но...

– Послушай, Алюша, тебе должно понравиться.

Аля взяла в руки конверт от пластинки. С картона ей улыбалась светловолосая красивая женщина, фотографиями которой несколько лет назад пестрели все газеты.

– Анна Герман? Она же, кажется, больше не поет.

– Не пела. А ты слышала про аварию, да? Ты же вроде тогда была еще маленькая.

Аля впервые за долгое время посмотрела на мужа с интересом. Конечно, пять лет назад ей было всего восемнадцать, но назвать ее маленькой и считать, что восемнадцатилетняя девушка, студентка театрального вуза, не знала об автокатастрофе, о которой гудел весь мир? Теперь только она поняла его отношение к себе. Это не было поклонением и восхищением. Отнюдь. Он воспринимал ее как маленькую глупую куклу, которой можно и нужно управлять. Он был хозяином, полноправным и властным, и приходил в ярость, когда любимая игрушка пыталась проявить строптивость.

Открытие Алю удивило, но не расстроило. Ей, хитрой и не обделенной подвижным умом, казалось, что изображать наивную простоту легче, чем играть в терпение и мудрость, нисколько ими не обладая. И ничего не стоило равнодушно пробормотать:

– Кто-то мне говорил про трагедию в Италии, я уж и не припомню.

Слукавила. Она прекрасно помнила и огромный разворот в «Огоньке», и печальную, почти похоронную статью в «Литературной газете», и свое безграничное сочувствие к этой красивой польской певице, которая успела только ступить в лучи славы, но не успела в них искупаться.

Помнила Аля и о том, как два года назад они всем курсом собирались на квартире у пижона Гены Мякинина, москвича, который в театральном оказался лишь по настоянию папы-режиссера и мамы-художницы и испытывал интерес исключительно к вещам околотеатральным, от актерства далеким. «Капустники», посиделки, выпивка, девочки и хороший табак – вот и все ценности, к которым стремился Гена и щедро делился ими с однокашниками в шикарной родительской квартире.

Занятая Аля на подобных вечеринках была редкой гостьей, но в тот раз оказалась именно тем человеком, перед которым Гена решил в очередной раз покрасоваться:

– Гляди! Ни у кого еще нет!

Он с наигранным безразличием протянул ей пластинку. Она называлась «Человеческая судьба», и пела на ней Анна Герман.

– Она вернулась.

– И с блеском! Песни – закачаешься!

Аля тогда прыснула, а Генка обиделся:

– Ты чего?

– Ничего, – только и смогла она вымолвить сквозь выступившие от смеха слезы, а молодой человек отошел, насупившись и не забыв покрутить пальцем у виска.

Как ему было объяснить, что такие, как он, должны гордо демонстрировать пластинки Элвиса или «Битлз», но никак не певицы, поющей лирические песни! (А Герман они тогда так и не послушали.)

И вот теперь муж поставил совершенно новую пластинку, и из динамиков зазвучал нежный красивый голос. Аля слушала песню о надежде, которая по праву превратится потом в одну из лучших песен двадцатого века, ужасно жалела, что нет у нее такого дома, о котором хотелось бы сложить песню, и чувствовала, что проникновенные слова скорее отбирают у нее надежду, а не придают сил. Хотя:

– И зачем я к тебе пристаю с этой музыкой? Не хочешь играть – не надо. Теперь у нас вот какое сокровище есть. Сидим, слушаем, и хорошо.

И снова ей ничем не удалось вызвать недовольство мужа.

Аля чувствовала себя загнанной в угол. Действовать в открытую, демонстрировать неприязнь и желание покончить с ненужными отношениями не было никакой возможности. Покажи Аля зубки – ее участь окажется гораздо печальнее участи тех режиссеров, которым было приказано отказаться от ее услуг, а угрозы, что непременно поступят в ее адрес, в этом случае наверняка не останутся пустыми.

К тому же появилось в ее жизни и еще одно обстоятельство, никак не способствовавшее трезвости мысли и обдуманности действий. Аля влюбилась. Впервые в жизни. Сразу и навсегда.

Алина история стала редкостью, исключением из правил. Советский человек был обязан работать, поэтому она и числилась сразу в двух театрах, но вкалывающих там все же имелось больше, чем просто числящихся. Головы основной массы женщин занимали мысли о том, как успеть в обеденный перерыв урвать в ближайшем универсаме дефицит, как доволочь его в авоське до дому, не помяв, не разбив и не испортив, и как приготовить, чтобы все тридцать три члена семейства были довольны. А после ужина – мытье посуды, стирка, глажка, уборка, проверка уроков, чтение сказок и новости о количестве собранного урожая. И даже если ей повезло и муж делит с ней не только экран телевизора с пляшущими по нему комбайнами, но и остальные домашние хлопоты, то все равно после такой круговерти только спать, спать, спать. Какая любовь? Какие высокие чувства? Какой полет? Какая легкость бытия?

Аля, конечно, шла замуж лишь для того, чтобы работать больше и лучше, но от этого оказалась лишь менее подготовленной к праздной жизни. Дети в ее планы по-прежнему не входили, квартира требовала уборки не чаще двух раз в неделю, а мясо тушилось два часа, а не целый день, оставляя огромное количество времени для размышлений о том, чем бы это время занять.

Она пыталась вернуться к чтению, но через несколько месяцев стала книг избегать, как только поняла, что последними произведениями, которые она прочитала запоем, стали именно те, в которых главная героиня избавляется от неугодного мужа преступными способами. Аля мечтала скинуть оковы, но превращаться в Клитемнестру не собиралась, а потому от греха подальше перестала искать спасение в литературе.

Другие же известные способы заполнить досуг давно были испробованы. Она бессчетное количество раз посетила Эрмитаж, неоднократно ездила на экскурсии в пригородные дворцы, прослушала всех смотрителей музеев-квартир, и известных, и не слишком, столько раз плавала по каналам, что выучила все их названия и вместо первоначального головокружительного восторга чувствовала теперь, как город, изначально впустивший в ее легкие столько воздуха, теперь этот воздух отнимает, все больше опутывая ее своей правильностью, строгостью и хмуростью, не разрешая дышать полной грудью. Теперь Аля ждала безветренных дней, когда можно будет пройтись спокойно, не прячась от холодных порывов, летящих с залива, и задавать Ленинграду один и тот же мучительный вопрос «За что?».

– За что? – спрашивала она у решетки Летнего сада, всматриваясь в деревья за оградой и ожидая от них поддержки, но они не слышали или не хотели слышать и отворачивались, избегая ответа.

– За что? – обращалась она к Медному всаднику, но он был слишком занят государственными задачами, чтобы опускаться до решения ее проблем.

– За что? – спрашивала она у воды, которая прежде казалась ей такой разной и постоянно меняющейся, а теперь все время представала одинаково надменно безразличной.

Аля задавала вопросы, не пытаясь понять ответа. А иначе, как знать, возможно, и различила бы она в шелесте листвы, в царственной недвижимости камня и в легком плеске воды тихое «Сама виновата. Сама... Сама...» Но она не различала.

Иногда ноги приводили ее к «Ленфильму». Она не пускалась в бегство и не пыталась ускользнуть незамеченной, а проходила внутрь, демонстрируя давно просроченный пропуск, и получала наслаждение от лжи самой себе, будто она – Алевтина Панкратова – все еще неотъемлемая часть советского кино. Это было игрой, но игрой приятной. Здесь в сквозном коридоре среди неудачников, куривших возле урн в ожидании удачи, она чувствовала себя своей. Она и была своей. А иначе почему именно здесь...

– Девушка, давайте я вас нарисую.

Сначала Аля даже не поняла, что обращаются именно к ней. Мало ли вокруг девушек, которые могут украсить холст? Но вот к ней подошли очень близко, вот взяли за руку, вот повторили в самое ухо:

– Девушка...

Она даже не успела обернуться, только по прикосновению руки, по горячему шепоту в ухо, по дыханию у шеи поняла, что пропала. Пропасть стоило: высокий, статный красавец в брюках-клеш и небрежно повязанном шарфе смотрел чуть насмешливо одним глазом: второй плотно закрывала длинная, небрежная русая челка.

– А вы знаете, кто я?

«Если знает, пусть рисует».

– Дурацкий вопрос для «Ленфильма». Скорее всего, актриса.

«Не знает. Вот она, неизбежность ушедшей популярности».

– Не угадали. Так что рисовать не стоит. Этот портрет вам известности не принесет.

– Тогда, возможно, вам он ее принесет, – сказал он с легкой иронией.

Аля хотела обидеться, но неожиданно расхохоталась:

– А вы наглец!

– Есть немного, – легко согласился он. – Ладно, не хотите позировать, хотя бы посмотрите на мои картины.

– Почему бы и нет?

Картин было много. Картин ярких, талантливых и запоминающихся. Але всегда нравились именно такие мастера, владеющие неповторимым стилем, отличающим их от других и позволяющим выделить их произведения из сонма подобных. Она любила Гогена за его таитянский период, Куинджи – за фосфор в красках, а Гойю – за мрачность в оттенках. А теперь любила и этого человека за... Просто любила.

Случай свел Алю с художником, имя которого пока не гремело, но уже становилось значимым в искусстве. Отец его был народным художником СССР, мать преподавала технику пейзажа в детской школе искусств, и сплетение подобных генов просто обязано было способствовать рождению гения. Так и случилось. К неполным тридцати годам за его плечами уже было несколько международных выставок (связи папы поспособствовали разрешению на выезд), а в копилке произведений – дюжина портретов известных людей, с удовольствием отзывавшихся о работе с ним как об оказанной им чести.

Впервые оказавшись в его мастерской, Аля почувствовала рябь в глазах от знакомых лиц и тогда же решила, что разрешит написать свой портрет только тогда, когда в галерее не станут останавливаться напротив ее портрета, недоуменно пожимать плечами и равнодушно спрашивать «А кто это?», а потом, услышав ответ, так же безразлично тянуть «А-а-а... Дада, кажется, припоминаю» и двигаться дальше.

Но, хоть позировать она не собиралась, разделась перед ним без всякого стеснения и ложной скромности. Она восприняла эту встречу как эпизод, солнечную вспышку на хмуром небосклоне. Аля не грезила о длительном романе со счастливым концом, потому и не стала играть в невинность и тратить время на длинные ухаживания и воркование под звездным небом. Все случилось быстро, здесь же, в мастерской, на испачканном и пропахшем красками и лаком матрасе, на котором до Али (долой розовые очки!) побывали десятки натурщиц. Аля предполагала стать очередной, и не более.

Страсть преходяща, но она оттого и зовется страстью, что стоять у нее на пути невозможно. Нет, Аля честно пыталась, даже продержалась довольно долго... Три дня. Два с половиной. А потом: «Ленфильм», коридор, небрежно повязанный шарф, косая челка, матрас, пропахший красками, и дикое, упоенное, запретное и потому такое сладкое счастье. Месяц счастья. Два. Три...

– У меня выставка в Праге. Поедешь со мной?

– Я бы с удовольствием, но, боюсь, не отпустят из театра.

– Ты же говорила: у тебя простой... Ты где-то играешь? Почему не приглашаешь смотреть?

– Простой-простой... Знаешь, в театре всегда надо быть под рукой. Мало ли что подвернется. Езжай один.

А дальше – тягостное ожидание, и страх перед будущим, и неуверенность в завтрашнем дне, и каждодневная ложь, и упоение от новой встречи.

– Чехословакия пала к твоим ногам?

– Не только она. Через пару месяцев обещают Варшаву и Будапешт. Может, махнешь со мной?

– В театре как раз гастроли.

– Тебе дали роль!

– Во втором составе. – Аля густо покраснела (не от смущения, от вранья).

– Жди меня, и я вернусь.

И она ждала. По-прежнему убирала, стирала, готовила, улыбалась мужу и спрашивала «Как на работе?», бродила по набережным и мостам, но уже без привычного недоуменного вопроса «За что?». Аля поняла: она задавала не тот вопрос. Правильный был «Для чего?» – и ответ на него теперь был ей известен. Для того, чтобы она не разминулась с брюками-клеш и небрежной челкой.

– Соцстраны мои с потрохами. Теперь надо пробивать путь к капиталистам.

– Снова уезжаешь?

– Нет, Аленька. Теперь не скоро. Так сразу не пустят, помаринуют немного, подождут, пока папа с челобитной к ним явится и поручится, что я непременно выучу постановления всех съездов КПСС наизусть.

– А если не выучишь?

– Не поеду. И никакой папа не поможет.

«И никакой папа не поможет», – именно эту фразу говорила себе Аля тысячи раз, размышляя в одиночестве о возможных последствиях открытого объяснения с мужем ради вечной жизни среди красок и лаков. Она рассматривала огромное количество различных вариантов, но ни один из них не сулил положительного исхода. Она без ролей – что ж, ей не привыкать. А он без выставок, да еще и по ее вине? Нет уж, увольте! В том, что перед художником тут же захлопнутся все двери, она ни секунды не сомневалась. Захлопнутся, как пить дать захлопнутся. И никакой папа не поможет. Нет. Творец должен творить. А иначе депрессия, слезы, бутылка и до боли печальный конец. Такой сценарий Аля могла только написать, режиссировать подобную пьесу и отводить себе в ней роли она не собиралась. Ее жизненный спектакль не должен обернуться драмой, хотя в драматичности сюжета ему никак нельзя было отказать. И все же она верила в счастливую развязку. А что необходимо для счастливой развязки? Правильные действия героя в кульминации.

– Буду теперь выставляться здесь. Теперь уж ты никак не отвертишься – будешь хозяйкой выставки.

– Хозяйкой? Ты с ума сошел!

– Ладно, пусть не хозяйкой, но придешь обязательно. Придешь?

«Эх, была не была»:

– Приду. С мужем.

– С кем? Что? Но почему? Я не...

– С мужем. Он чекист. Поэтому ты не... Еще вопросы?

– Но как же так?

– Вот так. И других вариантов нет.

– Не может быть! Всегда есть выход.

– Не смеши меня! Полмира объездил, а где живешь, не понял.

– Аля, против силы и хитрости всегда найдется сила и хитрость.

– Где найдется?

– Не знаю. Где-нибудь...

– Не знаешь?

Подбородок задрожал, слезы заструились по щекам. Аля всегда гордилась своим умением плакать по заказу. Ей не надо было нюхать лук или ждать от режиссера криков и оскорблений для того, чтобы разрыдаться. Она легко входила в роль убитой горем девушки и блестяще изображала эмоции. Играла она и теперь, старательно хлюпая носом и вытирая маленькими кулачками глаза. На художника старалась не смотреть. Все же было и стыдно, и страшно. Вдруг поймет, вдруг раскусит, вдруг осознает, насколько важен для нее его ответ. Аля знала: если мужчина начнет лепетать что-то пустое, бестолковое, полезет с утешениями и ласками, попробует сменить тему – развязка ее печального замужества наступит еще очень нескоро. Она ждала решимости и смелости. Она сделала ставку на действие и не прогадала.

– Я что-нибудь придумаю, – торжественно объявил он. – Обещаю. Верь мне.

– Я верю, – откликнулась Аля, не забыв похвалить себя и за неожиданную откровенность, и за уместные слезы, и за умело разыгранную беспомощность.

Хотя почему разыгранную? Она ведь и чувствовала себя беспомощной, загнанной в угол мышью, хвостик которой уже прижала кошка, предвкушая наслаждение от предстоящей игры. Аля поверила. Поверила в то, что у нее появился союзник.

– Мы все устроим. – Он уже перешел на заговорщицкий шепот: – А пока на выставку приходи.

– Приду. То есть придем.

Пришли. Постояли у входа, разглядывая публику, побродили между полотнами.

– Занятный художник, – резюмировал муж. – Я так и не понял, к чему он тяготеет. Пейзажи у него дивные получаются, но и портреты весьма недурны. Слушай, а давай-ка закажем твой портрет, а? Такой, знаешь, в черном платье и в замшевой курточке. Ну, помнишь, в которой ты еще пришла тогда на первую встречу. Пойду договорюсь.

Аля не знала, радоваться или огорчаться. С одной стороны, она могла получить своеобразную вольную на встречи с художником, с другой же – боялась, что муж приставит к ней на это время специального соглядатая.

Она внимательно следила за оживленной беседой двух своих мужчин. Наконец один поспешил обратно к ней, а другой лукаво подмигнул и отвернулся, старательно делая вид, что совершенно не интересуется женщиной, портрет которой ему только что предложили написать.

– Согласился?

– Предлагает сначала написать мой.

– Твой? – Изумленный взгляд в другой конец зала. Получив одобрительный кивок, Аля ответила:

– Почему бы и нет? Повесим в гостиной. Ты все же хозяин дома.

– Нет, дома как-то ни к чему. А вот на даче можно.

Дачу в Комарове Аля любила. Это была, пожалуй, единственная радость, которую она приобрела в замужестве. Небольшой деревянный сруб почти на самом берегу Финского залива стал для нее олицетворением уюта и спокойствия, которых так не хватало ее душе. Именно там открыла она для себя то, что на земле совсем не обязательно работать, что совсем не всегда люди для земли, как это было в родном колхозе, но и земля для людей. Аля вдруг заметила, что не нужно сеять, пахать и вскапывать, можно просто лежать, сидеть, гулять, валяться и не чувствовать себя нахлебницей или лентяйкой.

Дачу она любила еще и потому, что муж оставался к ней в целом равнодушным. Он и об имуществе этом сообщил не сразу, а спустя месяц после свадьбы, когда она поделилась желанием посидеть у костра и пожарить мясо. Тут он и вспомнил про Комарово, даже по лбу себя хлопнул: «Вот недотепа! Что же я раньше молчал?!»

В Комарово они тогда съездили, костер развели, шашлык приготовили, но и только. Никакой веселой компании, никаких песен под гитару. А Вертинский у огня как-то не пелся... Да и не совсем одни они были. С водителем. Он, конечно, из «Волги» не выходил, не положено, но окна-то открывать никто ему не запрещал. Откроет ненароком, а начальство Вертинским балуется. Нехорошо... И забора между участками не было. А соседи вовсе не глухонемые. Соседи с глазами, с ушами, с языком и с памятью. Помнят небось, кому раньше дача принадлежала, и догадываются, в каких таких далях заканчивает свои дни прежний хозяин.

В общем, дачу муж не жаловал. Нехорошим она была воспоминанием, неприятным, будто сама хранила память о старом хозяине – директоре гастронома, давно посаженном и чудом не расстрелянном. Але же не было никакого дела ни до директора гастронома, ни до переживаний мужа. Ей нравилось проводить время на даче еще и потому, что на какое-то время (на день-другой) удавалось избавиться от присутствия мужа. От присутствия, но не от опеки. Всякий раз она замечала у изгороди тех, кто призван был проследить и доложить, с кем, когда и куда она явилась. Аля к доносчикам привыкла, а с некоторых пор испытывала к ним даже нечто вроде благодарности за то, что в Ленинграде их подобной работой не баловали. Видимо, ее муж был из числа тех людей, которые считали, что ради удовлетворения похоти необходимо отбыть куда-нибудь подальше.

Алю такой расклад устраивал. До появления в ее жизни художника она часто сбегала из города, объясняя свое желание необходимостью как-то обустроить дачную жизнь перед появлением ребенка.

Она действительно во многом преуспела. Конечно, ни о какой детской женщина даже и не задумывалась, но неисправная печь теперь отлично грела, из углов исчезла паутина, окна на террасе блестели чистотой, а Аля чувствовала себя настоящей Хозяйкой большого дома, которая только и делает, что отдает распоряжения. Конечно, ей и в голову не пришло еще и здесь самой убирать, чинить и драить. В соседней деревне нашлось немало охотников помочь милой молоденькой барыне. Дом стал ухоженным, теплым и гостеприимным, и, хотя гостей в нем по-прежнему не было, Аля чувствовала, что дом рад ее видеть, что с удовольствием принимает ее, что благодарен за все перемены и даже считает ее своей. И вот теперь все испортить? Повесить портрет, чтобы испортить присутствием мужа последний островок счастья? Ну уж нет!

– Пусть напишет наш, и повесим дома. – Она улыбнулась, изображая невинную просьбу, и в ответ получила согласие, выраженное поглаживанием по руке.

Художник ничего против совместного портрета не имел, сказал только, обращаясь к мужчине:

– Начнем все равно с вас. Так проще. Женщины же всегда всем недовольны. То щеки слишком пухлые, то скулы слишком высокие, то рот кривой, то нос длинный. Вот и приходится переделывать, переписывать и подправлять. Так что давайте уж с вами закончим, а потом и за супругу вашу возьмемся.

Муж с готовностью согласился и начал два раза в неделю позировать возлюбленному жены. Жена же пребывала в недоумении и растерянности до тех пор, пока однажды он не сказал:

– Что-то неважно я стал себя чувствовать, Аленька. Старею, наверное.

– Что случилось? – За испуг в глазах и фальшивое беспокойство ее похвалил бы сам Станиславский.

– Сам не пойму. Слабость какая-то, сплю плохо, гадость мерещится всякая. Вроде с утра все нормально, а к вечеру усталость накатывает неимоверная, особенно после сеансов этих, будь они неладны. Видно, в моем возрасте уже не портреты надо заказывать, а эпитафии. Я бы уже отказался от портрета, да неудобно. Художник ведь рассчитывает.

– Значит, сеансы на тебя плохо действуют... – задумчиво произнесла Аля.

– Мышцы затекают, суставы болят и голова иногда кружится.

– Голова, говоришь...

Аля испугалась. Не за здоровье, конечно. За художника своего.

– Ты в своем уме?! – кричала она. – Забыл, кто он? Думаешь, он штучек с лекарствами не раскусит?

– Аля, это, конечно, психотропный препарат, но привыкания не вызывает. Все будет хорошо, поверь мне!

– Привыкания не вызывает, вреда не наносит, а зачем тогда ты ему подсыпаешь?

– Ну, любит заказчик чаи гонять во время сеанса, грех что-нибудь не подсыпать.

– Не юродствуй! А вдруг он догадается?

– Так я только этого и жду.

– Зачем?

– Скажу, что травлю его специальным ядом, что содержится в испарениях красок, и что если он тебя не отпустит подобру-поздорову, противоядия ему не видать.

– Его, значит, травишь, а сам не травишься? Он, что, по-твоему, идиот?

– Это я, по-твоему, идиот? Я, между прочим, каждый раз маску надеваю во время сеансов.

– Браво! Просто профессор Мориарти! Только противник твой не на хлебозаводе работает. Ему ничего не стоит кровь сдать да проверить, что там и как в организме.

– Результатов ждать – коньки отбросить. Я ему так и скажу.

– Ладно. Допустим, у тебя есть противоядие, ты благородно даруешь жизнь своей жертве, и что же теперь ей, здоровой и сильной, мешает отомстить нам, имея для этого и средства, и изобретательность, и опыт?

– А это хороший вопрос, Аля. Очень хороший. Ты же говорила, что он тебе про работу иногда болтает лишнего...

– Случается.

– А ты записываешь?

– Бывает.

– Вот и записывай. А потом писульки эти разнеси по друзьям и знакомым с указанием передать в прессу в случае твоей внезапной смерти или даже просто го недовольства жизнью.

– Да он вроде ничего такого не говорил.

– Он на грудь принимает?

– Иногда.

– Так как же он может помнить, что он говорил тебе, а что нет? Тут главное припугнуть всерьез. Ты же актриса, у тебя получится.

– Допустим. Но зачем тогда огород городить с ядовитыми испарениями, я не понимаю.

– Для надежности, для подстраховки, так сказать.

Страховка оказалась более чем надежной. Услышав про яд, полковник КГБ вскочил в ярости с дивана, отбросив на пол чашку с недопитым чаем, бросился на художника с кулаками, но, недобежав пары шагов до обидчика, упал замертво на тот самый матрас, испещренный следами краски, лака и неверности своей жены. Он умер мгновенно от оторвавшегося тромба, оставив Але тетрадь с так и не понадобившимися конспектами деятельности известного ведомства, дачу в Комарове (пожалели вдову, отбирать не стали) и трехмесячную беременность.

Сама она неоднократно потом изводила себя вопросом, что заставило ее в тот раз сохранить ребенка. Страсть к художнику не являлась основной причиной. Она, как многие женщины, каким-то шестым чувством ощущала, кто на самом деле был отцом ребенка. Но пресловутые «а вдруг» и «может быть» все же не позволили ей решиться на последний шаг.

И не только они. Подействовали и предупреждения врачей («Смотри, Панкратова, заработаешь себе миому или, не дай бог, рак шейки после стольких-то чисток»).

И где-то услышанная информация о том, что беременность омолаживает организм лучше всяких кремов и процедур, – полезное знание для актрисы.

И слова завтруппой театра, где она все еще числилась:

– Показывайся в других театрах, не показывайся, все одно к себе не возьмут.

– Почему? Я же не занята в спектаклях.

– Ну, а им-то откуда знать? Вдруг тебя занять собираются... Нет, нашему режиссеру дорогу никто переходить не станет. Раз держит тебя столько времени без ролей, значит, на то есть причины. Вот разве что...

– Что?

– Если бы ты в декрет ушла, то оттуда могла бы, пожалуй, попробовать в другой театр вернуться. Под беременную актрису-то репертуар держать точно никто не станет, других в роли введут. Так что в этом случае отсутствие с твоей стороны каких-либо обязательств было бы гарантировано.

Многое повлияло на желание Али сохранить беременность. Но самое необходимое так и не появилось: ни пресловутого материнского инстинкта, ни хотя бы призрачного представления, как изменит маленький человек ее жизнь, ни какого-либо теплого чувства... Впрочем, о чувствах к ребенку вообще говорить не приходилось.

Аля была поглощена совершенно другими ощущениями, настроениями и планами. Она перебралась к своему художнику, которого мало занимали бытовые вопросы. В мастерской царил творческий беспорядок, полностью устраивававший хозяина, а Але, все же привыкшей за год семейной жизни к аккуратности, оказалось легче не замечать пыли и грязи, чем снова хвататься за швабру и тряпку. Свои женские обязанности она ограничила мытьем пары тарелок и варкой супа на неделю, рассудив, что в случае недовольства художника спишет все на беременность и усталость.

К счастью, никаких отрицательных эмоций он не проявлял, иначе Але сложно было бы объяснить, почему провести пару часов у плиты ей гораздо сложнее, чем полдня на «Ленфильме». В коридорах студии она появлялась каждый день, как на работе, заглядывая на все площадки, общаясь со знакомыми и не слишком ассистентами режиссеров, уверяя каждого, что она доступна, мобильна, свободна и (разве они забыли?) талантлива. Все, как один, вежливо улыбались, согласно кивали головами, обещали, что, как только, так сразу, и только одна из них (постарше и попроще), кивнув на Алин уже заметный живот, поинтересовалась:

— А дите-то на кого оставишь?

Аля только плечами пожала. Она никакой проблемы не видела. Это у балетных было принято отказываться от карьеры ради детей, а драматические как-то умудрялись оставаться в строю, таская детей за кулисы и в экспедиции.

Она же вообще никого никуда таскать не собиралась. У нее были дача в Комарове (свежий воздух, покой, тишина) и готовая в любой момент сорваться из своего колхоза мама.

Мать разочаровалась, наконец, в коммунизме, когда приехавшие по вызову врачи «Скорой помощи» отказались везти мужа в больницу без взятки, сославшись на отсутствие мест, и оставили его в мучениях умирать от дизентерии.

Аля на похороны не поехала. Телеграфировала о плохом самочувствии и скором появлении ребенка. Мать ответила длинным письмом со следами слез на бумаге и исходившим от чернил запахом горя. Аля пробежалась глазами по строчкам о том, что жизнь прожита зря, что ценности оказались ложными, а вера – поруганной, что зла на дочь теперь совсем не осталось, да и как можно злиться, если «Аленька теперь – единственное, что осталось на все белом свете». Але бы поплакать да погрустить, а она только и подумала, что отец перешел в мир иной весьма кстати, а иначе мать так и осталась бы и при своих убеждениях, и при колхозе.

С художником, правда, поделилась.

– Рожу – мать, наверное, приедет.

Ждала вопросов, была даже готова к недовольству, но в ответ получила рассеянный кивок:

– Хорошо-хорошо, я ее как-нибудь нарисую.

Художник готовился к очередной выставке, после которой уже наверняка рассчитывал получить приглашение в капстрану, и не реагировал на внешние раздражители. Алю такое поведение поначалу не ущемляло и не расстраивало. В конце концов, она, как человек увлеченный и творческий, полностью его понимала. Личная жизнь определенным образом устроилась: он получил любимую в полное свое распоряжение и мог себе позволить уйти в работу. Как человек порядочный (ровно настолько, насколько может быть порядочен тот, кто угрожает другому ядовитыми испарениями своих картин) он предложил Але руку и сердце, которые она не приняла.

– Потом как-нибудь. Ребенка сейчас на покойного мужа запишут, и замечательно. А твоим будет, так и дачу могут отобрать, и квартиру.

Аргумент казался весомым. Пусть у женщины, носящей под сердцем чужое дитя, будут пути к отступлению, а расписаться можно и позже. Формальности для творческой единицы – дело десятое.

Кроме того, хоть и испытывал он к Але уважение за то, что не стала пускать ему пыль в глаза (сказала бы «твой ребенок» – он бы поверил, и на руках бы носил, и любой каприз...), но не мог отделаться от чувства, что происходящее – начало расплаты за смерть человека. Конечно, судьба уберегла его от шантажа и пустых угроз, но все же он не мог забыть этих устремленных на него искаженных яростью и страданием глаз, этого перекошенного рта, из которого вырывались чудовищные хрипы, и распростертого на полу его мастерской скрюченного последней судорогой тела. Аля была живым напоминанием всего этого. Но если с ее присутствием в своей мастерской он смирился (в конце концов, ради этого все и случилось: и портрет, и шантаж, и тело на полу), то появления ребенка он страшился – ребенка, отца которого он убил. Равнодушие, с которым он принял сообщение Али о приезде матери и о намерении поселить ее с будущим ребенком на даче, было наигранным. За безразличием художник скрывал безграничную радость от того, что ему не придется заботиться об этом воплощении черной стороны своей натуры.

Алю же угрызения совести нисколько не терзали. Того, кто вставал на пути между ней и зрителем, требовалось отодвинуть на обочину любой ценой. Полковник КГБ отправился на кладбище, рожденная через полгода после его смерти слабенькая девочка – к счастью, не так далеко, но на достаточное расстояние для того, чтобы не мешать матери с удвоенной силой претворять в жизнь свои актерские амбиции.

– Она крохотная и слабая, – почти брезгливо заявила Аля, передавая малышку матери. – На смесях быстро вес наберет. Хотя там, в деревне, если хочешь, можешь кормилицу взять.

– А ты разве не поедешь с нами, Аленька?

– Я?! – Аля едва не рассмеялась.

– А вы? – Мать робко взглянула на художника.

– Мама, ну что ты говоришь! – Аля искренне возмутилась. – У человека выставка на носу, а ты лезешь! Что он там писать будет? Залив? Он, между прочим, не маринист! И кстати, ребенок – недешевое удовольствие. Его, кстати, содержать надо, разве ты не помнишь?

– Помню, Аленька, помню, – мать взглянула на дочь с каким-то странным, совершенно непонятным Але сочувствием. – Только я и другое помню: ребенку нужны родители.

– Вот и будешь ей за родителей, – отмахнулась Аля.

– А ты? Что будешь делать ты?

Теперь уже Аля смотрела на мать, сочувствуя ее недальновидности и простоте. Разве можно было не понимать таких простых, таких очевидных вещей? Аля устала быть просто Алей. Она собиралась вернуться к тому, кем была на самом деле, снова стать блистательной, несравненной Алевтиной Панкратовой. Аля возвращалась на сцену. А те, кто недоволен, – прочь! На обочину! Куда подальше! Места на кладбище на всех хватит.

10

Михаил уже битый час копался в документах, тщетно пытаясь найти паспорт отца Федора.

– Для нас-то человек важнее бумажки, – участливо объяснила лечащий врач. – Мы и без документа держать можем, тем более – такого человека. Но отсюда, поверьте, он уйдет только в могилу, а туда, – она горько усмехнулась, – без паспорта не пускают. Вы же не хотите, чтобы его в общей, как безымянного...

– Нет-нет, что вы! – испугался Михаил. – Я найду, непременно найду!

И искал, хотя отец Федор просил его не торопиться.

– Ты служи. Не трать время на глупости, а я еще поживу, сынок, поживу. Нам еще о стольком поговорить с тобой надо.

Разговоры, однако, отцу Федору давались с трудом. Он все больше слушал отчеты Михаила, когда тот навещал его в больнице, и то с усилием хмурил брови, то изображал подобие улыбки, то натужно кивал, выражая согласие с советами своего ученика, которые тот раздавал нерадивым прихожанам.

Михаил сам не заметил, как втянулся в новую жизнь, и мысли о том, что когда-нибудь, возможно скоро, придется возвращаться к жизни прежней, неожиданно из радостных превратились в тягостные. Он уже не скучал по спорам со сценаристами, по командам, которые привык раздавать актерам, по строгому разрывающему тишину окрику: «Мотор!» Он осознал, что его режиссерские амбиции удовлетворяются режиссированием картин реальных людских судеб. Ему верили, его слушали, его советов ждали. А он... он перестал просто слушать, начал вслушиваться и слышать. Перестал поглядывать на часы во время исповеди и перестал отвечать первое, что приходило в голову, не задумываясь о последствиях.

Он готов был даже читать книги по психологии и искать в них полезные советы и похожие ситуации, но отец Федор прошелестел строго:

– Слушай только свое сердце, мой мальчик. Оно подскажет.

И какой бы нелепой ни казалась Михаилу необходимость каждый раз ставить себя на место доверителя, слова батюшки работали. Сердце, интуиция, образование или интеллект позволяли найти и правильные слова, и дельный совет для того, чтобы человек ушел от него счастливым и успокоенным.

А еще Михаил стал запоминать людей. Раньше он не вглядывался в них, не старался расслышать имен или запечатлеть в сознании их черты. А теперь по тяжелым, гулким шагам уже знал: приближается бабушка Марфа, которая станет жаловаться на непутевую дочь, что убежала в город с очередным хахалем, а матери оставила троих отпрысков, которых и накормить, и обуть, и одеть надобно, а денег взять негде. В последний раз, правда, бабушка не жаловалась, приходила с благодарностями: Михаил и рублем помог, и картошки ей на зиму завез, и одежду, кинув клич по прихожанам, собрал. «Вот это батюшка, это я понимаю! Вот кто законы православные, как надо, понимает», – твердила Марфа на всех углах, а Михаил испытывал одновременно и гордость, и неловкость. Законы он, возможно, и понимал, а вот крещеным никогда не был, да и потребности не испытывал. Что без креста добро творить, что с крестом – все одно.

По утробному кашлю узнавал он о появлении в церкви местной знаменитости, пятидесятилетнего крепкого бородатого мужика с тяжелым взглядом, которого еще несколько недель звали не иначе как Валеркой отчаянным, а теперь с подачи Михаила уважительно именовали Валерием Николаичем. Отчаянным Валерка стал не потому, что одним своим видом мог нагнать страха на кого угодно, а от собственного отчаяния от смерти в автомобильной аварии жены и двоих детей. Если о чем и жалел в жизни Валерка, это о том, что сам в этой аварии выжил. Горе он, как водится, заливал водкой, ничего от судьбы не ждал и ни на что не надеялся (разве что на скорый конец, приблизить который не хватало духа). На исповеди Валерка обычно плакал, неловко прикрываясь рукавом давно не стиранной рубахи, и предавался воспоминаниям.

– Жена-то у меня и красавица, и умница была, таких теперь и не встретишь.

– Да вы не плачьте, да вы успокойтесь.

– А девчонки, не поверишь, батюшка, отличницы!

– Да верю, Валер, верю я.

– Мы с ними и по грибы, бывало, и по ягоды...

– Дело хорошее.

– Да и на реку ходить любили. Бывало, держу одну, плавать учу, а вторая уже тут как тут, на ручки просится. А фигурки мы выпиливали, то есть я строгал, конечно, они смотрели по большей части.

– Какие фигурки?

– Так деревянные же... Мишку там, зайца, Царевну Лебедь, рыбку золотую... Они у меня до сих пор на полке стоят.

– Покажи!

Через неделю Валерка получил ставку учителя труда в школе и двадцать пять пар детских глаз, восхищенно следивших за движением его золотых рук. А он все не забывал приходить к священнику и снова плакал, утираясь рукавом уже свежей, выглаженной одежды («Неудобно к детям-то грязнулей ходить»):

– Спасибо тебе, отец, ох, спасибо!

Михаилу становилось неловко и от бурного проявления чувств, и от свойского, почти родственного обращения «отец» от человека, которому он запросто мог приходиться младшим братом, и от справедливо переполнявшей гордости за самого себя.

По внезапно возникающему в воздухе оживлению определял он появление в церкви двух двадцатилетних сестер Мироновых. Молодые, симпатичные, веселые девушки – редкое явление в современной деревне. Все спешат в города, наполненные как большими возможностями, так и огромной конкуренцией. Двойняшки Мироновы конкуренцию не признавали и соперничать способны были только между собой. Первая – смуглая высокая Лиза с серыми глазами и двумя тонкими косицами по плечам – по праву считалась более талантливой. Она легко складывала слова в рифмованные строки, изящно танцевала, копируя движения танцоров из телевизора, и если о чем и сокрушалась, так это об отсутствии партнера, который мог бы с таким же рвением, как она, изучать замысловатые па пасадобля и румбы. Другая – чуть более крупная и ширококостная, но от этого не менее привлекательная Лида – романтических увлечений сестры не разделяла, считала их глупостью и тратой времени и проводила часы в раздумьях о том, как сделать жизнь в деревне более интересной. Беззлобными спорами о смысле существования они и занимали свою жизнь, не наполненную ничем, кроме помощи родителям по хозяйству.

Обе закончили в городе курсы, одна – парикмахеров, другая – визажистов, и, помыкавшись несколько месяцев без работы, вернулись домой, где не могли похвастаться полученными знаниями. Замысловатых причесок местные женщины не сооружали, модных стрижек не делали, а наука по вплетению ленты в косу была известна каждой и без специального диплома. Косметикой же в деревне пользовались охотно, но с визажистом были незнакомы и знакомиться не спешили.

Потому до поры до времени обе сестры оставались не у дел и занимались сами собой и собственными переживаниями. Но если Лиза беспечно порхала между зеркалом, у которого репетировала батманы и пируэты, и письменным столом, где в ящике хранилась заветная тетрадь с поэтическими зарисовками, то Лида все больше сидела сиднем и мусолила на разные лады одну-единственную мысль: «так жить нельзя».

С этим открытием она и пришла к Михаилу и сестру привела. Вопреки всем правилам исповеди он тогда битый час слушал, как они переругивались, смешно морща курносые носы.

– Не делай из мухи слона, Лидусик! Все изменится, все наладится, все образуется. Ну чего мы будем батюшке каяться, как прокаженные? Мы с тобой что, больные, слабые, глупые, несчастные, чтобы нюни распускать?

Михаилу тогда сразу понравилась позиция Лизы. Не унывать, не сдаваться, надеяться на лучшее! Чем не дельный совет, способный привести в чувство отчаявшуюся душу? Однако через мгновение он уже соглашался с ответом Лидусика:

– Нюни, Лизочек, распускать, конечно, ни к чему. Только знаешь ведь, что под лежачий камень вода не течет. Можно всю жизнь у моря погоды прождать. Надо что-то делать.

Доводы были разумными, Михаил даже кивнул, одобряя их справедливость. И вдруг – вопрос:

– А что делать, Лидусик?

Как оказалось, в своих рассуждениях о том, что «так жить нельзя», Лиза никак не могла дойти до соображений, как все-таки жить можно и нужно. А потому оба курносых носа повернулись к Михаилу и дружно спросили:

– Что нам делать?

Он растерялся, тщетно пытаясь вытащить из мудрого совета отца Федора «слушай и наставляй» что-то более конкретное. Но, как назло, ничего, кроме пресловутого «надеяться и верить», в голову не приходило. Кроме того, девушки (он это видел и по их вздернутым носам, и по пытливо устремленным на него глазам, слышал по тишине, которую теперь не прерывало даже дыхание) настроились не на книжные фразы и общие советы, а на конкретные предложения по преобразованию жизни.

– Мне надо подумать, – важно объявил тогда Михаил.

Про себя он решил, что до того времени, когда сестры в следующий раз сподобятся заглянуть в церковь, он успеет посоветоваться с отцом Федором. Все же девушки – его прихожанки, а Михаил им никто, случайный человек, нацепивший рясу. Самозванец, в общем, а самозванцев на Руси не жаловали и не жалуют.

Но девицы Мироновы в силу молодости и простоты терпением не отличались и приходили к Михаилу с вопросом, мучившим Чернышевского, чуть ли не каждый день. По легкому дуновению вдруг неизвестно откуда взявшегося ветра, по едва различимому щебету, похожему на птичий, по неудержимому веселью, заполнявшему темную церковь, он определял их приближение.

В последние недели девушки заходили реже и только для того, чтобы, смеясь и перебивая друг друга, поведать о своих достижениях:

– Первый урок – это просто фантастика, – делилась Лиза, поправляя выбившиеся из пучка пряди. Теперь она носила такую прическу, считала, что простоволосость учителю не к лицу. Пусть даже танцев, но все же учителю. – Я так нервничала, не ожидала, что столько народу придет! А теперь уже втянулась. Знаете, мы, наверное, на конкурс в район поедем. Полгода ведь достаточно для подготовки, если очень стараться?

– Ну, если очень... – Михаил снисходительно улыбался.

Возбуждение Лизы передавалось и рассудительной Лиде:

– Теперь, наверное, в город придется ехать: костюмы заказывать, реквизит подбирать. А еще грим надо закупить профессиональный. Делать – так со вкусом, правильно я говорю? Не хватало еще, чтобы про нас в районе сказали, что мы деревенщина.

– Не боись, Лидусик, мы им такую румбу забацаем, что они нас не то что за городских примут, а за иностранцев, – подмигивала Лиза, и обе сестры начинали хихикать, а потом наперебой благодарить Михаила и чуть ли не лезть к нему с поцелуями.

И было за что: именно он, замученный дотошностью и настойчивостью сестер, в конце концов предложил направить увлечение хотя бы одной в полезное русло.

– Школа в деревне есть? Есть. Драмкружок есть? Есть. А танцевальная студия?

– Нет, – Лиза, с любопытством.

– Нет, – Лида, повествовательно.

– Значит, будет. Ты же танцуешь хорошо, – обратился Михаил к Лизе. – Вот и набирай детей, учи, занимайся делом.

– А я? – тут же напомнила о себе вторая сестра.

– И ты без работы не останешься. Будешь выполнять административные функции.

– Какие?

– Административные. Реквизит, костюмы, грим. Потом и до причесок дело дойдет, и до визажа, между прочим. А еще гастроли надо организовывать, спонсоров искать, рекламные буклеты печатать... В общем, работы много.

– Ух ты!

Глаза Лизы возбужденно загорелись. Казалось, она готова нестись сломя голову по деревне, чтобы быстрее собрать группу детей, желающих танцевать. Собрать и больше ни о чем не думать – настоящая творческая личность. Недаром менеджерскими функциями Михаил наделил ее сестру, которая не преминула уточнить:

– А платить? Платить нам кто-нибудь будет?

– Пойдем! Пойдем! – теребила Лиза сестру: она готова была танцевать бесплатно сколько угодно.

– Будет, – успокоил Михаил. – Вы только цену разумную назовите, и от желающих сдать вам на пару часов в неделю детей отбоя не будет.

Отбоя и не было. Сестер хвалили и благодарили, а они благодарили батюшку за замечательную идею.

Михаил сумел найти подход ко многим в деревне: некоторых успокоил добрым словом, другим помог дельным советом, третьих просто выслушал, ни в чем не упрекая. И сам не заметил, как начал ждать новых встреч, новых жалоб, новых вопросов. Дни без разговоров уже казались пустыми и бесполезными, в такие минуты он старался придумывать себе занятия, не оставляя времени на передышку. Он убирал двор, переставлял мебель в своей комнатенке или, как сейчас, разбирал бумаги отца Федора. Тот сам сказал:

– Покопайся там у меня, обнаружишь много полезного.

Михаил обнаружил какие-то письма с неожиданно смутно знакомым московским адресом, но заглядывать в пожелтевший конверт не стал, нехорошо. Еще нашел массу литературы, совершенно не характерной для библиотеки религиозного человека: «Астрономический словарь», «Занимательная физика» и дюжину пособий по строительству. Кроме того, в руки ему попали грамоты и свидетельства, выписанные на имя отца Федора за победы в различных архитектурных конкурсах. Среди папок, бумаг и книг откопал Михаил и другие документы, но паспорт никак не попадался.

Остался последний шкафчик, который Михаил принялся опустошать с удвоенной скоростью, рассчитывая на скорое появление в поле зрения заветной корочки. Но вместо паспорта достал с верхней полки тяжелую громаду старинного фотоальбома. Он уже готов был в раздражении отодвинуть его в сторону, как вдруг из-под обложки выскользнула прядь темных младенческих волос, а за ней – бирка, какую надевают на руку новорожденному. Буквы выцвели, но оставались различимы. «Это что еще такое?» – успел подумать Михаил и собрался прочитать надпись, как вдруг услышал тихий скрип двери в церкви и шорох легких незнакомых шагов. И волосы, и бирка немедленно вернулись на место, альбом – в шкаф. «Что, если посетитель окажется слишком любопытным или невоспитанным и пройдет через церковь дальше к «квартирке» священника? Не хотелось бы, чтобы потом вся деревня судачила о том, что я везде сую свой нос».

Вошедший, однако, обладал непривычным для деревенских терпением. О себе не напоминал: не звал батюшку, не кашлял, не вздыхал тяжело и натужно, но все же присутствие постороннего Михаил ощущал в каждом вдохе. Он уже привычным движением надел рясу и прошел в церковь.

Посторонним оказалась женщина. Незнакомая, молодая и очень печальная. Плечи ее были опущены, длинные волосы грязны, а глаза заплаканы. Михаил ожидал услышать тихий глухой голос, но тишину неожиданно нарушили звонкие переливы. И от этой чистоты и легкости фраза, которую произнесла женщина, прозвучала еще ужаснее:

– Он хочет, чтобы я убила ребенка.

«Спокойствие, – снова вспомнил Михаил слова отца Федора. – Спокойствие в любых ситуациях».

– У вас есть ребенок?

– Нет. Пока нет. То есть он есть, но пока его еще нет. Понимаете?

– Понимаю.

«Так речь об аборте? Слава богу!» Конечно, настоящему батюшке такие мысли в голову не пришли бы. Но что взять с Михаила? Он простой смертный. Но даже смертный понимает, что пришедшая в церковь женщина еще ничего окончательно не решила. Понимает, потому и спрашивает:

– А вы хотите избавиться от плода?

– Нет. Но все слишком сложно.

«Сейчас начнется бодяга, что любимый женат, что ее бессовестно обманули и предали, что мужики – все козлы». Михаил терпеть не мог таких разговоров. Всегда хотелось спросить: «Если он такой козел, дурак, сволочь, так зачем же ты, такая умная, красивая, правильная, с ним живешь и ложишься в постель?»

– Понимаете, мы ребенка очень хотели. Два года старались...

«Кто старался-то? Ты или твой женатик?»

– ...Так радовались, когда все получилось...

«Радовалась! Давай-ка, называй вещи своими именами. Думала небось, что теперь он бросит свою благоверную и упадет в твои распростертые объятия. Нет, возможно, мужики и козлы, но бабы – точно дуры».

– Муж просто преобразился. Светился весь изнутри, будто это он беременный, а не я.

– Муж? – Михаил от неожиданности удивился вслух.

– Да. На все приемы со мной к врачу ходил, на все процедуры. Мы даже рожать собирались вместе, – она горько усмехнулась. – Я ведь из города приехала. Просто решила церковь подальше отыскать, чтобы никакие стены не услышали.

Она надолго замолчала, и Михаил снова не утерпел, нарушил тайну исповеди: поторопил, полюбопытствовал:

– Так что же изменилось?

– Понимаете... – Женщина замялась, словно никак не решалась произнести вслух то, что должна была, будто от того, что мысли обретут, наконец, звучание, горе станет еще более осязаемым. Глаза ее наполнились слезами, которые тут же заструились по щекам, скатываясь ровными дорожками и исчезая за воротом кофты. Женщина посмотрела на Михаила долгим, немигающим взглядом и сказала, наконец, тихо и глухо, так, как и должна была: – Он стал ненормальным.

– Муж?

Молчание.

– Муж?

– Ре-е-бенок, – вырвала она из своей груди еле слышный крик и потом, будто от облегчения, зарыдала громко, надрывно, уронив голову в руки и ничуть не стесняясь священника.

Если бы не была она так поглощена своей трагедией, если бы не позволила эмоциям захватить себя целиком, она бы заметила, какой удивительно странной оказалась реакция Михаила на ее слова. Щеки его побледнели, на лбу выступила испарина, а рука непроизвольно потянулась к шее, словно хотела ослабить узел воображаемого галстука. Теперь Михаил смотрел немигающим взглядом на ее трясущиеся плечи и вздрагивающую в ладонях голову. Смотрел и не видел. Слушал ее плач, а слышал совсем другое.

– Она никогда не будет нормальной, ты понимаешь? – Мамин голос дрожал, но при этом в нем чувствовалась какая-то доселе незнакомая Мишке твердость. Он притаился за дверью и слушал, как родители решают, становиться ему братом или все-таки нет. – Это безумие, Андрюша, просто безумие. Больной ребенок – это очень тяжело.

– Ты боишься трудностей?

– Я боюсь, что их испугаешься ты.

– Леночка, мы же договорились: что было, то прошло, и незачем изводить себя мыслями о том, что я могу снова...

– Статистика – упрямая вещь, с ней сложно спорить, Андрюшенька. Это ведь не я придумала, что женщины способны тянуть лямку гораздо дольше мужчин.

– Это ерунда какая-то! А герои страны? А космонавты? А подводники? Много ли среди них женщин?

– Это не лямка, это рывок, усилие. И человек, его совершающий, видит цель и знает, зачем он это делает, к чему стремится. А вот ждать всех этих героев страны, космонавтов и мореплавателей – это, Андрюша, хомут хуже некуда.

– Лена, женщины их ждут ради любви.

– Ты думаешь, я должна родить ее ради любви к тебе?

– Да. Я так считаю.

Мишка за дверью брезгливо поморщился, уловив в голосе отца непререкаемые академические нотки, означающие только одно: он высказал свое мнение, и все остальные точки зрения с этого момента будут считаться неправильными. Академик будет глух к любым аргументам, а попытки возражения сочтет оскорбительными. И мама, мама, которая не могла не знать и не чувствовать этой особенности человека, с которым жила столько лет, безусловно, была слишком подавлена и одновременно необычайно уверена в своей правоте, если продолжала настаивать на своем:

– А я считаю, что ради любви к тебе я должна от нее избавиться.

– Абсурд! – Упрямый голос перешел в визг. Мишка расслышал, как мама тихо шикнула, и отец, на этот раз послушавшись, перешел на шепот: – Лена, я тебя умоляю, дай мне шанс! Лена, я так долго ждал, я так долго надеялся!

Раздался глухой неловкий стук, и Мишка догадался, что отец бухнулся на колени. Догадка была настолько ошеломляющей, что подросток даже отшатнулся от двери – таким нелепым и удивительным показался ему этот поступок обычно надменного и чванливого отца, никогда не забывающего о поддержании реноме и сохранении достоинства. Этот человек не чурался гордыни, считал ее скорее необходимым качеством сильного характера и уж никак не смертным грехом. И вдруг – на колени, вдруг – мольбы, вдруг – робкие, просительные нотки в голосе...

Мишку охватил стыд: он неожиданно осознал, каким ударом может оказаться для отца осознание того, что у его слабости были свидетели. И не просто свидетели, а он, Мишка, которого отец всегда призывал не унижаться и не распускать нюни. Мишка отполз еще дальше, хотел было и вовсе скрыться в своей комнате и даже дверь прикрыть, но следующие слова заставили его задержаться:

– Ты же знаешь, милая, – таких проявлений нежности по отношению к матери раньше Мишке слышать не доводилось, – я всегда мечтал о детях...

«Мечтал о детях? А как же он, Мишка? Он не в счет, что ли? Он – неудачник, ничего не смыслящий в физике и математике, а о таких детях отец не мечтал. Но ведь если ребенок неполноценный, он тоже не достигнет высот в науке. Чего же о нем мечтать-то?!»

– Андрей! – возмущенно воскликнула мать, и Мишка понял, что это она за него оскорбилась. Понял это и отец и тут же поправился:

– Я хотел, чтобы у нас было много детей.

– Может, еще будет, Андрюшенька. – Теперь голос женщины звучал совсем неуверенно, и неуверенность эта не осталась незамеченной.

– Тринадцать лет, Лена, тринадцать лет...

Мишка догадался: они пытались сделать его старшим братом тринадцать лет, но ничего не получалось. И вот теперь, когда получилось...

– Милая, мы не молодеем, ты же знаешь.

– Но медицина не стоит на месте, и кто знает, возможно, в следующий раз...

– Неужели ты не понимаешь, что, если мы избавимся от этого ребенка, другого нам не пошлют?

Мишка совершенно растерялся от таких речей всегда рассудительного, не верящего ни в какие приметы, высшие силы и религиозные проповеди отца, считающего науку единственным объяснением всему происходящему на земле. Ошарашена была и мама, потому что спросила:

– Кто не пошлет, Андрюша?

Отец помолчал некоторое время, потом, словно стесняясь своей слабости, ответил, почти рявкнул:

– Природа!

– В конце концов, можно ведь взять и из детского дома... – И снова в голосе матери не слышалось твердости.

Мишка даже на большом расстоянии от двери услышал, как тяжелую тишину кухни перерезал пронзительный вздох отца:

– И это будет опять...

– Замолчи! – резко оборвала его мать, а совершенно запутавшийся в их диалоге, напуганный криком Мишка отскочил еще дальше.

Отца, как ни странно, этот крик нисколько не испугал. Слышно было только, что он устыдился, потому что тон его снова стал умоляющим. Мишке даже показалось, что отец вот-вот заплачет. Это было настолько противоестественно, настолько странно, настолько нелепо и страшно, что мальчик, раздираемый и сочувствием к родителям, и неудовлетворенным любопытством, и жалостью к ребенку, которого могут убить, поспешил скрыться в своей комнате. Последним, что услышал уже без всякого желания, было:

– Лена, я прошу тебя, дай шанс! Дай шанс мне, нам, ей! Я так хочу узнать, увидеть, какая она...

Какая она, все узнали через пять месяцев. Мишка смотрел на туго спеленутый комочек и раздумывал, как такому маленькому, почти прозрачному существу может разом принадлежать целая вереница медицинских диагнозов. Лично он с трудом мог запомнить три: синдром Дауна, церебральный паралич и врожденный порок сердца.

Бабушка бесцельно бродила по квартире и охала, то проклиная неразумного зятя, то, когда не слышал «неразумный зять», злого боженьку.

Мама никого не проклинала, видимо, считала, что если и винить кого в создавшейся ситуации, то только себя. Она приняла решение, впряглась в хомут и терпеливо и обреченно его тащила: выполняла предписанные процедуры, совершала необходимые манипуляции и, казалось, нисколько не расстраивалась, что из кухни исчезли и запах кофе и женских сплетен, и разговоры о высоком. Любимый муж попросил ее посвятить жизнь больной дочери, и она делала это покорно и безропотно, не противясь судьбе и не обращая внимания ни на какие проблемы, которые не входили отныне в круг ее интересов: анализов, медикаментов, методик и схем, которые предлагали все новые и новые светила медицины.

Светил приводил отец. Он развил бурную деятельность; Мишка не понимал, что скрывается за таким решительным намерением изменить ситуацию: действительная слепота и глухота к реальности, обычный страх и нежелание взглянуть правде в глаза или праведное и завидное умение надеяться и ждать вопреки всему?

Сам Мишка сестрой интересовался мало. Не потому, что она была ненормальной, хотя подобный эпитет в доме был под запретом; врачи даже до Мишки добрались с объяснениями, что дауны – это не такие дети, как другие, и не более того. Слово могли вычеркнуть из лексикона, но не из мыслей мальчика. Подростки – максималисты. Все либо черное, либо белое, поэтому ненормальность воспринималась пятнадцатилетним юношей как совершенно очевидная и неоспоримая. Но его отпугивало от нее не это. Многие другие на его месте были бы счастливы, что родители мало озабочены, где он бывает и что делает. Никто не контролировал его, никто (наконец-то!) не поучал, никто не лез в душу. А Мишка почему-то страдал и поэтому никак не мог полюбить маленький несчастный кулек, отобравший у него материнское внимание.

– Я сочинение написал по Есенину.

– Хорошо, сынок, дай мне, пожалуйста, бутылочку.

– Мам, оно по «Анне Снегиной», а это вне школьной программы.

– Ну, молодец, молодец... Послушай, ты не видел, здесь лежала аннотация к новому лекарству? – Мама оглядывала рассеянным взглядом комнату.

– Мам, Вера Петровна собирается его на конкурс послать, представляешь?! Говорит: «Победа обеспечена!» Я вот почитать принес, пока она не отправила. – Мишка гордо вытягивал руку с зажатой в ладони тетрадью.

– Черт! Ну куда же она запропастилась?

– Кто, мам?

– Да аннотация же! Пойду посмотрю на кухне.

– А Есенин, мам? – Разочарованная рука повисала в воздухе.

– Ты положи здесь, я потом почитаю.

Потом не наступало ни завтра, ни послезавтра, ни через месяц.

– Пап, я прошел вольнослушателем во ВГИК. Это, конечно, не то, о чем ты мечтал. Никакой физики и математики, но мне это по душе, пап, понимаешь?

Мишка долго готовился к этому разговору. Представлял, как отец начнет рвать и метать, кричать, что актеров в их роду никогда не было и не будет, называть его бездарем и красной девицей. Даже прикидывал, сколько времени – несколько минут или несколько дней – будет обижаться, прежде чем объявит, что собирается вовсе не на актерский, а на режиссерский. И тогда наверняка отец немного смягчится. Все-таки режиссер – это больше мужская профессия, и уж красными девицами ее обладателей точно не назовешь.

Мишка, зажмурившись, выпалил признание и приготовился к нападению: втянул голову в плечи, задержал дыхание. Но буря все не наступала. Отец молчал, и Мишка решил, что тот настолько подавлен сообщением, что даже растерял все слова, необходимые для упреков и возвращения заблудшей овцы к нормальной жизни.

Юноша принялся защищаться, так и не дождавшись атаки:

– Пап, все гораздо лучше, чем ты думаешь. Я стану режиссером. Я буду хорошим, вот увидишь. Я уже снял несколько сюжетов нашей камерой, и они понравились. Потому меня и взяли. Пап, я ведь школьник еще, а уже вольнослушатель ВГИКа, почти студент. Пап, этим можно гордиться.

Мишка, наконец, выдохнул и взглянул на отца. Тот сосредоточенно читал какую-то книгу, шевеля губами и что-то бормоча себе под нос.

– Что? Что ты говоришь, пап?

– Я говорю, что этот новый метод лечения истинного ДЦП довольно занятен. При правильном подходе и систематическом лечении, скорее всего, действительно возможно добиться некоторых положительных результатов. Надо будет познакомиться с автором, – он взглянул на обложку. – Ты, кажется, тоже что-то говорил, а?

– Я говорил, что собираюсь стать режиссером.

Отец не удивился и не рассердился, только пожал плечами:

– Режиссером так режиссером, – и отправился звонить очередному, трехсотому, гению врачевания, призванному помочь его ненаглядной девочке.

Мишка не узнавал отца. Обычно жесткий и несентиментальный, доходивший до абсурда в своей косности, он превратился в человека мягкого и зависимого. Зависимого от маленькой девочки, отстающей в развитии и умственном, и физическом, слабенькой и глупенькой, беззащитной и несмышленой, девочки, которую он любил безгранично и в заботах о которой проводил дни и ночи напролет.

Деятельность отца не ограничивалась беседой с доцентами и профессорами медицинских институтов. Если раньше он посвящал свободное время кроссвордам и головоломкам, то теперь физический труд полностью заменил ему умственный. Нет, он по-прежнему ходил на работу, писал труды и курировал диссертации, разве что с аспирантами теперь встречался исключительно в институте, не приглашая домой. Но, боже упаси, не из-за того, что стеснялся больного ребенка, а из-за того, что лишние микробы в квартире не приветствовались. Едва перешагнув порог, академик уже что-то мыл, скоблил и чистил. Кормил дочку, купал, вывозил гулять и все время разговаривал с ней, рассказывая о том, как поведет в зоопарк, в парк, в театр и еще в десятки разных интересных и любопытных мест.

Мишка испытывал безграничное удивление и зависть к ребенку, который одним своим появлением заслужил и получил то, что Мишка не смог сделать и за пятнадцать лет: безоглядную и безусловную отцовскую любовь. Не было в милом, добром, ласковом тоне, которым отец обращался к дочери, ни менторских, ни рассерженных, ни тем более раздраженных ноток, которые всякий раз проскальзывали в его былом общении с сыном.

Отец стал терпимее ко всему окружающему миру, и Мишка сам не заметил, как его зависть к сестре переросла в благодарность. Да, не стало веселых посиделок на кухне с разговорами о театре, литературе и мужчинах, да, не прибегали веселые аспиранты, никогда не отказывавшиеся решить мудреную школьную задачу по алгебре. Да, никто не интересовался его сочинениями, контрольными и планами на будущее, но – Мишка не мог этого не замечать – вместе с несчастьем в доме воцарилось счастье. Казалось, в лечении дочери отец обрел смысл жизни и не уставал благодарить жену за это. Мама, измученная бессонными ночами и постоянным существованием в режиме, предписанном ребенку, конечно, не посвежела, но похорошела необыкновенно. У нее не было времени ходить по парикмахерским, делать прическу, маникюр и массаж. Фигура после вторых родов расплылась и потяжелела, волосы обрамляли пожелтевшую кожу лица неровными прядями, одежду навсегда заменил теплый байковый халат, и только глаза в обрамлении все еще густых изредка подкрашиваемых ресниц светились победным счастливым светом. За эти глаза Мишка мог отдать и простить все.

Он и простил. И невнимание к себе, и ревность, что съедала его долгие месяцы, и даже смерть любимой бабушки, которую родители, поглощенные общей задачей, казалось, не заметили. Нет, конечно, захворавшую старушку отправили в лучшую клинику, и врачей не обидели, и с кем надо договорились, но о результате чрезмерно не беспокоились. В детской кроватке лежала главная жизненная ценность, а остальное вторично.

Человек смертен. Это естественно. Бабушка умерла. Похоронили, погрустили, посидели за накрытым столом – и понеслись дальше в своем неустанном желании спасти, научить и поставить на ноги. Мягкий, довольный голос отца и счастливые от этого мягкого довольства глаза матери, теплота и уют, поселившиеся в теперь почти всегда неприбранном доме, где пахло не пирогами, а лекарствами. Мишка, все удивлявшийся переменам, часто ловил себя на мысли: «Надо же! Прав был отец!» И сделал вывод: никогда не надо бояться трудностей.

– Никогда не надо бояться трудностей, – ответил Михаил сидевшей возле него заплаканной женщине с застывшим в глазах отчаянием.

– Но ведь они могут оказаться неразрешимыми...

Михаилу лучше, чем кому-либо другому, было известно, что прихожанка права. Трудности бывают беспросветными, нескончаемыми и непоправимыми. Зачем лгать и вселять пустые надежды? Этого он делать не станет:

– Могут.

– Что же мне делать?

И в первый раз за все время своего «священства» Михаил позволил себе ответить:

– Я не знаю.

– А если я все-таки сделаю аборт... Как вы считаете, батюшка, он меня простит?

– Ребенок?

– Му-у-уж. – Новая порция слез и рыданий.

А «батюшка»? «Батюшка» сказал ей то, что никогда не сказал бы в подобной ситуации настоящий служитель церкви:

– Бог простит.

Сразу легко и свободно стало на душе у Михаила – и все образовалось, все заспорилось. И женщина ушла будто просветленная и успокоенная, и паспорт нашелся буквально через пять минут после ее ухода. Лежал, как водится, на самом видном месте и даже не думал прятаться.

Михаил так обрадовался находке, что мысли о другой, удивительной и необъяснимой, – детском локоне и фотоальбоме – напрочь выскользнули из его головы. Дело к ночи. Если будоражить сознание разными мыслями, то можно не заметить, как ночь превратится в утро, и ходить тогда весь день с больной головой, и слушать вполуха, и не помочь никому.

11

Режиссер Эдик сдержал слово. И дом, и собака поняли это по изменившемуся поведению обеих постоялиц. Старуха притихла, по мелочам не придиралась, не отвлекала попусту. Все реже стены дома сотрясал ее мощный окрик: «Ну-ка!», и все чаще звучали искренние слова благодарности за заботу. Да и

Анна входила теперь в комнату больной с другим настроением: всегда улыбалась и старалась лишний раз поправить подушку, подоткнуть одеяло, повернуть телевизор. И все спрашивала: не холодно ли, не жарко ли, не дует... А лежачая только головой качала и охотно отзывалась:

– Все хорошо, не беспокойся. Ты иди! Иди!

И Анна шла. Бежала. Летела к своим стружкам, лакам и краскам, к дереву, в которое вкладывала новую жизнь и которое пускало в ней самой корни новой жизни. Анна даже похорошела. Хотя дому казалось, что в печали она была загадочнее и прекраснее, даже одухотвореннее, он не мог не признать, что живой блеск в глазах придавал ее облику женственности и притягательности.

Изменения отмечал и Эдик, заглядывавший теперь примерно раз в две недели с очередными заказами:

– Тебе бы сейчас на сцену... Фурор бы был, я тебе гарантирую! Стать есть. Глаза горят. Плечи расправлены! А талант? Талант ведь не пропьешь.

– Ну, пропить, пожалуй, можно все, что угодно, а талант тем более, – смеясь, отвечала Анна, но тут же показывала очередной комод, шкаф, буфет и спрашивала, почти кокетничая: – А это разве не талантливо?

– Талантливо. – Режиссер поднимал руки вверх, признавая свое поражение, забирал сокровища и отбывал восвояси.

На очередную встречу Эдик прикатил с мальчиком лет двадцати пяти. Тот не обратил никакого внимания ни на Анну, ни на собаку, которая все вертелась вокруг, пытаясь подставить то один бок для оглаживания, то другой. Молодой человек сразу же принялся осматривать дом, по-хозяйски обстукивать углы, проверять плинтусы, наличники и перекрытия, потом деловито кивнул Эдику и вынес вердикт:

– Нормально. Есть контакт.

– Что это значит? – Брови Анны возмущенно сдвинулись к переносице, крылья носа гневно затрепетали.

– Будем тебя, мать, в люди выводить. Конец затворничеству и отшельничеству!

– Я же тебе сказала, что...

– Тише, не кипятись! Никто тебя не увидит и не услышит. Все по-прежнему шито-крыто, никаких реальных контактов, никаких живых людей.

– А как же?.. – Злость сменилась растерянностью.

– Люди воображаемые. Контакты виртуальные. Интернет, в общем.

Привезенный мальчик важно кивнул и подтвердил значительность намерений:

– Будем проводить Интернет.

Интернет провели, дорогу в большой мир открыли. Через пару дней чрезвычайно довольный собой Эдик приехал с небольшим бордовым ноутбуком и, вручив его Анне, торжественно объявил:

– Я умываю руки.

– То есть?

Анна была уверена, что компьютер и все связанные с ним современные средства связи – дружеская услуга для упрощения ее жизни. Материалы можно заказывать на сайтах, эскизы рисовать в программах, аннотации читать в пресс-релизах. Кроме того, это отличный способ общения для тех, кто желает сохранить свое инкогнито. Женщина уже успела помечтать, как она, конечно, не напишет друзьям и знакомым, но хотя бы погостит на их страничках в социальных сетях, посмотрит фотографии, поучаствует в обсуждениях и обязательно даст пару-тройку советов на форумах. К компьютеру она отнеслась как к милой безделушке, призванной скрасить ее жизнь. В конце концов, современный человек не должен влачить существование дикого отшельника. Да Анна и не стремилась достигать таких вершин духовности и самопознания, которыми могли похвастаться Сергий Радонежский или старец Неофит.

Про Неофита она узнала несколько лет назад. В Москве велись сложные съемки. По сценарию в кадре практически все время должен был идти дождь, поэтому, когда затянувшееся бабье лето наконец закончилось и небо проявило благосклонность к киношникам, режиссер объявил аврал и начал снимать без выходных. Результатом работы стал отличный отснятый материал и совершенно осипшие и гнусавые актеры, грозившие сорвать озвучание. Под проливным дождем и пронизывающим ветром простудились все: шмыгали носами, пили горячее молоко или чего покрепче и кляли автора, вообразившего плохую погоду ярким дополнением к трагизму сюжета. Режиссер отпустил актеров на две недели, приказав привести здоровье в порядок.

Муж увез Анну на осенний Кипр, где позволил только два дня амебой валяться на пляже, задумываясь лишь о том, не пора ли перевернуться. Потом море было только с утра. После обеда ее сажали в машину и возили по острову, выбирая то знакомые каждому туристу маршруты, то неизведанные тропинки, на которых она так боялась встретиться со змеями. Она крепко держала мужа за руку, боязливо озиралась и вздрагивала от каждого шороха, а он хохотал и беззлобно ругался:

– Дурочка ты, Анюта! Ты не под ноги смотри, а по сторонам. Мы же не где-нибудь, а на Акамасе. Тут природа уникальная. Ну, взгляни, какой цветок! На эдельвейс похож.

Анна поворачивала голову и забывала об опасностях. Ее завораживали сновавшие повсюду ящерки, маленькие и не слишком, невиданные кустарники и огромные эвкалипты, на стволах которых беспрерывно стрекотали цикады.

А он уже тащил ее дальше, обращая ее внимание то на одно растение, то на другое, сыпал латинскими названиями и тянул вперед, вперед, вперед... Потом вдруг останавливался и, склонившись к очередному незнакомому Анне бутону, начинал декламировать. Декламировал почему-то нахмурившись, отвернувшись, будто не Анне читал, а цветку. Стеснялся? Да нет же, глупости! Какое стеснение – столько лет вместе? Но читал он все же не глядя на нее, словно боялся показаться смешным и сентиментальным:

–Цветов садовых аромат
Пленяет нас благоуханьем.
Их в вазу сунуть каждый рад
И превратить тот аромат
Без сожаленья в тухлый смрад
Подгнивших листьев и стеблей.
Когда бы в широте полей
Они нетронуты остались,
Мы б ароматом наслаждались,
Его б вдыхали чуть дыша
И лучше б делалась душа.

Анна улыбалась и принималась гадать:

– Тютчев?

– Холодно.

– Тогда Есенин?

– Опять мимо.

– Неужели Пушкин?

– Скажешь тоже!

– Ладно, сдаюсь.

Тогда он поднимал глаза: ни стеснения, ни скромности, только ехидные довольные искорки:

– Трубецкой, – веско произносил он и тут же сгибался пополам от хохота, видя ее удивленное лицо.

Она каждый раз удивлялась: все никак не могла поверить, что можно так легко, с ходу складывать слова в рифмованные строки, наполнять эти строки смыслом, запоминать их и декламировать с выражением.

– Ты сам придумал? Не может быть!

Что может быть более лестным для мужчины, чем искреннее восхищение любимой женщины? Михаил не скрывал своего довольства, улыбался без ехидства, тепло, открыто. Снисходительно кивал головой:

– Может, может.

А Анна обнимала его, запускала свою узкую ладошку в его густые темные кудри и, растрепав прическу, завороженно говорила:

– Мишка, ты гений!

Где бы они ни оказывались, он всегда находил возможность произвести на нее впечатление. И чаще это были вовсе не широкие жесты, не романтические поступки и не нежные признания. Он демонстрировал мощь интеллекта и силу эрудиции – орудия, перед которыми тут же падали ниц все оборонительные укрепления Анны. Если они плыли в море – рассказывал о моллюсках и рыбах, собирали грибы – вспоминал рецепт старинного прабабкиного засола, лазали по горам – цитировал Бажова и обещал превратить Анну в Хозяйку Медной горы, смотрели кино – рассказывал о том, как подбирались актеры и выстраивались мизансцены.

Он играл разные роли, был при Анне учителем, мечтателем, волшебником. Но больше всего она любила его маску экскурсовода, уносящего ее в прошлое и терпеливо разъясняющего причинно-следственную связь между историческими событиями. Он рассказывал ей о строительстве Эйфелевой башни к Всемирной выставке, об ужасах Тауэра, об отрубленных головах и отравленных младенцах, о жизни Гамлета в датском Эльсиноре.

На Кипре Михаил возил ее в предполагаемый дворец Отелло и в археологический музей, показывал храм Афродиты и средневековые замки, полуразрушенные акведуки и великолепно сохранившиеся амфитеатры. А потом вдруг предложил съездить в монастырь. Анна тогда удивилась, зная его скептическое отношение к религии (отец-ученый никогда не относился к церкви с пиететом и уважения к ней сыну не внушил). Но Михаил, лишь мельком взглянув на ее приподнятые домиком брови, безапелляционно заявил:

– Мы должны это увидеть.

И они поехали и посмотрели. А потом долго сидели возле монастыря на скамейке под тенистым кедром и рассуждали о том, что может заставить человека уйти от общества, терпеть лишения, день за днем выдалбливать себе келью в горе и видеть в этом естественный смысл существования.

Теперь Анне незачем было рассуждать о причинах, способных сподвигнуть личность на добровольную изоляцию. Одну из них она могла назвать легко. Но все же становиться отшельником Неофитом до конца дней ей не хотелось, поэтому и компьютер она приняла как лекарство от скуки и одиночества.

Но были у этого медикамента, оказывается, и другие показания к применению.

– Я все-таки режиссер, Анюта, и режиссер неплохой. Так что работы у меня выше крыши, и, честно говоря, удовольствие мотаться к тебе сюда раз в две недели я себе позволить просто не могу. У меня проекты, репетиции, планы, контракты. Я лицо подневольное.

– Декорации получил и бросаешь? – Анна с ухмылкой прищурилась.

– Зачем ты так?

Анна хотела бы обидеться и наговорить Эдику кучу гадостей, но сдержалась. Положа руку на сердце, обижаться было не на что. Каждое его слово несло даже не долю истины, а самую настоящую правду. Режиссером Эдик был отменным, без работы никогда не сидел и курировать Анину жизнь не нанимался. Мог просто сказать: «Спасибо. До свидания» – и никаких компьютеров не возить, и никаких советов не давать. А он и папку перед ней положил:

– Здесь контакты людей, которые собираются делать ремонт. Они все в восторге от твоей мебели. От подлинного антиквариата не отличишь, а цена не кусается. Так что можно и копеечку сберечь, и друг другу пыль в глаза пустить. Если ты так боишься узнаваемости, можешь даже ни с кем не встречаться. Делаешь эскизы – отправляешь по мейлу, получаешь одобрение – выполняешь работу. Мебель готова, машину заказала, грузчики погрузили и увезли. Деньги – на счете в банке. Ты в город-то съезди, открой.

– Счет на чужое имя мне точно никто не откроет.

– Зачем же на чужое? Ты на свое открой. Захотят – не узнают.

Эдик был прав. Во всем прав. Анна не ошиблась, приняв решение довериться ему. Он и язык держал за зубами, и слов на ветер не бросал, и умные мысли подкидывал. Оставалось только удивляться и недоумевать: как это ей самой такое не пришло в голову раньше? Ее настоящее имя знали немногие в актерской среде, а уж помнили и вовсе единицы. Только такие редкие экземпляры, как Эдик, которые впитывали в себя любую информацию и держали до тех пор, пока она не придется к месту. Странно, что об этом так и не пронюхали журналисты. Хотя кто им мог рассказать? Только мать. А она никогда не говорила в интервью ни о ком, кроме себя самой.

Что ж, дело решенное: счет в банке, идеи в голове, клиенты в компьютере. Анна была согласна с Эдиком: отличный выход, ну, или, по крайней мере, попытка.

– Спасибо, – сказала она прямо и просто. Без злости и без ехидства.

– Пожалуйста. – Так же спокойно и тихо. Без бахвальства и без намека на одолжение. Одолжений она бы не приняла. – Я по возможности буду заезжать, ты не думай!

– А я не думаю, Эдик, я все понимаю.

Он шагнул к порогу, потом все же обернулся и пытливо взглянул на нее. Поколебался еще мгновение и решил рискнуть:

– Знаешь, а я вот не все понимаю. Точнее, я совсем не понимаю. Хозяин, конечно, как говорится, барин, но ты же не владеешь своей жизнью, ты ее разбазариваешь. Что ты прячешься? Руки-ноги целы, от лица по-прежнему глаз не оторвать. Да не отмахивайся! Возраст, конечно, оставляет отпечатки, да и то, что тебе пришлось пережить, веселья в глазах не прибавило. Но, знаешь, теперь эта потаенная грусть даже усиливает твою загадочность. Тебя бы с удовольствием снимали. Я бы снимал. У меня планов громадье, правда, и роли есть как раз для тебя. А если ты так увлечена мебелью, так ради бога, твори, но почему здесь?

Анна по-прежнему стояла посреди террасы. Не говоря ни слова, она наклонилась и резким движением подняла правую штанину своих спортивных брюк до бедра. Дом охнул и сочувственно заскрипел половицами, по которым перебирала лапами собака (она почувствовала смену настроения хозяйки и тут же вскочила, заволновалась, зацокола коготками). Мужчина проглотил ком в горле, но остался внешне невозмутим:

– Ну и что? Ты же не стриптизерша, а актриса.

– У меня, Эдик, обе ноги такие и одна рука. Какому режиссеру, скажи, нужна актриса, на грим которой надо потратить уйму времени и целое состояние?

Эдик удрученно молчал. Что тут скажешь? Талантов вокруг много, а сбережения у современных продюсеров – одни-единственные, и пускать их на ветер, конечно, никто не захочет. Кроме того, он не был уверен, что рубцы, покрывавшие ногу женщины сплошной коркой, вообще можно скрыть каким-то гримом. И все же он попробовал приободрить ее:

– Полно ролей, где люди одеты. Ладно, допустим, ты закрыла для себя кино. Но театр-то чем провинился? Вот уж где тебе нашлось бы применение.

Анна промолчала. Она хотела объяснить, но не могла найти подходящих слов. Какое из них сможет донести муки, которые она не хотела испытывать и которые непременно охватили бы ее при возвращении в театр? Она, привыкшая к поклонению, к обожанию, к зависти (чего уж кривить душой), должна была бы довольствоваться сочувствием и искренним, и показным. Ее бы жалели и глядя в глаза, и в кулуарах, а жалость – это последнее, в чем она нуждалась.

– Эдик, я больше не хочу играть, – только и сказала она.

– Вранье!

Анна не стала спорить. С правдой не спорят. И она сама, и ее гость прекрасно знали примеры ухода из актерской профессии. Обычно люди, даже нашедшие себя в другой области, с удовольствием возвращались на площадку или на подмостки только для того, чтобы снова окунуться в такую любимую и навсегда родную атмосферу съемок и репетиций. Конечно, встречались и исключения, не жалеющие о прошлом и не тоскующие, но они скорее подтверждали правило: человек, рожденный актером, будет стремиться им оставаться до последнего вздоха. Если не так – трагедия, а если по-другому – горе.

Анна грустила, тосковала, но все же не позволяла жалости взять над собой верх. К тому же о чем жалеть и над чем убиваться, если, кроме пресловутого «хочу», в жизни существует слово «надо»? В конце концов, никто не заставлял ее решать, что именно это слово – главное.

Словно услышав ее мысли, Эдик поинтересовался:

– Не хочешь играть – не играй, но в глушь-то ты зачем забралась? Не хотела интервью давать, так не давала бы. Желтым газетенкам, конечно, ртов не закроешь, так они бы тоже покричали и успокоились. Им нужно жареное и солененькое, а ты теперь скучная и пресная, чего о тебе писать-то? Или я не прав?

– Прав.

– Тогда почему ты прячешься? – Не в бровь, а в глаз.

Что ответить? Плести небылицы про жажду одиночества? Про свежий воздух и парное деревенское молоко? Режиссеры, тем более такие профессионалы, как Эдик, и видят, и чувствуют даже первоклассную актерскую игру. Поэтому Анна юлить не стала, призналась, как на духу:

– Просто так надо, Эдик.

– Надо? – Он воззрился на нее так, будто она сообщила, что, живя здесь, выполняет секретную миссию по заданию другого государства. Потом покрутил пальцем у виска, махнул рукой и сказал: – Кому надо-то?

Он хлопнул калиткой, завел мотор и даже проехал несколько метров, прежде чем Анна вышла из оцепенения и смогла ответить:

– Не мне, Эдик, не мне.

12

Для Али Панкратовой определяющим словом в жизни было, разумеется, «хочу», и все «надо» шли в ногу с ее желаниями и стремлениями.

Но жаждавших потесниться и принять ее в примы советского кинематографа не было вовсе. Былые заслуги помнили, но не ценили. Многие из царивших в то время на звездном небосклоне актрис имели хорошее подспорье в виде мужа – режиссера, оператора или солидного актера, готового замолвить словечко за свою дражайшую половину.

Через полгода вновь обретенной свободы Аля могла похвастаться только двумя ролями в спектаклях. Конечно, после двух лет вынужденного простоя и это казалось большой удачей. Она злилась, но умом понимала, что в репертуарном театре никто не станет тратить время на ввод новой актрисы в спектакль без веских причин. Требовалось ждать премьер, а там уже проявлять себя с лучшей стороны – работать локтями или другими частями тела, вырывать лакомые куски из других голодных ртов.

Но Аля ждать не любила, да и не могла. К двадцатипятилетию она могла похвастаться хорошей партией с перспективным художником, который мало интересовался чем-то, кроме своего творчества, новорожденной дочерью, которой не интересовалась сама Аля, и развивавшейся депрессией от осознания того, что эти «достижения» могут так и остаться единственными на ее пути. О сыгранных в студенчестве ролях она прекрасно помнила, но хотелось бы, чтобы о них помнил кто-нибудь еще. Ассистенты режиссеров на «Ленфильме», конечно, мило улыбались и кивали (мол, «слышали, смотрели, помним, знаем»), но затем непременно спрашивали, где она была и что делала последние несколько лет.

– Муж – известный художник? Маленький ребенок? Пара небольших ролей в театре? Наверное, у вас просто времени нет на большее. Актерская профессия требует самопожертвования, а у вас и так достаточно тех, кому надо приносить жертвы.

И как ни старалась Аля доказать, убедить, рассказать, они оставались глухи и слепы:

– Хотите – приходите на пробы, но возьмут, скорее всего, N. Она уже дала согласие.

В конце концов даже Аля с ее упорством и простецкой наглостью устала стучаться в закрытую дверь и решила, что пришла пора лезть с черного хода. Скорее всего, судьба, несколько лет назад подарившая все условия для славы, могла просто обидеться на Алю, так бездарно ими распорядившуюся. Теперь молодая женщина корила себя за слепое желание остаться в Ленинграде, за поспешный брак, оказавшийся не ступенькой вверх, а ямой вниз. «Ну, поехала бы по распределению, пусть даже и в Пензу, ну поиграла бы там какое-то время. По крайней мере, в кино бы осталась своей. На съемки бы приглашали, известность бы росла, а там, глядишь, московские театры опомнились – разглядели бы звезду и распростерли бы свои объятия», – так часто думала Аля, лежа бессонными ночами в холодной постели.

Муж пропадал в мастерской днями и ночами, а что он там делал, Аля предпочитала не знать. Иногда она слышала за стеной женский смех, но выяснять отношения не спешила. Она все же надеялась, что устраивать сцены она будет в театре, а не в жизни. Хотя надо признать: ее брак с каждым днем все больше напоминал театр, спектакль, в котором каждый актер заученно играет свою роль в угоду неведомому режиссеру. Играет плохо, без эмоций, ровно и скучно – так, что принимать участие в пьесе в конце концов становится невмоготу всем.

Как и почему случилось в их страстной истории охлаждение, Аля не знала, вернее, не задумывалась. Она никогда ничего не анализировала, неслась вперед, боясь опоздать. Возможно, в слепой страсти, в неуемном желании обладать и в запретности этой связи была для обоих какая-то особая притягательность, которая разрушилась одновременно с обретением законности и дозволенности отношений. Брак они зарегистрировали уже по инерции, а не по желанию и по той же инерции продолжали его сохранять. Не могла Аля и не догадываться о том, что рождение ребенка, отцом которого и фактически, и документально являлся ее покойный первый муж, не могло не отразиться на душевном состоянии художника. Неожиданно для всех он написал несколько полотен на библейскую тему, на которых появился Младенец и люди, почему-то не поклоняющиеся ему, а раскаивающиеся и молящие о прощении.

«Переживает», – понимала Аля и радовалась, что смогла так удачно сплавить ребенка подальше с глаз своего впечатлительного мужа.

Библейские картины демонстрировать открыто художник в Стране Советов возможности не имел. Приближалась новая выставка, и требовалось сотворить нечто, более соответствующее идеологии КПСС или, по крайней мере, не вступающее с ней в открытую конфронтацию. Необходимы были вдохновение, музы и силы. Аля уже не вдохновляла: она разрушала, подавляла и угнетала – напоминала своим присутствием о содеянном и вместо того, чтобы жить его творчеством, жила реализацией своего.

Музы нашлись довольно быстро. Двери мастерской были гостеприимно открыты нимфеткам, жаждущим прикоснуться к искусству. С музами появились силы, вернулось вдохновение. К Але, мирно существовавшей за дверью, художник испытывал что-то сродни дружеской благодарности за отсутствие скандалов, упреков и взаимных обвинений в несбывшейся надежде на счастье.

Впрочем, за стенкой мастерской Аля оставалась все реже. Вернулась в оставшуюся от полковника квартиру и начала готовиться к следующему решительному шагу. Аля никогда ничего не делала просто так – она вынашивала очередной гениальный план.

Муж собирался в Америку: готовился к собеседованию, стараясь запомнить даты важнейших съездов КПСС и что и кто на этих съездах говорил. Он нервничал, и нервозность проявлялась даже на его творениях. Линии стали резкие, цвета – яркие, фигуры – стремительные.

– Ты слишком сильно переживаешь, – сказала Аля, нагрянувшая в мастерскую и неожиданно не заставшая никого из конкуренток.

Он обнял, сжал ее ладони в своих:

– Спасибо. Другие не замечают.

Аля фыркнула про себя. А кто должен замечать: длинноногие лолиты, ничего не смыслящие в искусстве и если и прочитавшие хотя бы одну книгу, то наверняка под названием «Как соблазнить мужчину». Или, может быть, родители ее гения? Но папаша – народный художник, у него хватает и проблем, и переживаний, и тараканов. Ну, а мамаше, по определению, должно хватать тараканов папаши, чтобы еще возиться с тараканами сыночка.

– Боишься, не выпустят? – уточнила она у мужа.

– Очень. Особенно сейчас, когда гремит история с Барышниковым, получить разрешение на выезд очень сложно.

– А если немного подождать?

– О чем ты говоришь, Аля?! Как можно подождать, если там ждут именно сейчас, если забронированы даты и заказаны галереи, если запущена реклама? Это у нас все в собственности государства, а там вкладываются конкретные люди, и если я подведу, то никто не простит и не забудет. А если и простят, то ждать следующего раза точно не будут. Найдут более удобных художников, не обремененных проблемами с КГБ.

Этого Аля и ждала: крика души, мольбы о помощи.

– Я могу попробовать помочь.

– Ты?!

– Замолвлю словечко. Знаешь, со сколькими шишками я за одним столом сидела? Уж они не откажут вдове покойного друга.

– Ты не вдова. Ты замуж бегом выскочила, траура ни дня не носила.

– Ну, это ты знаешь.

– У нас те, кто должен, все знают, а ты их за нос водить будешь?

– Буду. И проведу.

Квартира была готова к приему гостей: по полкам расставлены фотографии покойного с непременной траурной ленточкой, в спальне на тумбе – его очки и оставшаяся недочитанной книга, в прихожей – пиджак, а в ванной в стаканчике – бритва и зубная щетка. Он здесь, в квартире, и в Алином сердце – сердце безутешной вдовы, которая стоит на пороге в скромном черном платье, трепещет ресницами с блестящими на них капельками слез и, прижимая черный же платочек к полным грусти глазам, скорбно лепечет:

– Проходите, проходите. Спасибо за память, за поддержку. Я вам так благодарна. Юрочка тоже был бы очень признателен.

Гостей было пятеро. Все, как один, с женами под руку, в шляпах. Шляпы – на вешалке в прихожей, жены – на стульях за накрытым столом. Теперь все внимание – хозяйке. А она хлопочет: подливает и подкладывает, не уставая потчевать и приговаривать:

– Угощайтесь, пожалуйста! Вот холодец любимый Юрочкин, совсем без жира. Все до капли через марлю процедила, как он, голубчик, любил. – Платочек у глаз, глаза в пол. – А морс, морс пробуйте. Малину-то сама на даче собирала. Спасибо вам, товарищи дорогие, что похлопотали, участок оставили, теперь дочка-то Юрочкина растет, здоровеет. А ведь такая хиленькая родилась, я боялась, за отцом своим прямехонько отправится. Хорошо, есть возможность за городом ее растить, а иначе, может, и не было бы на свете моей маленькой.

Очередное движение платочка, растерянные взгляды, осторожное покашливание и, наконец, робкое признание:

– А мы, признаться, думали, Алечка, что это вы в угоду новому спутнику жизни девочку подальше отправили.

– Да что вы?! – Эмоция «негодование» получила бы «отлично» у любого даже самого придирчивого педагога. – Как можно?! Да он в нашей крошке души не чает. Я уверена, Юрочка был бы счастлив знать, что его девочки не остались брошенными на произвол судьбы, что о них есть кому позаботиться.

Зазвучал нестройный хор:

– Ну, если так...

– Думаю, Юрий Иванович был бы доволен таким...

– Конечно, мы не слишком обрадовались...

Аля перешла ко второму акту. Прижала руки к груди, повысила голос и вдохновенно затараторила:

– Поверьте, что пережить смерть любимого человека всякому тяжело. А такого, как Юрий Иванович, который был не просто мужем, а поддержкой и опорой, – тяжело вдвойне. Я просто осталась у разбитого корыта. Конечно, вы имеете право удивляться и негодовать: молодая сильная, да еще с дачей и квартирой – то еще «разбитое корыто». Но я ведь осталась беременной. Без работы, без перспектив, с одним только токсикозом.

Она жалобно захлюпала носом, обвела гостей взглядом и, поймав сочувствие, продолжила:

– Вы должны понять, что в таком состоянии я просто не могла себе позволить отказаться от протянутой руки доброго человека. Когда ждешь ребенка, прежде всего думаешь о его благополучии. – Аля сделала театральную паузу и заметила, как почти все женщины согласно закивали головами. – Я просто хотела быть уверенной в завтрашнем дне, хотела дать Юрочкиной дочке все, что она заслуживает!

И актриса позволила себе разрыдаться.

– Ну, полно, полно!

– Голубушка, не надо так убиваться!

– Мы все вас прекрасно понимаем.

– Никто вас не осуждает, милая.

– На вашем месте любая женщина поступила бы так же.

После этого Аля с легкостью перешла к кульминации. Она запричитала еще горше, уронила голову на стол, затрясла плечами и провыла, громко и отчетливо:

– Но, кажется, я просчиталась...

Быстро и сбивчиво – про нестабильную профессию мужа («Ах, вы должны понимать, что в творчестве сегодня пусто – завтра густо, и это не может не оказывать отрицательного влияния на семейную жизнь»), про открывшиеся для него возможности («Ах, он так мечтает, так мечтает...») и про страх эти возможности не обрести («Ах, что тогда будет! Что будет! Неудовлетворенные амбиции художника – это депрессия, водка и нищета»). И в итоге:

– Разве в такой атмосфере должна расти Юрочкина дочка? А ведь если мужа не выпустят в Америку, этим все и закончится. Творец с подрезанными крыльями – никчемный алкоголик, уж я-то знаю, что говорю, поверьте бывшей актрисе. Я могла бы вернуться в профессию, но вы же знаете, как Юрочка не хотел. А я уважаю память о муже и его волю.

Через две недели художник получил выездную визу. Он был счастлив до безумия и в порыве благодушия даже уложил Алю в постель и там, как мог, благодарил за услугу. «Глупый, – думала Аля, – это прерогатива женщин расплачиваться за услуги таким образом, а ты так просто не отделаешься. Придется расплачиваться. Баш на баш».

– Через пару месяцев, – заявила она как бы между прочим, – на «Ленфильме» начнутся съемки масштабного исторического проекта. Режиссер известен, актеры почти все подобраны. Нет только актрисы на главную роль и художника...

– Художника? Ты хочешь, чтобы я согласился принимать участие в картине? Нет, я бы с удовольствием, но я ведь буду в это время в Штатах, ты же знаешь...

– Ты? – Она едва не расхохоталась в голос. Личностью он был незаурядной и уже довольно известной, но пока совсем не влиятельной в актерской среде. В художники на картину его, возможно, и взяли бы, но вряд ли выполнили бы условие о вводе жены на главную женскую роль. – Конечно, нет, я прекрасно помню о твоих планах. – Она помолчала несколько секунд, собралась с духом, выпалила: – Твой отец.

– Отец? Но...

Аля помахала у него перед носом визой. Она была слишком хитра и дальновидна, чтобы просто так попросить мужа об услуге. Знала, он так кичился тем, что всего и везде добился сам без протекции отца, что не стал бы тревожить того из-за нескладывающейся карьеры жены. Но теперь у Али были все козыри, и благодарный художник не имел никакого права ей отказать.

Он и не стал. Наступил на горло своей гордости и сделал то, о чем его попросили. Художник получил поездку на американскую выставку, «Ленфильм» – имя известного баталиста в титрах картины, которая грозила стать всесоюзным шедевром, а ловкая, предприимчивая и действительно талантливая актриса Алевтина Панкратова – главную роль в будущем шедевре.

Аля, конечно, побаивалась, что всемогущие органы могут наступить на горло ее прекрасной песне. Но, на ее счастье, майор КГБ – член худсовета по будущей картине оказался большим поклонником таланта ее свекра и не стал отказывать тому в «несущественной» просьбе. А на вопросы о воле покойного мужа (Как же так? Какое кино? Юра же не хотел!) Аля бы нашла что ответить: глазки в пол, скромность в голос: «Разве я могу отказать своему свекру? Вы ведь понимаете, народный художник...» А потом – полушепот и доверительные нотки: «Говорят, сам Сталин считал его полотна шедеврами, да и дорогой товарищ Брежнев с восторгом отзывается о его творчестве. Как я могла не уважить такого человека?» Кто бы осмелился идти против самого Брежнева? Желающих не нашлось. То ли предчувствовали, что получат достойный отпор, то ли вовсе не заметили Алиной хитрости, то ли считали ее слишком незначительной сошкой, то ли действительно решили не связываться. Народный художник есть народный художник. Скандал может получиться первостепенный, а если, не дай бог, выйдет за границы СССР и просочится на Запад – хлопот не оберешься. Аля снова была счастлива. Целыми днями пропадала на съемочной площадке, без устали повторяла дубли и работала на износ, чтобы все снова поверили, оценили и разнесли весть о том, что актриса Панкратова не только талантлива, но и неприхотлива, трудолюбива и очень удобна: с режиссером не спорит, к коллегам относится уважительно, проявляет чудеса самоотверженности и стойкости, не требуя ни повышенного внимания, ни особых условий. Возможно, люди проницательные могли бы добавить к этому списку, что Алевтина хитра и изворотлива, но сама она принимала эти качества за целеустремленность. Ее целью была слава, и если для достижения этой цели следовало стать хорошей, Аля такой и казалась большинству окружающих. Легкая в общении, в меру язвительная (так, что все смеются и никто не обижается), почти всегда улыбающаяся, она сразу располагала к себе людей. Кто-то был рад увидеться с нею вновь, кто-то с огромным удовольствием знакомился и старался перевести знакомство в дружбу.

Аля такие старания всячески поддерживала. С удовольствием приглашала членов съемочной группы к себе, устраивала полуночные посиделки, кормила, поила, а иногородних и спать укладывала – и тягот от присутствия в доме посторонних не испытывала. Это напоминало ей студенчество. Полная свобода: молодецкая удаль и никаких обязательств. На сковородке – картошка, в рюмках – портвейн, на коленях – гитара, и разве помнишь в такие моменты, что где-то на другом конце земли у тебя имеется муж, а в деревне под Ленинградом – дочь?

Но семья, хоть и почти номинальная, все же существовала, и Аля заметила, что статус замужней дамы почти избавил ее от неминуемой женской зависти. Актрисы перестали видеть в ней конкурентку в попытках добиться расположения режиссера или партнеров – известных актеров. За спиной, разумеется, злословили, не без этого. Мол, везет Панкратовой: и тесть, что надо, и муж имеется, и ребенок присутствует, и выглядит на все сто, и на жизнь не жалуется. А с другой стороны, понимали: хорошо, что замужем и с ребенком. Человек устроенный – человек безопасный. Аля эту уверенность в своей чистоте и непорочности замыслов всячески поддерживала: на семейное положение не жаловалась, разговоров в духе «мой-то дурень...» никогда не поддерживала, а напротив, любила к месту и не к месту вставить фразу: «Вот вернется муж из Америки...» и блаженно улыбалась. А слушателям оставалось только догадываться о том, какие же радости ждут актрису после долгожданного возвращения ее драгоценного художника.

Художник вернулся – чужой, растерянный и возбужденный. Не переставая твердил о свободной жизни и прекрасной стране. Говорил о галереях, предложениях и о ценах на его картины. «Там у меня может быть дом, нет, даже два (в Нью-Йорке и Калифорнии) и студия (не две комнатушки, как здесь, а большие залы с высокими потолками), и ушедшая далеко вперед медицина, и весь мир в кармане».

Аля слушала молча, не перебивала и не спорила. Муж был во всем прав и молчал только об одном – потому, что вовсе об этом не думал. А вот Аля думала много и всегда приходила к одному и тому же: ее там никто не ждет. Она не Барышников и не Бродский. Да, прекрасная актриса, да, достойная и каннской лестницы, и даже «Оскара», но потеснятся ли Элизабет Тейлор и Джейн Фонда в угоду амбициям советской актрисы, неизвестной в их далеком Голливуде? К тому же из всех теплых и некогда сильных чувств к художнику остались только благодарность за именитого свекра и штамп в паспорте. Теперь же этот штамп грозил снова обернуться проблемой, и проблемой не менее серьезной, чем первый брак. Аля смотрела в горевшие лихорадочным огнем глаза мужа, слушала пламенные речи и понимала: перед ней типичный невозвращенец. Было чего испугаться.

Она не стала закатывать истерик и гневно интересоваться своим будущим и будущим своего ребенка. Зачем? До какой степени одержимого идеей мужчину может волновать судьба почти чужой женщины и совсем чужого ребенка? Спросила только:

– Как же твой папа? О нем подумай.

– А что папа? – В голосе – вызов и возмущение. – Папа уже не мальчик. А на безбедную старость он заработал, уж поверь мне.

– При чем тут богатая старость или бедная? Его же исключат из Союза. Это же позор несмываемый. Он не переживет.

– Подумаешь, исключат! Да он плевать хотел на этот Союз. Слышала бы ты, как он отзывается за глаза обо всех его членах.

– Да как бы ни отзывался! Его же выставлять перестанут, приглашать никуда не будут, всех почетных званий лишат, просто в порошок сотрут, если ты уедешь.

– Если я не уеду, то сам превращусь в пепел. Истлею, понимаешь? Останется от меня только дым сигарет и запах дешевого пойла. Дешевого потому, что в условиях несвободы невозможно творить, нельзя создавать ничего прекрасного. Душа будет плакать. А если душа художника плачет, то он начинает ее успокаивать – и тебе ли не знать, каким способом.

Аля хотела было ответить, что множество шедевров было создано как раз не благодаря обстоятельствам, а именно вопреки, хотела спросить, например, про Шостаковича, но не стала. Человек одержимый – человек невменяемый. Увещеваний не слышит, аргументы не воспринимает. Зачем бросаться словами? Аля поняла: он принял решение, решение обдуманное, осознанное и очень честное. Он не сделал подлости (не остался, не предупредив, дал шанс подготовить пути к отступлению) и теперь, разумеется, рассчитывал на ответную любезность с ее стороны.

Оба осознавали, что судьба его решения – в ее руках. Аля знала: один ее звонок – и его никогда больше не выпустят из страны. И такой поступок был бы вполне в ее духе: ей не привыкать ходить по трупам. Но и художник был достаточно хитер и циничен, и, поступая честно по отношению к Але, имел полное право рассчитывать на отсутствие подлости с ее стороны.

Нельзя сказать, что она не испытывала искушения перешагнуть через его планы и стремления, но что-то удерживало от этого поступка: то ли память о былом чувстве, то ли нить навсегда связавшего их преступления, то ли мысли о личной выгоде, как обычно, оказались в Алином сознании сильнее остальных. Она просто проанализировала, какой человек окажется ей полезнее: спившийся полузабытый художник, рассказывающий в очередях за бутылкой, «какая отвратительная тварь эта актрисулька Алевтинка», или респектабельный владелец собственной галереи в Америке, пользующийся уважением у публики и рекомендующий ей обязательно посмотреть советские фильмы с участием великолепной актрисы Панкратовой. А среди его покупателей вполне может оказаться какой-нибудь импресарио или режиссер – и тогда, возможно... Нет, это пустые мечтания. Хотя чем черт не шутит? Почему бы и нет? Возможно, ей еще удастся оказаться в одном кадре с Лиз Тейлор и потягаться с ней в актерском мастерстве.

От подобных мыслей она даже улыбнулась, засветилась таким же, как он, мечтательным светом и попросила:

– Дай мне несколько месяцев.

– Аля, – он схватил ее кисти и сжал так сильно, что она едва не вскрикнула. – Аля, я... ты же знаешь, Аля, я по гроб жизни... Аля, я никогда не забуду! – Он немного ослабил хватку, поднес ее ладони к губам и стал покрывать их частыми мелкими поцелуями, не переставая приговаривать: – Спасибо, родная моя! Спасибо, моя хорошая! Я теперь для тебя все, что угодно! Ты только подумаешь, а я уже сделаю, я обещаю. Все, что угодно, Аленька!

А что ей теперь было от него угодно? Только одно:

– Несколько месяцев.

13

– Вот же ты, вот! – Миша вытягивал палец и безуспешно пытался ткнуть им через головы в список.

– Да где? Где? – В голосе Ани слышалось почти истеричное отчаяние.

– Ну, смотри же, пятая, нет шестая сверху. – Он начал читать: – Аникеева, Арефьева, Валун, Змеец, Карташова, Левицкий, Листова, Кедрова, КЕДРОВА. Ты меня слышишь?

– А инициалы? Инициалы? Вдруг не та Кедрова?

– Анька, ну что ты за человек такой?!

– Инициалы!

– А.С.

– А.С.? (завороженно).

– А.С. (снисходительно).

– А.С. (мечтательно). Мишка, а знаешь что?

– Что?

– Я тебя люблю, вот что.

Он наклонился, хотел поцеловать, но она замотала головой, мол, успеется, и снова заныла:

– Я все равно не вижу...

Мишка расхохотался. Ее умение добиваться своего поражало его и спустя год после знакомства:

– Иди сюда, слепота!

Он сгреб ее в охапку и приподнял над толпой абитуриентов.

– Карташова, Левицкий, Листова... КЕДРОВА А.С. КЕДРОВА А.С. Мишка, это же я. Это же правда я, понимаешь? Мишка!

Она махала руками и кричала так, что на нее даже зашикали со всех сторон: радоваться, конечно, допустимо, но все-таки не так бурно. В конце концов, не она одна поступила, есть и еще счастливчики. А вот расстроенных гораздо больше, можно и уважать их чувства.

Один только Миша не шикал и не требовал прекращения бури. Он так и вынес ее из толпы, подхватив под колени, и только очутившись на безопасном расстоянии от доски со списком студентов театрального института, поставил на пол и наконец поцеловал. Спросил довольный:

– Ну что, празднуем?

– Празднуем!

Праздник заключался в покупке самой дешевой селедки и в варке в одолженной у кого-то кастрюльке нескольких картофелин. Селедка была костистая и сухая, картошка пропитывалась дымом и гарью, к тому же они забывали ее посолить, но оба спустя годы уверенно ответили бы, что ничего вкуснее в своей жизни не ели. Они были молоды, влюблены и, пусть не наивны, еще смотрели вперед широко открытыми глазами и распахнули души всему миру.

Аня переехала к Мише в последний день девяностого года. Точнее, пришла встречать Новый год (она жаловалась на отсутствие компании – он позвал в свою), и как-то так само вышло, что все с утра разошлись, а она осталась и сразу заполнила собой все пространство. Мише тогда показалось, что Аня была всегда. Представления об их отношениях как о дружбе мгновенно показались сущей глупостью и ерундой. Он сразу же забыл, какой была его жизнь до того, какие встречались девушки, какие развлечения и какие бездумные шалости. Все как-то сразу стало серьезно и по-настоящему.

Впрочем, забыл он только о своей жизни, о ее вспоминал иногда:

– Твоя мама хотя бы знает, где ты живешь?

– Наверное. Кажется, я ей говорила, но поверь, ее это мало волнует.

– Как это «мало»?

Миша все никак не мог понять странные отношения Ани с матерью. У него-то со своей были совсем другие. Точнее, раньше были...

– Просто. Она говорит: «Оставь меня в покое, тебе уже восемнадцать».

Девушка грустнела, но всего на секунду, а спустя мгновение уже забиралась к нему на колени, ерошила волосы, щекотала шею и игриво спрашивала томным шепотом:

– Правда, здорово, что мне уже восемнадцать?

Однажды он пошутил:

– Тебе, Нука, не в театральный надо поступать, а в бордель. Примут без экзаменов, – и тут же почувствовал, как разъяренная волна ее гнева поднялась и накрыла его с головой.

Она не выговаривала, не кричала, не оскорбляла его. Просто встала, отошла, повернулась спиной и уставилась в окно. И столько боли и обиды было в этой прямой вытянутой в струну спине, что он по-настоящему растерялся.

За прошедшие месяцы Миша привык к странностям и противоречиям Аниного характера, к внезапным сменам настроения, к странным, не свойственным другим реакциям. Аня могла пролить немало слез из-за пустой сентиментальной кинокартины или книжки, но при этом реальные жизненные трагедии вызывали у нее лишь скупое пожатие плеч и циничное замечание о том, что «такова жизнь». Она ежедневно собирала чемоданы, всякий раз серьезно объявляя Мише об окончательном и бесповоротном разрыве, и с такой же легкостью их разбирала, и умильно возвращала свои флакончики в ванную и мечтала вслух, как прекрасно будут они жить «до тех пор, пока смерть...». Такое существование по всем параметрам не должно было быть комфортным. Оно бы и не было, если бы Миша хоть на мгновение почувствовал напряжение между ними, но оно не заходило к ним даже в гости. Была в ее переменчивости неуловимая легкость, которая обволакивала Михаила и заставляла верить в то, что именно эта девушка наполнена тем теплом и уютом, в котором он так сильно нуждался. Она могла быть мягкой и сдобной, как плюшевый мишка, или холодной и ершистой, будто колючий еж. Она радовалась и через секунду расстраивалась. То мучилась сомнениями, то удивляла чудесами самовлюбленности... Она любила весь мир, но спустя мгновение была готова с такой же горячностью ненавидеть всех и каждого. Она была очень разной.

Миша приготовился к любым неожиданностям, потому что понимал: несмотря на близость, ему понадобится немало времени, чтобы хотя бы на йоту приблизиться к разгадке и пониманию природы этой женщины. Но в одном он не мог сомневаться: на отсутствие чувства юмора Аня пожаловаться не могла, была остра на язык и иронична. И не только по отношению к другим, но и к самой себе. Он мог поклясться, что шутку про бордель она воспримет на ура (и даже втайне надеялся, что не только воспримет, но поддержит и даже продолжит, исполнив одну из тех кокетливых штучек, что известны только женщинам, а действуют исключительно на мужчин). Но он ошибся. Неприступная спина и дышащие (он это видел) яростью плечи не говорили, а кричали о том, что он совершил какую-то непоправимо грубую и непростительную ошибку.

Он настолько не ожидал подобной реакции, что даже не сразу сообразил, что теперь делать и как исправлять ситуацию. Когда же наконец собрался с духом и попробовал заговорить:

– Ань, я, честно, не понимаю...

Она резко подняла руку, словно хотела выключить любые его попытки понять. Но потом произнесла, по-прежнему глядя в окно:

– Просто не называй меня так!

Очень медленно повернулась, и наконец он увидел ее лицо. Молодой человек испугался. Вместо юной девушки, почти беззаботной (какие заботы в восемнадцать-то лет!) на него смотрела битая, а точнее, прибитая жизнью женщина, уже ничего не ждущая и ни на что не надеющаяся. Кожа ее приобрела серый, какой-то землистый оттенок, волосы, до той секунды казавшиеся рассыпанными в художественном беспорядке, смотрелись растрепанными и неприбранными, губы, всегда свежие и сочные, – бесцветными, а глаза, сиявшие энергией и призывом – потухшими.

– Что случилось? – Михаил сам вздрогнул от звука собственного голоса, таким никчемным и ненужным показался ему вопрос. Она и не стала отвечать, повторила только:

– Никогда больше не называй меня так. Слышишь?

Это пронзительное «слышишь?» почти обрадовало Мишу, потому что вместе с ним вдруг заалели щеки, а в глазах мелькнула искра неподдельной ярости. В Аню возвращалась жизнь, и ради этого он смог бы стерпеть какой угодно сильный и продолжительный приступ гнева. Хотя зачем гневаться? Она же сама рассказала ему про имя. Но Аня больше не сердилась. Попросила уже спокойнее и тише:

– Не называй, ладно?

– Ладно, – тут же откликнулся он.

Подошел, притянул к себе, прижал, стал гладить по волосам, снова ставшими копной, а не паклей. И она остыла, оттаяла и заплакала, уткнувшись в его подмышку. Заплакала горько, громко и бесхитростно, как ребенок. И было в этих слезах столько отчаяния, что он не сразу решился спросить. Но не спросить не мог:

– Ань, а как не называть-то?

Она резко вскочила и выкрикнула, разрывая воздух страданием:

– Нука! Нука! Нука!

Миша услышал и принял, и понял: о ее прошлой жизни тоже лучше забыть.

Началась настоящая жизнь. Веселая, молодая, студенческая. У него – студенческая, у нее – почти, и оба они были одержимы желанием уничтожить это «почти».

Она учила монологи и отрывки, играла этюды и читала прозу, а он критиковал и ругал, и хвалил, и восхищался, и верил. И она верила. А вера, как известно, способна свернуть горы, не то что кучку народных в приемной комиссии, которые прошлым летом воротили носами, а теперь наперебой приглашали к себе в мастерские.

Аня выбрала Школу-студию МХАТ и утонула в учебе. Она выныривала лишь для того, чтобы изредка устроить праздник в подгоревшей кастрюле, послушать Мишины идеи об очередной короткометражке, которую он собирался снимать, или сбегать в знакомый подвал, чтобы там за пару часов под бесконечные истории художника смастерить очередную полочку, табуретку или столик. Столики и стульчики оставались неотъемлемой частью Аниной жизни: они украсили квартиру коменданта, за что тот закрывал глаза на ее присутствие в общежитии.

Запах подгоревшей картошки, лака, свежей краски, споры о фильмах Кустурицы стали настолько привычной, а главное, необходимой частью жизни, что предложение Михаила не стало ни неожиданным, ни необычным.

– Давай поженимся. – Без трепета и романтизма.

– Давай. – Ни восторга, ни умиления.

Просто должно быть так и только так. Ничего необычного в том, что они созданы друг для друга.

Подали заявление, назначили день, купили кольца, рассказали о грядущем событии друзьям – и снова закружились в водовороте сюжетов, экзаменов, съемок и идей.

Аня предполагала выплыть лишь накануне, чтобы пробежаться по подружкам и одолжить какое-нибудь, пусть не свадебное, но мало-мальски приличное платье, но Миша, как оказалось, не смог заплыть так глубоко, чтобы берега прошлой жизни окончательно скрылись. А потому однажды и прозвучало:

– Хочу познакомить тебя с мамой.

– С мамой?

Аня чуть не выпалила «зачем?», настолько она привыкла к негласно установленному правилу, что они живут настоящим и о прошлом не вспоминают.

Она с такой очевидностью понимала, что в ее судьбе эта страница уже перевернута, что даже не сразу сообразила, что в Мишиной мама все еще является тем настоящим, о котором болит его душа. Но как можно не согласиться?

– Познакомь.

Знакомились в квартире на Котельнической.

– Широкий жест академика, – пояснил Миша, не пускаясь в подробности.

– Понятно, – кивнула Аня, без любопытства осматривая высокие потолки и нарядные стены.

Если кого и можно было удивить роскошью, то не ее, и Миша с его реакцией на ее родство с известной актрисой, конечно, не мог этого не осознавать. Но он не спрашивал, почему она живет в его общаге, и она не интересовалась, почему там обитает он сам. Наверное, широких жестов академиков не хватает на всех.

Впрочем, какое отношение мог иметь какой-то академик к болезненного вида женщине, встретившей их на пороге с вымученной улыбкой, угадать было сложно. Аню поразило, что впоследствии Миша вскользь упомянул о нем как о «бывшем муже». Угадать в Мишиной матери жену, пусть даже бывшую, академика было невозможно. Не показывала она ни шика, ни лоска, ни учености – одна простота, и скромность, и стеснение, будто хотела она попросить прощения за свое существование.

Мать шаркала тапочками и куталась в шаль, хотя на улице было тепло, а в квартире душно. Она не поднимала глаз и говорила шепотом, словно боялась кого-то спугнуть, а на сообщение Миши о предстоящей женитьбе отреагировала вяло. И только когда он, неловко повернувшись, уронил стул, вдруг встрепенулась и сказала громче и живее обычного:

– Тише, Мишенька! Ну, что же ты?! Леночку разбудишь.

Таинственная Леночка так и не проснулась за время визита, хотя в гостях у будущей свекрови провели они тогда не меньше трех часов.

Знакомство произвело тогда на Аню неизгладимое впечатление. Совершенно погруженная в себя женщина, которую легко можно было охарактеризовать слишком общим, но много объясняющим словосочетанием «не от мира сего», временами просыпалась и делала довольно меткие замечания о состоянии современного искусства, сыпала известными именами и пускалась в захватывающие воспоминания, которые выдавали в ней человека культурного и образованного. Она спрашивала у сына, какие фильмы он собирается снимать, давала точные советы по актуальности и современности материала. Она подколола Ане волосы и сказала, что с такой слегка небрежной, но вместе с тем вечерней прической она похожа на ангела (оба гостя хохотали до слез: Аня могла бы сыграть кого угодно, но с ролью ангела у нее наверняка возникли бы проблемы).

Мишина мама много курила и не обращала внимания на то, как и чем ее гости сервируют стол. Однако, услышав, что свадьбу они планируют отметить нешироко, но шумно, в общежитии, уделяя большее внимание горячительному, нежели закуске, неожиданно бурно заспорила. Предложила праздновать в квартире и пообещала приготовить дюжину блюд, замысловатые названия которых Аня в жизни не слышала (хотя чему тут удивляться: ее матушка всю жизнь колдовала на сцене, а не у плиты). Мишина же, только начав рассуждать об ингредиентах салатов и степени прожарки мяса, оживилась необычайно. Девушке даже показалось, что женщина стала выше и представительнее – так деловито она рассуждала о праздничном банкете, о количестве гостей и о том, у кого из соседей можно будет одолжить стулья. А потом, будто кто-то невидимый нажимал клавишу выключателя и разом гасил энергию, снова становилась отрешенной, задумчивой и какой-то слишком уязвимой. И будто сознавая свою уязвимость, снова начинала кутаться в шаль, пытаясь спрятаться в старом шерстяном платке от всех невзгод.

Миша замечал преображения, но внимания на них не акцентировал, не прерывал нить разговора, не менял темы и не лез с вопросами. Аня понимала, что ко всему происходящему он просто привык. И если не пытался ничего изменить, значит, знал, что изменить ничего нельзя. А мама его, казалось, принимала негласные правила игры и даже испытывала благодарность за то, что на перемены в ее поведении никто не обращал внимания. Когда она возвращалась в реальность, то не упускала возможности проявить настоящие материнские чувства: обнимала сына, поглаживала по плечам и смотрела на него так ласково и нежно, что у Ани начинало щемить в груди от зависти и одновременно от радости за близкого человека: его любят, его ценят, им гордятся.

К концу приема ее полностью покорили доброта и тепло, с которыми мать относилась к сыну. Ни тени недовольства, ни слова упрека за редкие встречи. Только во время прощания, когда Миша сказал: «Мам, ты только все, что мы принесли, кушай, ладно? А то ведь испортится», она посмотрела каким-то странным помрачневшим взглядом и спросила требовательно и почти раздраженно:

– А зачем ты принес конфеты?

– Мам, там твои любимые: «Мишка», «Белочка»...

– Ты же знаешь, что у Леночки аллергия, а она просить станет и...

– А ты не давай ей, мамуль!

И он, слегка коснувшись губами щеки матери и махнув на прощанье рукой, проворно вытащил Аню из квартиры.

– У тебя чудесная мама, – искренне сказала она. – Почему ты отсюда ушел?

Ответ простой, но затейливый:

– Леночка меня выжила.

Конечно, через некоторое время Аня обо всем узнала, но тогда копать прекратила, не стала лезть в душу. И никогда не настаивала на объяснениях, не спрашивала, почему свадьбу справляли в общаге, следующей зимой буквально пропадали на Котельнической, посвящая свекровь во все подробности жизни (рассказывали о планах на будущее и просили советов), а весной снова ходить перестали. Впрочем, Миша все-таки сделал неуклюжую попытку объяснить, сказал скупо:

– Леночка вернулась.

Он произнес это с таким отвращением, с такой смесью презрения и отчаяния, что Аня раз и навсегда решила обойтись без выяснения подробностей. «Придет время – сам расскажет».

Время пришло. Мишу, окончившего институт, пригласили на телевидение в помощники режиссера. В семье появились деньги, а в Аниной голове – мысли о ребенке. Где мысли – там и слова. Она поспешила ими поделиться, но вместо ожидаемой поддержки получила решительный отпор:

– Аня, это невозможно! Просто невозможно, и все!

– Но почему? По-моему, сейчас – прекрасное время. Я еще никому не известна, у меня не будет никакого простоя, я никого не подведу и не заработаю «черную метку» у режиссеров. Пока я просто студентка, которой должны предоставить декретный отпуск. Я понимаю, что ты будешь много работать и не сможешь помогать, но в том-то и дело, что сейчас как раз такой период, когда я могу справиться сама.

– Аня, нет! Ты меня слышишь или нет?!

– Ну, хорошо, хорошо. Раз ты считаешь, что надо подождать, то, конечно, давай подождем. – Она постаралась беззаботно улыбнуться, хотя в глазах (он видел) стояли слезы. – В конце концов, я еще совсем зеленая, чтобы кого-то воспитывать, верно? Сама ребенок. Так что своих заведем попозже.

– Анюта. – В нем больше не было агрессии, только горечь от собственного бессилия. – Анюта, ни попозже, ни сейчас. Никогда...

– Никогда? – Глаза ее широко распахнулись в недоверии и искреннем непонимании. – Но почему?

– Неужели ты действительно не понимаешь?

Она молча помотала головой, силясь из последних сил не разрыдаться.

– Аня, я... – Он закружил по комнате, не зная, с чего начать и как объяснить. – Аня, милая, ты прости меня. Я ведь думал, ты обо всем догадалась. Я ведь настолько привык, что мы друг о друге все без слов понимаем. Я даже не предполагал, что ты не видишь, не замечаешь очевидного.

– Чего? Чего я не замечаю?

Она шмыгнула носом, и первая крупная слеза покатилась по ее щеке, оставляя мокрую полоску, которую ему тут же захотелось нежно вытереть. Но он не стал прикасаться к жене, только приблизился и, заглянув в глаза, признался:

– Аня, моя мать ненормальная. Я думал, что ты сразу догадалась, еще при знакомстве. Но теперь неважно. Теперь ты должна просто понять, что и я могу когда-нибудь... и наш ребенок. А я этого не хочу, слышишь?!

Она слышала, но уже не слушала. Только шевелила губами и повторяла шепотом:

– Ненормальная, ненормальная...

И тогда он рассказал все, выложил все, как на духу. Теперь она и слышала, и слушала, и не перебивала. Временами хмурилась, временами улыбалась, временами сочувственно проводила рукой по его щеке, но ни разу ни о чем не переспросила, не перебила и не высказала собственного мнения. И только в самом конце, когда он опустошенный, но успокоенный спросил, что она обо всем этом думает, она ответила. Ответила задумчиво, словно забыв убрать с лица грустную усмешку:

– Я думаю, твоя мать гораздо нормальнее моей. По крайней мере, она любит своих детей.

Какое-то время он молчал, а потом снова принялся рассказывать. Говорил долго, жарко, быстро и горячо. Вспоминал обо всем: как мама все время была на его стороне, как поддерживала его, как дружила с ним, как защищала. Он вспоминал о нудных академических нотациях и оживленных кухонных посиделках, сдобренных хорошим кофе и интеллектуальными разговорами. Он говорил о том, какая мама была, и не произнес ни слова о том, какой она стала.

Он говорил, а Аня слушала. Никто и никогда не слушал его с такой жадностью, как она. Смотрела в глаза, ловила каждое слово и, казалось, вздохнуть боялась, чтобы ненароком не спугнуть поток рвавшихся откровений. И именно в те минуты он понял, что никого и никогда ближе и роднее на свете у него не будет. И не ошибся.

Теперь Михаила слушали каждый день. Слушали внимательно, ловили каждое слово, боясь пропустить истину или хороший совет. Воспринимали его слова как истину в последней инстанции. А кем же еще может приходиться батюшка своим прихожанам? Слушали. Но слушали для себя, а не для него. А она слушала для него. И он это видел, и чувствовал, и знал, и помнил. Помнил всегда.

Отец Федор, которого он приехал навестить, спросил, радуясь успехам «крестника»:

– Значит, слушают тебя мои селяне?

Но он, сидя в больничной палате у постели умирающего хорошего человека, не мог предать воспоминания и ответил:

– Слушают, но не слышат.

14

Дом наконец-то примирился с существованием собаки. Ему даже казалось, что они в какой-то степени подружились. Теперь он начал разбираться в знаках, которые она подавала.

Анна проводила много времени в сарае. Там она оборудовала мастерскую и часами пропадала в ней, выполняя появившиеся заказы. Дому было обидно: теперь он не мог следить за чудесными превращениями, и даже окончательный результат удавалось увидеть не всегда. Готовую мебель, тщательно упакованную, выносили из сарая курьеры клиентов, и дому перепадал то уголочек чего-то яркого, легкого и солнечного, то полоска темного и массивного, а то и вовсе не доставалось ни одного просвета, в котором можно было бы разглядеть очередное творение Анны. Он расстраивался. И больше не потому, что не увидел и не оценил, а потому, что не знал, была ли сама женщина довольна итогом своего труда. Теперь же он знал: если собака бежит из сарая вприпрыжку, виляет хвостом и улыбается, то работа у Анны спорится. Радость собаки означала, что ее хвалили, гладили, называли «хорошей девочкой» и просили принести игрушку. А усталая, разочарованная, раздраженная и недовольная собой женщина ни за что не стала бы играть с собакой. Когда же псина нехотя плелась с поджатым хвостом по тропинке, дом понимал, что ее отругали и прогнали.

Дом даже мог представить, как Анна хмурилась, разглядывая какой-нибудь кусок дерева, тщетно пытаясь придумать, каким образом «вылепить» из него что-нибудь достойное, и злилась на собаку, которая отвлекала и требовала внимания:

– Не вертись, Дружок! Иди отсюда!

Тогда собака возвращалась к дому, ложилась на крыльце и утыкалась расстроенной мордой в вытянутые лапы. Дом своей тенью загораживал собаку от солнца, а козырьком крыльца – от дождя, и оба они застывали в тревожном ожидании.

Несмотря на волнение, дом любил такие моменты единения. Но еще больше радости доставляли ему минуты спокойного присутствия Анны в доме. Когда она не торопилась, не хлопотала, не спешила выполнять поручения больной, а сидела и читала книгу, или слушала музыку, или разговаривала со второй женщиной ровным, даже иногда ласковым тоном. Дом тогда старался «задержать дыхание», вел себя тихо-тихо, чтобы не скрипнула половица, чтобы не хлопнула ставня. И собака вела себя так же: сворачивалась в клубок у кровати и даже ушами не шевелила, хотя, по мнению дома, могла бы и прислушаться к умным разговорам.

Например, к таким, как этот:

– «Спектакль производит особенное впечатление декорациями, которые воссоздают подлинную атмосферу домов восемнадцатого века. – Анна сидела на краешке постели больной и читала статью из газеты. – Продюсеры не поскупились на антиквариат... – Тут она искренне расхохоталась. Лежачая тоже не удержалась от улыбки. – И не прогадали. Трудно, таким образом, переоценить финансовую стоимость проекта, который лишний раз является бесспорным подтверждением профессионального подхода к делу».

Анна снова засмеялась, отбросив газету:

– Ну вот, – произнесла она, успокоившись, – это говорит о том, что я настоящий профессионал. Даже критик не смог рассмотреть подделки.

– Это говорит о том, – прозвучал ответ с кровати, – что он дерьмовый критик. Как там фамилия автора?

– Лазуцкий.

– Лазуцкий? Странно. Этот, насколько я помню, был неплохим. Значит, спектакль у твоего Эдика вышел плохонький.

– Зачем ты так?

Дом встрепенулся, собака подняла морду: в голосе Анны послышалась обида.

– А как? Все правильно. А что же еще можно подумать, если в рецензии на спектакль критик хвалит только декорации, а об остальном молчит? Либо он не театральный критик, либо не хочет обижать режиссера. Помнишь, как у Чехова: «В человеке должно быть прекрасно все...» Так и в спектакле, дорогая моя... – Дом не удержался: заскрипел от удовольствия. Пусть в споре, пусть между делом, но он в первый раз услышал, как одна из женщин назвала другую «дорогой». – ...все должно быть прекрасным. Лицо –

это построение действия, мизансцены. Душа – конечно, актеры; мысли – задумки и находки режиссера. А декорации – это всего лишь одежда. Ты можешь судить о человеке только по внешнему виду? Можешь, но недолго. Потом начинаешь интересоваться содержанием. А что такое спектакль без содержания? Тьфу!

Больная победоносно замолчала.

Молчала и Анна: удрученно, задумчиво. Задумался и дом. Он знал, что такое театр и спектакли. Лежачая часто, посмотрев очередной эпизод нескончаемого сериала, начинала говорить, что играть в них никто не умеет, да и «сценаристы с режиссерами никуда не годны». Кричала надрывно свое вечное «Нука!», просила поставить ей что-нибудь «душевозвышающее и впечатляющее».

– Спектакль? – спрашивала Анна и, получив в ответ благосклонный кивок, включала плоский ящик под телевизором, вставляла туда блестящий металлический кругляшок, и на экране возникал занавес и надпись «Телеспектакль». Больная смотрела неотрывно и каждый раз в конце торжественно объявляла:

– Вот это я понимаю, это актеры. Раневская, Плятт, Зеленая, – имена. А нынешние что? Ерунда, да и только.

– Все? – беззлобно интересовалась Анна.

– Есть исключения, – нехотя соглашалась старуха, а Анна сдержанно, но удовлетворенно улыбалась.

В сегодняшнем же споре победа явно и заслуженно принадлежала больной, и сколько Анна ни думала над возможным ответом, достойного придумать так и не смогла. Из оцепенения и женщину, и дом вывела собака, неожиданно вскочившая, навострившая уши, сделавшая несколько шагов к порогу комнаты.

– Кто там, Дружок? – спросила Анна.

– Кто-то приехал, – заволновалась старуха. – Иди скорее!

Сказано это было таким беспокойным тоном, что дом сообразил: «Если бы женщина могла ходить, она бы, не задумываясь, вскочила и силой выпихнула бы Анну за дверь».

Анна вышла сама, выглянула на улицу, увидела машину у калитки, спустилась с крыльца. Ей навстречу направлялась хорошо и дорого одетая пара средних лет. Невысокий мужчина в отутюженных брюках, чистых ботинках с острыми носами, в шерстяном клетчатом пиджаке, надетом на ярко-синий пуловер, одной рукой поддерживал под локоток женщину, а другой опирался на изящную деревянную трость. «Канадский дуб», – тут же определила Анна и перевела свой взгляд на спутницу обладателя аккуратной трости и такой же аккуратной, невероятно ровно подстриженной бороды. Ее немного полноватая, но сохраняющая все необходимые пропорции фигура была втиснута в плотно облегающие коричневые легинсы и задрапирована в асимметричную светло-бежевую тунику. Довольно длинные ноги украшали ботильоны на удобном каблуке, а на плечи была наброшена короткая кожаная куртка до пояса с причудливой бахромой на плечах. Образ дополняла кокетливая шляпка-таблетка, которая, как показалось Анне, если и могла быть чем-то прицеплена к голове, то только гвоздем. Повстречавшись с Анной взглядами, женщина расплылась в улыбке, и Анна отметила, что зубы у нее были слишком ровные и неестественно белые: свидетельство наличия свободного времени и тугого кошелька.

– Добрый день, – сдержанно поприветствовал Анну мужчина, останавливаясь у крыльца.

– Здравствуйте, – еще раз лучезарно улыбнулась его спутница.

– Добрый, – ответила Анна, не предпринимая попыток пригласить их в дом.

– Мы, наверное, к вашему мужу, – взял мужчина инициативу в свои руки.

Анна растерялась:

– Я не замужем.

Было видно, что и визитеры пришли в некоторое замешательство. Женщина очнулась первой: покопалась в сумочке (бежевой, в тон тунике), вытащила оттуда мятый листок, протянула Анне, спросила:

– Это ваш адрес?

Анна скользнула взглядом по бумажке, кивнула:

– Мой.

– Нам сказали, здесь художник живет.

– Декоратор, – подхватил мужчина.

– Мы заказ хотели сделать, у знакомых мебель увидели и просто влюбились, но как-то без знакомства, наобум, как говорится, не смогли. Интернет – дело хорошее, но хотелось бы пощупать, посмотреть. В общем, такие мы несовременные, – объяснила, будто извинилась, женщина.

– Проходите, – любезно посторонилась Анна. – Будем знакомиться.

– Мне почему-то кажется, – проговорила женщина, поднимаясь на крыльцо и пристально всматриваясь в лицо Анны, – что я вас где-то встречала.

– И мне, – подтвердил мужчина.

Анна пожала плечами. Пустое, мол. Показаться может всякое, не стоит обращать внимание. И правильно сделала. Через минуту они и думать забыли о неожиданно посетившем их ощущении – таким удивительным стало для них признание Анны, что она и есть тот художник, которого они искали.

– Неужели вы сами, вот этими руками, создали тот восхитительный трельяж, что стоит у Лидочки в спальне?! – не сумела скрыть удивления женщина.

Анна не имела представления о том, кто такая Лидочка. Зато трельяж, о котором, видимо, шла речь, помнила великолепно: белый с резными ножками и росписью под гжель, он был одним из ее первых интернет-заказов. Клиент (мужчина) попросил сотворить какое-то неповторимое трюмо в традиционно русском стиле. Анна за вечер нарисовала эскиз, вставила набросок в сканер и уже через несколько часов прочитала восторженный отзыв заказчика о том, что это «именно то, чего он хотел». Над трельяжем работала она вдохновенно и, когда за ним пришла машина от клиента, даже втайне понадеялась, что работой в итоге останутся недовольны и вернут трюмо обратно, даже место ему придумала в своей спальне. Но, конечно, не выгорело. Трельяж пришелся по вкусу, Анна получила внушительный гонорар, а неведомая Лидочка – шикарный подарок, которому, очевидно, завидовали знакомые. Что ж, было чему.

– Трельяж сделала я, – подтвердила Анна, не скрывая гордости.

– Обалдеть... – Мужчина позволил себе словечко, которое сразу сократило дистанцию между хозяйкой и гостями.

Они оказались на одной волне – и дальше уже поплыли вместе, обсуждая заказ, материалы и сроки. Анна внимательно слушала пожелания, переспрашивала, уточняла детали, вникала в нюансы. Гости рассказывали, объясняли, прислушивались к советам, а потом вдруг наперебой начинали извиняться за визит без приглашения и без предупреждения:

– Я говорила, что это не совсем удобно, но мой муж любит брать быка за рога, – говорила женщина и смотрела на мужчину взглядом, который явно давал понять: это качество она в нем любит и ценит.

– Я предполагал, мы мужчину встретим, рабочего человека, – вторил ей муж. – Если бы знал, я бы написал, конечно.

– Это я виновата, – снова пускалась в объяснения жена. – Как увидела это трюмо, так просто влюбилась. Найди, говорю, мастера, да найди.

– Я и нашел, – включился в оправдания муж. – Спросил у Лиды: «Откуда дровишки?» Она мне: «Толик привез». Это работает у них человек, он к вам за мебелью и приезжал. Я к Толику, он мне ваш адрес. Сказал, правда, что хозяин вроде по Интернету договаривался, но я решил, что так надежнее будет. Вы не думайте, я позвонить хотел, но телефона вашего у Толика не было.

– Да у меня и нет телефона, – успокаивала их Анна, и они снова окунались в море, где плавала их будущая эксклюзивная мебель.

– Понимаете, интерьер должен быть не слишком светлым, но и не совсем темным, – говорила женщина.

– Хочется теплых оттенков, – добавлял мужчина.

– Все-таки детская должна быть солнечной.

– Конечно, Светочка уже не младенец...

– Тринадцатый год как-никак. Из микки-маусов и принцесс выросла, а чего хочет, не знает. Вот и приходится выдумывать.

– Может, что-то морское? – предлагала Анна. – Ракушки, рыбы, морские звезды.

– Нет, – смущенно отказывалась женщина. – Говорит: «Мама, я – урбанист до мозга костей». Так что ни море, ни лес, ни горы ей не подойдут.

– Можно оформить городами. Как вам идея европейских столиц? Кровать – английский парламент, торшер – Эйфелева башня, письменный стол – Колизей.

– Восхитительно! – не сдержала восторгов женщина, но муж остудил ее пыл:

– Цена вопроса?

– Немаленькая.

Анна назвала примерную цифру, и он решительно покачал головой:

– Слишком дорого. Давайте не изобретать велосипед. Можно и что-нибудь попроще придумать.

– Проще так проще, – согласилась Анна.

– Как насчет обычного кантри?

– Да. Деревенская тема смотрелась бы неплохо, – тут же согласилась заказчица, – и со стилем всего дома прекрасно гармонировала бы. Вам знаком деревенский стиль? – обратилась она к Анне.

Знаком ли ей деревенский стиль? Как никому другому. Про деревню она могла бы рассказать многое. Недаром провела там первые годы детства, которые не забылись. Анну всегда удивляли люди, которые помнили себя, лишь начиная со школьного возраста. У Анны же было великое множество воспоминаний более раннего периода. Они роились в голове: все яркие, отчетливые, жалящие.

Самым ясным из них были туфли: черные, покрытые дорожной пылью, они стояли на коврике у двери и словно подмигивали девочке своими высокими острыми измазанными в грязи каблуками. Туфли были наваждением, мечтой, которая иногда становилась явью. Аня ждала появления этих туфель, и грезила о них во сне, и что ни день бегала с утра проверять их присутствие. И чем дольше они не появлялись, тем сильнее стучало ее сердечко, тем неуемнее была радость тогда, когда она наконец видела две лакированные лодочки, смиренно стоявшие у входной двери.

Туфли казались диковинкой сами по себе. В поселке ребятня летом бегала босиком, осенью забирались в резиновые сапоги, а зимой – в валенки. Туфли имелись лишь у девушек постарше или у молодых женщин. В них ездили в город или отправлялись на танцы в клуб. Но они были стоптанными, неприметными и, по выражению бабушки, «вида не имели». Лакированная пара на коврике была шикарной и, даже покрытая глиной, вызывала у маленькой девочки трепет: она принадлежала ее матери.

Аня садилась на коврике, сворачивалась калачиком и в ожидании пробуждения хозяйки туфель прижимала к себе их грязные каблуки.

Мать просыпалась и первым делом бросалась – нет, не к дочери, а именно к туфлям. Громко вздыхая и ругая на чем свет стоит «безмозглую девчонку, решившую угробить своей задницей произведение искусства», начинала приводить их в порядок.

Аня следила за тем, как вода и тряпка превращают просто чудесные туфли в недосягаемо божественные, и просила, указывая на них дрожащим пальчиком:

– Можно?

– Еще чего! – тут же фыркала мама. – Каблуки сломаешь.

– Дитя голову расшибить может, а ты про каблуки талдычишь! – сердито вмешивалась бабушка, чем подставляла голову под град протестов:

– Мама! Я тебя просила разговаривать нормально. Здесь же не колхоз, а культурная столица СССР, между прочим. И какая разница, почему ей нельзя брать мои туфли, голову она расшибет или каблуки: какая разница!

Туфли немедленно убирались в шкаф, а из сумки выуживалось очередное чудо дизайнерской мысли: босоножки на пробковой танкетке с толстыми тканевыми ремешками. Мать ловко вставляла в них аккуратные маленькие ступни. Из-под ремешков выглядывали пальчики с ногтями, выкрашенными в ярко-красный лак. Женщина вытягивала ногу и любовалась эффектным зрелищем, покачивая в такт движениям ступни головой.

Качала головой и бабушка. Вздыхала, и сокрушалась, и ворчала:

– Разницу раки съели.

Мама на упреки внимания не обращала. Скручивала свои густые темные волосы в тугой узел на затылке и объявляла:

– Пойду купаться.

– И я, – тут же радостно хлопала в ладоши Аня.

Губы матери кривились в недовольной гримасе:

– Дома сиди!

Детский подбородок дрожал от обиды, нос хлюпал, а на глазах выступали слезы.

– Возьми девчонку-то, – вступалась бабушка.

Мать брала, но всю дорогу до залива и обратно хмурилась и обиженно молчала. Молчала и Аня, неизвестно почему чувствовавшая себя виноватой. И так неприятны были эти совместные вынужденные прогулки, что проситься на них девочка вскоре перестала.

Да и некого было просить. Мама наезжала с неожиданным визитом раз в несколько месяцев, задерживалась на пару дней, чтобы, как она выражалась, «отдохнуть от суеты» и снова исчезнуть на неопределенный срок.

Порой визит ограничивался несколькими часами, а то и минутами:

– Беги, сиротка! Мамка твоя приехала, – зычно звала Аню соседка.

Пятилетняя Аня бросала веселую игру в чехарду и мчалась так быстро, насколько позволяли ноги.

Бежала, не останавливаясь, не переводя дыхание, но все равно опоздала. Матери и след простыл. Вместо нее посреди комнаты стоял темно-коричневый ящик на треноге.

– Чавой-то? – пнула она треногу.

– Телевизор, – важно ответила бабушка. – Будем с тобой теперь, как городские, идти в ногу со временем.

И пошагали. Включали телевизор, звали соседей. Смотрели съезды каких-то непонятных депутатов, смеялись над «дорогим товарищем Брежневым», детвора набивалась к Ане на «Спокойной ночи, малыши!». Но больше всего любили художественные фильмы. Аня тоже любила и смотрела, затаив дыхание, боясь пропустить хоть слово, потому что верила: актриса в телевизоре смотрит только на нее и общается только с ней.

Однажды спросила бабушку:

– А когда ее оттуда отпустят?

– Кого?

– Маму. Из телевизора.

– Можно подумать, ее там кто-то насильно держит, – нахмурилась пожилая женщина.

– Она сама там хочет сидеть? – удивилась маленькая Аня. – А ей не больно?

– Ей-то нет. А другим несладко. – Бабушкины намеки оставались, конечно, за гранью детского понимания. Аня приняла только одно: мама живет в телевизоре и ни за что не желает оттуда вылезать.

– Я, когда вырасту, тоже туда залезу.

– Тебе-то зачем?! – схватилась за сердце бабушка.

– К маме хочу, – честно признался ребенок, а пожилая женщина поспешила скрыть подступившие слезы, погладила девочку по голове:

– Сиротинушка ты моя!

Аня тогда не поняла ни причины бабушкиных слез, ни странного названия «сиротинушка». Позже поинтересовалась:

– Почему меня сиротой называют? У меня родители есть.

– Где они есть-то? – вздохнула бабушка. – В телевизоре?

В телевизоре мама появлялась гораздо чаще, чем в реальной жизни.

– Почему ты не приезжаешь чаще? – иногда выговаривала бабушка. – Девчонка совсем извелась, ждет ведь.

– Мама, меня ждут сотни людей. И потом, ты же знаешь, мы живем в Москве. Оттуда не наездишься, – отбрыкивалась дочь и, дабы избежать дальнейших нотаций, обращалась к ребенку: – Смотри, Нука, что мы с папой тебе купили.

Из сумочки вынималась простенькая игрушка: резиновый мячик, пластмассовый совок или скакалка – что-то, что можно купить на бегу в последний момент, не выбирая, не выискивая и не стараясь угодить.

Аня всегда вежливо благодарила и даже улыбалась, хотя ей гораздо больше хотелось бы увидеть отца, а не его ничего не значащие подарки. Но она не решалась проявлять любопытство. Знала: мать церемониться не станет. Чуть что не по ней, взбрыкнет хвостом и уедет, только ее и видели. И потом ходи, скучай полгода в ожидании следующей встречи.

Аня молчала. Бабушка иногда проявляла решимость и укоризненно ворчала:

– Нечего девке зубы заговаривать да игрушками голову морочить!

А однажды добавила:

– Привезла бы лучше папаньку, если он есть, конечно.

Аня эту фразу слышала и потом никак не могла понять, как же нет папы, если подарки от него привозились исправно. Папа действительно был. То ли подействовало бабушкино недоверие, то ли была какая-то иная причина, но через какое-то время к ним на порог шагнул неизвестный мужчина, гаркнул «Здрасте», зыркнул на девочку черным глазом и спросил строго:

– Ты, что ли, Нюка?

– Я Аня.

– Аня? Мне по-другому докладывали. Ладно, Аня так Аня. Ну, – и он вдруг широко улыбнулся: – Будем знакомы, Аня, – и протянул ей большую ладонь.

– Будем. – Маленькие детские пальчики юркнули внутрь широкой мужской руки. – А ты кто?

– Я? Ну... Вроде как папа твой.

Папа оказался высоким симпатичным смешливым дядькой. Он щекотал Аню, подкидывал к потолку и не возражал против совместных купаний. Приезжал тоже редко, но время проводил с пользой для ребенка, а не для себя. Каждый визит оборачивался праздником и запоминался чем-то особенным.

Вот они идут к заливу, и Аня еще с берега замечает на волнах катер. Она не успевает ни спросить ничего, ни удивиться неизвестно откуда взявшейся моторке, как отец уже вскидывает вверх руку и кому-то машет. Катер откликается тремя призывными гудками, а папа, радуясь, как ребенок, обращается к Ане:

– Прокатимся?

И вот она уже стоит у бортика, ловит соленые брызги, щурится от солнца, визжит на крутых поворотах и заливисто хохочет от такого незнакомого и небывалого прежде ощущения счастья.

Еще ходили в лес. Аня все больше старалась углядеть какой-нибудь гриб, не пропустить ягоду или собрать красивый букет. Отец же все больше смотрел вверх: туда, где сквозь ветви сосен на поляны и опушки пробирался солнечный свет. Он часто останавливался, крутил головой и говорил:

– Гляди-ка, Анюта, какая чудная перспектива. Отличная натура, просто замечательная: живая, неподдельная. Ничего придумывать не надо, ничего выставлять специально. Бери камеру и снимай.

– Какую камеру? – спросила тогда Аня.

– Да любую, – пожал он плечами.

В следующий раз он явился с огромным тяжеленным чехлом, из которого достал затейливый механизм с какими-то ручками, колесиками и огромной линзой:

– Вот она, камера. Только смотри, Анюта, аккуратнее. Сломаешь – век не расплатимся. Я ее на пару часов позаимствовал с площадки, чтобы тебя поснимать.

– А ты умеешь снимать?

Ане уже шесть, и она понимает, что люди все-таки не сидят в телевизоре, а появляются там благодаря какой-то загадочной пленке.

– Вот чудак-человек! Я же оператор. Киношку любишь смотреть?

Аня озадаченно кивнула.

– Вот я и снимаю эпопеи всякие.

– Актеров снимаешь?

– Ага.

– И маму?

– И маму. Только сейчас мы с ней на разных картинах работаем. Ну, давай, меньше слов – больше дела. Становись-ка.

Аня любила пересматривать эту пленку. Ей нравилась смешная маленькая девчонка с растрепанными волосами и облупившимся носом, которая бежала по полю за бабочками, что-то кричала и звонко смеялась, будто все ее детство было таким же беззаботным и безоблачным, как эти несколько заснятых для истории мгновений.

Поле, лес, залив, сильные, ласковые руки отца, несущаяся по полю девчонка, почти не знакомая с матерью, и вынимающая из печки румяные пирожки бабушка – вот то сочетание людей и событий, которое представлялось Анне деревенским стилем. А мебель? Мебель она тоже помнила, но была это простая кровать, два стула и стол, непримечательные и неинтересные, да и стиля в них не было никакого.

– Вы же сказали, что ваша девочка не слишком любит природу? – обратилась Анна к заказчикам.

– «Белая береза под моим окном»? – переспросила женщина.

– Что-то вроде.

– Нет, это точно не про нас.

– Но вы хотите, чтобы комната нравилась прежде всего дочери, а не вам, правильно?

– Да-да, конечно, – хором согласились клиенты.

– Тогда кантри придется исключить. Можем обойтись без излишеств вроде шедевров архитектуры, но поискать все же в урбанистическом направлении.

– Что же делать? – расстроилась женщина.

– Не переживайте! Я подумаю и пришлю вам возможные варианты. Как с вами можно связаться?

Мужчина вытащил из внутреннего кармана пиджака визитку:

– Вот, пожалуйста.

Анна прочитала указанную должность. Единственным понятным оказалось слово «директор». Остальное (мерчендайзинга, брендирования и отдела футурологического маркетинга) было вроде написано русскими буквами и даже имело смысл, но все вместе не складывалось в голове Анны в хоть сколько-нибудь разумную надпись. «По крайней мере, он далек от мира искусства». Единственный вывод, который она поспешила сделать и который пришелся ей по душе.

– Мне понадобится несколько дней, максимум неделя, – объявила Анна заказчикам. Они тут же встали, засобирались к выходу. – Подождите, самое главное забыла спросить: детская нужна в квартире или в доме? Вы за городом живете?

– Ой, что вы? – махнула рукой женщина. – Мы бы с удовольствием, но Светочка же школьница. По пробкам не наездишься. Так что пока мы по Чехову: «В Москву! В Москву!»

«В Москву! В Москву!» – зазвенело в ушах Анны раскатистое эхо.

– В Москву? В Москву?! – десятый раз неверяще переспрашивала бабушка. – Но что я там буду делать?

– То же, что и здесь. Вытирать Нуке сопли, – откликнулась мама, снимая с полки очередную статуэтку, заворачивая ее в газету и убирая в чемодан. – Мам, ей в школу пора, – она кивнула на тихо замершую в углу девочку.

Аня боялась дышать. А вдруг мама послушает бабушку? Вдруг передумает? Что, если оставит их здесь, и придется еще лет десять слушать перешептывания за спиной:

– Это ведь дочка самой…

– Что вы говорите? А я ее тут никогда и не встречала.

– Да она носа почти не кажет. Что ей здесь делать-то?

– Да уж, не королевское это дело – каблуками грязь месить.

– Жалко девочку.

– Жалко.

– А папаша-то есть?

– Бывает какой-то. Чудной.

– Отчего же?

– То на катере девку катает с бешеной скоростью, то заставляет по полю бегать и сам за ней скачет с камерой на плече.

– А зачем ему камера?

– А бес его знает! Тоже поди из этих, из киношных.

– Наверное. Ох, жалко девку!

– Жалко.

Аня эти сплетни ненавидела. Отчасти за то, что они были истинной правдой. И сознание того, что ее действительно можно и нужно жалеть, делало существование невыносимым. Невнимание матери и прилюдные вздохи бабушки сделали свое дело: Аню, не таясь, называли сироткой и взрослые, и ребятня. Только теперь, понимая значение слова, она не могла принять такого обращения. Взрослым грубила, ровесникам отвешивала тумаки. Ходила с синяками, но с высоко поднятой головой. Старалась изобразить равнодушие и рыдала ночами в подушку. Много ли силы воли у маленькой девочки? Она держалась, но из последних сил – и мысль о том, что совсем скоро ей придется оказаться со своими обидчиками в одном классе, в стенах которого не скроешься ни от насмешек злючек, ни от жалостливых взглядов добряков, не давала покоя и заставляла надеяться на то, о чем она и мечтать не смела.

Мама приехала совершенно неожиданно. С момента последней встречи прошло не больше месяца, а такими частыми визитами она их прежде не баловала. Не зашла, а влетела. И не с усталым видом, а с игривой, даже радостной улыбкой на лице. И не бросила мимоходом равнодушное «Привет. Как дела?», а взъерошила Ане волосы и даже чмокнула в щеку – невиданная нежность!

– Что стряслось-то? – охнула бабушка, тоже пораженная этим невиданным ранее фейерверком.

А мама все продолжала смеяться. Ничего не объясняя, сняла с антресолей чемодан, открыла шкаф, начала вынимать оттуда вещи.

– Времени мало. Завтра приедет Серж с машиной.

Аня не удержалась: прыснула. Манера мамы называть всех чудными именами и веселила ее, и вызывала в то же время жгучую неприязнь. Чего только стоило это ее вечное «Нука»!

– Почему мама меня так называет? – спросила она как-то бабушку.

– Так по имени ведь.

– По имени?

– Ты же у нас Анук, не знаешь разве?

Аня помотала головой, переспросила, пробуя диковинное имя на вкус:

– Анук?

– В честь французской актрисы Анук Эме. Уж больно она твоей маме нравилась, да и меня она все попрекала. Говорила: «И где только вы такое имя отыскали, Алевтина? С ним не на сцену надо выходить, а в хлеву корячиться». Глупо, конечно. Имя красивое, оно и на сцене звучит, да и в хлеву ни с каким не грешно копаться. Да свою-то голову не приставишь. Хотела она тебя назвать по-особенному – так и сделала. А мне что? Анук так Анук. Сказанного не исправишь.

– Не исправишь? – Аня хоть и маленькая, но смекалистая. Понимает, что бабушка так ее в свою угоду зовет.

– Ладно, девка, не береди душу.

– Бабуль, а она красивая?

– Кто?

– Анук эта?

– А-а-а. Да, очень.

– Тогда хорошо.

Аня все ждала, когда же ее назовут именем знаменитой француженки. Но мать приезжала и начинала понукать: «Нука, отойди! Нука, не лезь! Нука, отстань!» И тогда:

– Бабушка, я буду Аней, ладно?

– Что значит «буду»? Ты у меня Аня и есть.

– То у тебя, а то вообще. Я буду вообще Аней.

– Ну, будь. Отчего же не быть-то?

И стала. Для всех и всегда, кроме матери. А папа был просто Сережей. Или Сережкой. Или Серым, как называли друзья. Или Сереней, как ласково его называла бабушка в благодарность за хорошее отношение к внучке. И только мама томно, выразительно и тягуче произносила: «С-е-ерж». И он откликался, так же, как Аня, чувствовал: «Спорить – себе дороже».

Теперь Серж должен был приехать с какой-то машиной. Мама была веселая, словно порхала по дому, хватала вещи (Анины вещи), бросала их в чемодан и даже что-то напевала. Потом вдруг остановилась посреди комнаты, обернулась к дочери и цыкнула недовольно:

– Что стоишь как вкопанная? Давай собирайся!

– Куда собираться-то, Аль? – вышла из оцепенения бабушка.

– В Москву. Какие же вы непонятливые!

Анино сердце сильно заколотилось. Она вихрем пронеслась по дому, хватая скакалки, мячи и кубики и бросая их в чемодан, а потом застыла в углу, прижав к груди единственную свою мягкую игрушку. Его звали Бобик. У него было надорвано одно ухо, а правая пуговица глаза болталась на длинной ниточке. Но он был самым лучшим и самым любимым, потому что его привез папа и сказал:

– Держи. Это немецкая овчарка. У нас такая же в кино снималась. Считай, что это ее щенок.

Аня так считала. Любила игрушку и не расставалась с ней. И теперь крепко сжимала в руках своего Бобика, страшно боясь, что мама возьмет и послушает бабушку.

Страхи были напрасными. Мама никого и никогда не слушала, кроме себя. Не было на свете такого человека, который бы заставил ее свернуть с намеченного пути. А путь был теперь один: в Москву.

– Нельзя ей здесь оставаться, – твердила мама. – Ты хочешь, чтобы она всю жизнь, как ты, говорила: «Чавой-то»? Что обо мне люди скажут?!

– Тебя только и волнует, что о тебе скажут. А наши желания, мысли, слова – пустяки.

– Едем, и точка.

И они поехали. Аня – радуясь и предвкушая, мама – довольная исполнением выполненного плана, бабушка – расстроенная и взволнованная: большой город заранее пугал ее и заставлял то и дело повторять: «Как же я там буду жить?»

– Не понравится – вернешься в деревню, – «успокаивала» ее дочь.

– В какую деревню? Дом давно колхоз забрал.

– В Комарово поедешь.

– А за Анюткой кто же смотреть будет?

– Не маленькая – сама справится.

– Как же сама-то? – пугалась бабушка и затихала на время, но потом снова начинала охать и причитать.

Мама злилась, говорила коротко:

– Считай, что временно едешь. Я же сказала: «Не понравится – вернешься».

– Временно?

– Временно.

Оказалось навсегда. Возвращаться очень скоро стало некуда. Комарово мать продала при первой же возможности, объяснив это незамысловатым «далеко мотаться». Бабушка пробовала возражать и что-то говорить о свежем воздухе для ребенка, но у матери и на это был готовый ответ:

– На море поедете, а потом в пионерлагерь Нуку отправлю.

– В лагерь? – ужасалась бабушка. – Она же маленькая!

– Ничего не маленькая. Там все такие же, как она.

Аня немедленно приготовилась бежать в лагерь, где, как ей казалось, ее ждут такие же заброшенные, как она, актерские дети, которых провожают жалостливыми взглядами и называют при живых родителях «сиротами». На деле все оказалось иначе. Ребята писали домой письма и получали ответы, у костра наперебой вспоминали веселые истории из киноэкспедиций, в которые их брали родители, делились впечатлениями о театральном закулисье. И только Ане сказать было нечего.

Именно тогда она впервые подумала, что во что бы то ни стало у нее будут и свои экспедиции, и свои роли, и своя сцена. Она как-то сразу безоговорочно поверила в то, что ей, как и матери, удастся покорить Москву – и тогда ее уже нельзя будет не заметить, не похвалить, проигнорировать. Станет такой же великой и значимой. Ее будут провожать восхищенными взглядами и шептать вслед «Это она!». И тогда мама поймет свою ошибку, и признает в ней родственную душу, и станет гордиться дочерью, до сих пор вызывавшей лишь брезгливое недовольство.

Москва манила и притягивала, открывала возможности и дарила надежды. И маленькая девочка не ведала о том, что большой город, сияющий огнями, позволяющий увидеть множество приоткрытых дверей, может так же легко захлопнуть эти двери и в одно мгновение перечеркнуть все прекрасные мечты. Маленькая девочка Аня этого не знала, а взрослая женщина, стоявшая на крыльце дома и смотревшая вслед машине клиентов, испытала все в полной мере.

Анна вернулась в дом, прошла в комнату. С кровати на нее смотрели полные тревоги глаза больной. Конечно, она все слышала, не могла не слышать хотя бы обрывков разговора. Тем более, уже прощаясь, женщина снова повторила: «Где-то я вас все-таки видела».

– Думаешь, надо уезжать? – спросила Анна, присаживаясь на край постели.

– Сегодня повезло, не узнали, а завтра – кто знает? – тихо прошелестело с кровати.

– Да, ты права. Но куда уехать? Здесь, ты же знаешь, мы ничего не платим.

– Чей это дом, Нука?

Анна не ответила. Отвернулась, задумалась о чем-то своем, потом сказала, глядя больной в глаза:

– Твои туфли. Если бы только я могла их надеть хоть один раз...

– Какие туфли? О чем ты? – Она ничего не поняла.

Но Анна и не рассчитывала на понимание.

15

Аля Панкратова понимала только одно: на безоблачное устройство дальнейшей жизни у нее есть полгода. Полгода до очередного отъезда художника в Америку, откуда он возвращаться уже не собирался.

Развелись тихо и быстро, когда виза уже была получена, а билет куплен. Так же быстро, буквально на следующий день, Аля выскочила замуж за монтажера с «Ленфильма» – вариант, конечно, временный, но необходимый. Чужая фамилия в паспорте защищала от неминуемых вопросов со стороны органов: «Куда же вы смотрели, Алевтина Андреевна? Мы к вам, как говорится, со всей душой, а вы...» Души Алю, как водится, не волновали. Она заботилась о собственном теле, которое должно было остаться неприкосновенным, чтобы в полную силу засиять на звездном небосклоне кинематографа.

Расчет оказался верным. Художник остался в Америке, Аля – с новым мужем, а всесильные органы – с носом. Бывший муж передавал с оказией письма то из Вашингтона, то из Нью-Йорка, то из Сан-Диего, и Аля, любуясь Пентагоном, небоскребами и океанскими пляжами, не могла отказать себе в мыслях о благородстве собственной души. Если бы она не принесла себя в жертву монтажеру, сидел бы всеми забытый художник в мастерской и пил с тоски, а так вполне себе ничего: колесит по Штатам, гребет доллары и наслаждается жизнью. Нет, за его судьбу Але себя корить не приходилось.

С монтажером, правда, красиво расстаться не вышло. Он кричал, что не переживет и наложит на себя руки, но Аля осталась непреклонной: ее жизнь шагала по собственной траектории, а жизнь монтажера была лишь проходной ступенькой. Задерживаться она на ней не собиралась, поэтому и объявила о разводе при первой же открывшейся возможности. Монтажер то плакал, то обещал удочерить Алину дочь (козырь, женщину нимало не волновавший), то грозил карой небесной, то отчаянно злился, а один раз даже позволил себе мазануть по Алиной щеке. После чего она, не раздумывая, собрала вещи и была такова.

Слышала потом, что через несколько месяцев монтажер, допившись до чертиков, шагнул-таки из окна «Ленфильма» и остался с ампутированными ногами на попечении старой матери. Но Але до этого дела не было: через слабых, бесхарактерных и пьющих мужчин она перешагивала, как через пустое место. Пустое место – это ничего, а из-за ничего не переживают. Перешагнула и пошла дальше.

Дальше оказался встреченный на съемках оператор: холост, молод, симпатичен, обладатель гитары, хорошего голоса и московской прописки. Аля чуть улыбнулась, немного поиграла в неприступность, там посмеялась, здесь пожаловалась на судьбу – и к концу съемок завладела всеми богатствами оператора. Про ребенка решила молчать. Сначала боялась спугнуть, потом стыдилась признаться, а дальше и вовсе забыла. Живет себе девчонка в Комарове, пусть себе живет. Кому от этого хуже?

Хуже, однако, как выяснилось, могло оказаться самой большой актрисе. Она действительно поднялась, заняла первую строчку не только в титрах многих шумевших на весь Союз фильмов, но и получила ставку в одном из главных столичных театров. Так же, как когда-то Аля чувствовала себя опьяненной романтичной грустью Ленинграда, кружилась у нее голова от энергичной, бурлящей жизнью Москвы. Ей нравились широкие проспекты и несущиеся по ним машины; нравились мосты, которые не разводились и позволяли задерживаться в любой части города за полночь; нравились люди, казавшиеся менее суровыми и чопорными. Ее вдохновляла жизнь на бегу и радовала возможность по праву называться «столичной штучкой».

Но самое большое удовольствие Аля получала от обрушившейся на нее – по праву – лавины зрительской любви. Ее узнавали, к ней подходили за автографами, в магазинах ей доставались дефицитные продукты, в универмагах ждали лучшие ткани, в поездах и самолетах – лучшие места.

Впрочем, у славы имелась и оборотная сторона – сторона неминуемая, но, как правило, не кажущаяся настолько значимой и всесильной в начале звездного пути. Имя этой стороне было «пресса»: печать, телевидение, радио, где работали талантливые и пронырливые журналисты, готовые перегрызть друг другу глотки за необычную информацию и гоняющиеся за сенсациями так же рьяно, как обычные люди за «останкинской» колбасой в магазине.

Аля почувствовала запах жареного, как только на очередном интервью милая и казавшаяся безобидной журналистка попросила рассказать о детстве. Аля выложила привычную историю о мечтах о сцене и бегстве из колхоза и посчитала тему исчерпанной. Но «безобидная» девочка уткнулась в собственные записи и, полистав тетрадку, неожиданно выдала:

– Насколько я знаю, вашего отца уже нет в живых, а мать несколько лет назад уехала из поселка. Где же она теперь?

Что отвечать? Сказать «не знаю» – срам на всю страну. Открыть правду – могут и к матери нагрянуть с расспросами, а там и ребенка увидят, и полетят по стране молниями заголовки: «Звезда бросила ребенка», «Заслуженная артистка не справилась с ролью матери», «Панкратова недостойна звания советской женщины» и что-нибудь подобное.

– Вы же знаете, что я какое-то время жила в Ленинграде?

– Да, конечно.

– После смерти папы, – в этом месте рассказа зажатый в руке платочек неизменно путешествовал к глазам, – я забрала ее к себе. И, знаете, она буквально влюбилась в город, пока не находит в себе сил приехать ко мне. Но я скоро ее уговорю, не сомневайтесь.

– Прекрасно. Поговорим о вашей новой картине?

«Первую ласточку» остановили несколько тонко сыгранных фраз, но ведь могли прилететь и другие. И не ласточки, а орлы, готовые не только вывернуть душу, но и выклевать печень. Требовалось опередить вездесущих журналистов.

На помощь пришел оператор. Признание жены нисколько его не покоробило. Алю он любил, человеком был легким и незлобным и относился к той породе по-настоящему нормальных мужчин, которые не считают прошлое женщины достойным внимания, обсуждения и тем более осуждения. Появление ребенка в собственной жизни он счел фактом презабавным и даже удобным.

– Пеленок не стирать, ночами не колобродить. Подрощенный экземпляр – что может быть лучше? – объявил оператор жене и отправился в Комарово знакомиться с девочкой. Поездкой остался доволен, а вернувшись, объявил:

– К школе перевезем. И ребенку хорошо, и у тебя достойное объяснение.

– Ты уверен?

– Если бы ты только знала, какое количество киношников оставляет детей на попечение бабушек и дедушек! И никто их за это не травит.

Аля прекрасно знала, что ее-то травить есть за что, но лишь спросила:

– Правда?

– Конечно. Ты просто не интересуешься чужой личной жизнью, а такие истории в нашем мире – на каждом шагу.

Встречались, наверное, и похожие истории, но других все же было больше. В них детей любили, и скучали по ним, и страдали от разлуки. Но что Але до других? Ее жизнь гораздо важнее. А в ее жизни самое главное – свет рампы и окрик «Мотор!», а остальное так, между делом.

Между делом перевезли ребенка в Москву. Бабушку тоже забрали (Комарово хотели продать, не выселять же ее в коммуналку: что скажут люди?). И зажили прежней жизнью: съемки, гастроли, спектакли.

– Нука, ты в каком классе?

– В пятом.

– Обалдеть! Это что же, мне уже скоро тридцать пять? Какой ужас! Иди в свою комнату, чтобы глаза мои тебя не видели! – пугалась Аля, тщательно разглядывала себя в зеркало, бежала на кухню мять клубнику и намазывать ею лицо, как героиня полюбившейся картины. Смывала мякоть и говорила: – Ничего, и в тридцать пять еще королев играют.

– Нука, что интересного было в лагере?

– Родительский день, на который ты, как всегда, не приехала.

– Ты что, обижаешься? На обиженных воду возят. Ты же знаешь: у меня работа.

– А ты знаешь, что у тебя есть дочь?

– Нука, бабушка сказала, ты ходишь в театральную студию. Это еще зачем?

– Мне нравится.

– Что значит «нравится»?

– Я хочу стать актрисой.

Хохотала Аля долго, заливисто и обидно. Со стороны, впрочем, могло показаться, что у ее смеха есть некий резон. По сравнению с красавицей-матерью тринадцатилетняя в то время девочка выглядела гадким утенком. Черты лица были еще не сложившиеся и какие-то размытые. Всего было в избытке: слишком широкий рот, слишком вздернутый нос, слишком густые брови и слишком сильно накрашенные глаза, фигура угловатая и мальчишеская. Ноги, правда, длинные, но до того худые, что болтавшаяся мини-юбка их скорее уродовала, чем украшала. Несмотря на перестройку, в школе такой вид ученицы приводил учителей в ступор и заставлял без устали строчить записки актрисе и названивать домой с требованиями явиться в школу и разобраться с дочерью. Артистка оставалась недоступной. Але эта тема казалась мало занимательной. Вот сообщение о занятиях в театральной студии – это да. Это можно обсудить. Обсудить для того, чтобы объяснить бестолковой девчонке: ей до актрисы как до луны. Поэтому, отсмеявшись, Аля и пустилась в объяснения:

– Хотеть и стать – разные вещи, Нука. Нужны данные, понимаешь? А у тебя их нет.

– С чего ты взяла? Дело не только во внешности!

– Конечно, – вынужденно согласилась Аля. – Нужен талант.

– Почему ты считаешь, что у меня его нет?

– Потому что на детях природа отдыхает.

– Ты даже ни разу не видела, как я играю.

– У меня нет времени ходить на дурацкую самодеятельность.

– А у отца есть.

– Вот пусть он и ходит.

– Он говорит, что у меня получится.

– Говорят, что кур доят...

– Мама, если вы разошлись, это не значит, что он стал плохим оператором и перестал разбираться в качестве актерской игры.

– Конечно же, нет. Я так и не думаю. Но насколько я вижу, разведясь со мной, он не перестал быть тебе отцом. Отцы слепы по отношению к своим дочерям, разве ты не знаешь? Особенно хорошие отцы.

Оператор отцом действительно оказался неплохим. К ребенку, хоть и не родному, по-настоящему привязался, удочерил ее и дал свое отчество, и долгие годы оставался для нее единственным папой. Бабушка по старинке предпочитала держать язык за зубами, мама полагала, что, потянув за ниточку, можно размотать весь клубок, а пресса, конечно, пронюхавшая о судьбе биологического отца девочки, не сговариваясь решила молчать. Так или иначе, Аня не сомневалась в кровном родстве с человеком, которого называла папой. И у нее имелись на это все основания.

– Анютка-незабудка, я дома! – бывало, раздавался с порога веселый голос, и Аня со всех ног летела к двери, подпрыгивала и прижималась щекой к колючей щеке отца. Потом отпрыгивала в сторону и лихо исполняла залихватский танец аборигенов Полинезии, громко выкрикивая:

– Приехал! Приехал!

– Кино или кафе? – спрашивал он, весело подмигивая, и девочка смеялась и требовала всего и сразу: и кафе, и кино, и танцы, и побольше.

Много позже Аня смогла оценить такую самоотверженность. Чаще всего из экспедиций возвращаются уставшими и опустошенными. Желания у всех одинаковые: поесть, поспать и побриться – в общем, отдохнуть и привести себя в порядок на то недолгое время, что отпущено до очередных съемок. И для того, чтобы тратить это драгоценное время на тесное общение с ребенком, необходимо действительно этого хотеть.

А он хотел. Водил Аню в музеи, в Дом кино и в ресторан ВТО, представлял своим друзьям – не последним людям в мире искусства. И делал это с таким видом, будто знакомил их с английской королевой. В его общении с девочкой не было фальши. Аня его по-человечески интересовала. Если бабушка волновалась о том, сыта ли она и здорова ли, а мама не думала вообще ни о чем, то отца занимали ее мысли и взгляды. Он часто интересовался ее мнением, внимательно выслушивал, предлагал вступить в спор – общался на равных. А потом...

Сначала умерла бабушка. Ушла тихо и неожиданно, во сне. Ухода этого, кроме Ани, никто до конца так бы и не заметил, если бы через какое-то время не обнаружили, что в доме нечего есть, белье давно не стирано, а по углам клочьями клубится пыль. У оператора были зоркий глаз и голодный желудок, и при всей неземной любви к актрисе Панкратовой ему хотелось жить в чистоте и сытости. Несколько раз муж намекал, потом просил, умолял и даже грозил. Но не встречались на свете такие угрозы, которые могли заставить Алевтину делать то, к чему ее душа не лежала.

До поры до времени она молчала, потом стала огрызаться и говорить, что она актриса, а не посудомойка. А затем на одном из спектаклей познакомилась с ученым, у которого, помимо титулов и званий, была домработница. Муж-академик, чаще заседавший на конференциях, чем дома, явно выигрывал сравнение с вечно недовольным оператором.

Алевтина махнула хвостом, поставила в паспорте очередные две печати и переехала в шикарные хоромы в сталинском доме: кухня пятнадцать метров, потолки – три, санузел раздельный, квартира многокомнатная, можно потеряться. Тринадцатилетнюю Аню забрала с собой. Нашелся бы вариант оставить – оставила бы, да и девочка говорила о своем желании остаться с папой. Но оператор к моменту развода тоже подошел подготовленным: зря времени не терял, познакомился с симпатичной женщиной и вознамерился стать хорошим отцом двум ее малолетним отпрыскам.

Аню из жизни, конечно, не вычеркивал. Встречался по мере возможности, но не так часто, как ей того хотелось. Любви у него с новой мадам не вышло, ее дети исчезли из его жизни, не успев оставить глубокого следа в душе, и оператор вспомнил, что стареет, жизнь идет, а собственным потомством он так и не обзавелся, – поэтому и занялся поисками той единственной, которая сможет зализать все его душевные раны и осчастливить крепкими семейными узами.

Единственные сменяли одна другую, и только Анины звонки оставались до поры до времени неизменны.

– Знаешь, меня собираются отчислить из школы.

– Тебя? Что стряслось, малыш?

– Я крашусь и ношу мини-юбки.

– Это было бы странно, если бы ты была мальчиком.

Аня хохотала и спрашивала:

– Папа, ты зайдешь в школу?

– Прости, малыш, не получится. Как-нибудь в другой раз.

– Пап, у меня два билета на премьеру во МХАТ.

– Где взяла?

– Маме дали, а она на гастролях. Пойдешь со мной?

– Есть вариант получше: отдаешь мне оба, получаешь двойную цену и чешешь с друзьями за портвейном. Классная идея?

– Да, но я хотела пойти с тобой.

– Со мной? А-а-а... Ну, как-нибудь сходим, Анютка-незабудка, ладно? Но в другой раз, в другой раз, моя хорошая. Сейчас не до тебя, малыш, понимаешь?

Малыш понимал. Малыш привык. Малыш даже ждать перестал. Звонить только не мог перестать. Не мог потому, что иногда встречи все же случались. И были кино, и кафе, и разговоры. Но теперь в компании постоянно присутствовал кто-то третий, точнее, третья. И все развлечения адресовались прежде всего ей, а не Ане. Ей заказывали жаренную с золотистой корочкой картошку и котлеты по-киевски, ей читали Блока и рассказывали о Бунюэле. А Ане? Ане звонили позже и спрашивали:

– Ну, как тебе Маша, Даша, Соня?..

Ане было пятнадцать. Аня была одна. Она мечтала стать актрисой и нуждалась в ком-то, кто мог ее поддержать. Театральный кружок, где она занималась и из-за которого ее в конечном итоге оставили в школе и даже не слишком сильно прорабатывали на комсомольском собрании, действительно больше походил на самодеятельность, актриса Панкратова не ошиблась. Но все же похвалы руководителя студии внушали Ане оптимизм. И чем больше скептицизма и презрения слышала она в словах матери, чем дальше отдалялся от нее отец, не желавший вникать в ее проблемы и мечты, тем крепче становилась ее решимость доказать им двоим и всему свету, что она стоит многого.

Решить — дело одно, претворить в жизнь — совсем другое. Аня не знала, чего ей не хватило во время первой попытки поступления. Может быть, протекции близких, возможно, раскрытого, обнаженного таланта, но скорее всего — и того, и другого. Шестнадцать-семнадцать лет — это уже немало, но недостаточно для того, чтобы остаться один на один со взрослой жизнью. Тяжело одному переносить неудачи, тяжело не иметь поддержки. Тяжело жить тогда, когда в тебя не верят и ничего от тебя не ждут.

Папа по-прежнему ждал неземной любви. Мама ждала и дожидалась хороших ролей. Академик ждал государственных премий и грамот. Об Аниных успехах никто не заботился. Никто не посчитал нужным помочь юной девушке сделать первый шаг к желанной вершине. И что же она? Она встретила Мишу. Хотя, возможно, все это и происходило с ней лишь для того, чтобы она встретила Мишу.

16

Михаила перестали раздражать деревенские. Ему казалось, что с глаз наконец упала пелена предвзятости, которую он долго испытывал по отношению к этим людям. Он вдруг обнаружил, что среди простых, необразованных и «серых» людей, какими они ему раньше казались, есть немало талантливых, знающих и душевных: так же переживающих, так же тонко чувствующих, так же разбирающихся в жизни. И сам не заметил, как прихожане из вынужденной обузы превратились в интересных собеседников и даже в какой-то степени в единомышленников. Они вместе перевоспитывали сложных подростков, вместе придумывали интеллектуальные развлечения, вместе находили способы жить, а не выживать. Михаил удивлялся и радовался этим новым ощущениям. Именно такой – радостный и обновленный – приехал он навестить своего наставника в больницу.

Отец Федор выглядел как обычно: маленький, тщедушный и совсем слабый, он лежал под простыней, и по мучительному выражению лица его было заметно, что и эта простыня была слишком тяжела для него. Если бы не спутанная борода, торчавшая из-под белой ткани, старика можно было бы принять за ребенка – таким высохшим стало его тело. Однако он был в сознании. Взгляд, мутный от терзавшей его боли, прояснился при виде Михаила. Тусклые глаза заблестели радостью, а сухие потрескавшиеся губы попытались изобразить улыбку. Он даже попытался подняться, но, быстро поняв безнадежность усилий, прошелестел только:

– Ну, садись, садись, рассказывай. Что там на белом свете делается?

– Вот, – Михаил выложил на тумбу у кровати документ, – паспорт ваш нашел. Зачем вы его в Евангелие засунули?

Отец Федор изобразил движение, отдаленно напоминавшее пожатие плеч:

– Нашел, и спасибо. Хорошо, что нашел. Наверняка он уже скоро понадобится. Да ты не хмурься, не стоит! Радоваться надо, а не печалиться! Я ведь скоро отца нашего увижу, может статься, и потолкую с ним, и вопросы задам. Это ведь большая радость – говорить с родным отцом. А у меня, знаешь ли, немало к нему вопросов накопилось. Что же ты нос повесил? Это все, сынок, от неверия. Если бы ты в Господа поверил, был бы сейчас счастливым. Понимал бы, какая это отрада для верующего предстать перед Богом. В вере спасение. В ней одной.

– Тут не поспоришь.

Михаил уселся на стул и заговорил о делах прихода. С гордостью рассказал о своих успехах и достижениях. Поведал и о танцах в клубе, и о новом школьном учителе труда. Как ни старался, не мог скрыть самодовольства, даже раскраснелся, будто девица, когда явно довольный заслугами ученика отец Федор сказал:

– Я в тебя верил, сынок, и не ошибся. Вот видишь: вера дорогого стоит.

– Согласен, – тут же поддержал Михаил. – Я, собственно, об этом и хотел сказать. Я, например, вообще считаю, что ничего важнее веры в жизни нет. Только не обязательно верить в Бога. Даже совсем не обязательно. По-моему, гораздо лучше верить не в мифических персонажей, а в реальных. Верить в себя, в людей. Тогда можно горы свернуть. Я заметил, что многие буквально перерождаются, начав верить в собственные силы. Так что в одном вы правы, отец Федор: вера – в жизни главное.

Уставшие от этой самой жизни глаза долго, внимательно и неотрывно смотрели на Михаила. Потом с подушки раздался протяжный звук, напоминавший вздох, и, наконец, умирающий мудрец ответил:

– Ничего-то ты не понял, сынок. Главное в жизни – любовь!

Любовь была пьянящей, упоительной и счастливой. В общем, такой, какой должна быть любовь. Чем дольше Миша жил с Аней, тем больше убеждался, что она была для него именно тем подарком, который посылает судьба в награду за испытанные страдания. Она стала его наградой за нелюбовь отца, он – ее за нелюбовь матери. Они так прочно вросли друг в друга, что, казалось, никто и ничто на свете не сможет разрушить эту связь никогда.

После признания Миши в болезни матери и долгого, откровенного выворачивания душ наизнанку они молчали, опустошенные, боясь спугнуть возникшее у обоих чувство неимоверной близости. Тишина, наконец, стала невыносимой. Надо было сказать что-то цельное и настоящее. Телячьи нежности и признания в вечной любви не подходили. Миша отчаянно пытался нащупать то самое единственно правильное слово, которое поставило бы в разговоре не многоточие, а жирную красивую точку.

Он пытался, а получилось у Ани. И не точку она поставила, а восклицательный знак:

– Тебе надо вернуться к маме.

– Что? – Конечно, он подумал, что ослышался. Хотя и такого исхода можно было ожидать: зачем ей муж, отягощенный дурной наследственностью и в придачу свекровь, этой самой наследственностью отяготившая?

– Да. Нам надо вернуться к твоей маме.

– Нам? Нам? Нам! АНЬКА!!!

И телячьи нежности, и признания в вечной любви теперь пришлись весьма кстати.

Вернулись. Стали налаживать быт. Жизнь казалась почти простой: планов громадье, надежд вагон, будущее прекрасно и удивительно. Сомневаться в этом не было никаких оснований: Михаил, пережидая время застоя в кинематографе, устроился на телевидение. Работал режиссером сразу нескольких программ, и хотя занятием своим был доволен только из-за того, что оно давало возможность не думать о хлебе насущном, в депрессию не впадал. Благо возраст позволял надеяться, что случится в его жизни еще серьезная картина и не одна.

Аня продолжала учиться, подрабатывая между лекциями и этюдами там же, на телевидении. Конечно, сыграла свою роль протекция мужа, но и себя было ей за что похвалить. И прежде всего за то, что в свое время не бунтовала против школьной программы и уделяла достаточное количество времени английскому. Язык интересовал ее в основном потому, что в их доме актрисы и оператора имелись видеомагнитофон и масса кассет, привезенных из командировок или подаренных на зарубежных кинофестивалях. Хотелось посмотреть и понять всё. Аня начала смотреть, а потом и понимать научилась. Если и было ей о чем пожалеть в период работы на дубляже, так это о том, что кассет на испанском языке в доме родителей не было: латиноамериканских сериалов показывали гораздо больше, чем американских или английских.

Аня и Миша были юны и неиспорчены. Их, молодых, наивных, энергичных, хватало на все: учебу, работу, походы в кино, театры, музеи... Редкие выходные проводили увлеченно и вкусно: то ехали в какую-нибудь подмосковную усадьбу, внимательно слушали экскурсовода, а потом, смеясь и дурачась, разыгрывали в приусадебном парке сцены из только что услышанной жизни Тютчева, Шереметева... Бывало, если позволяла погода, отправлялись в импровизированный поход: Аня собирала плетеную корзину вкусностей (сыр, свежий белый хлеб, бутылка дешевого красного вина) и объявляла о начале променада. Миша галантно подхватывал корзину и, целуя жене руку, шаркал ножкой и произносил: «Madame». Шли до ближайшего леса, где в компании таких же фантазе ров-ровесников сидели до вечера на каком-нибудь удобном и так кстати поваленном бревнышке: рассказывали анекдоты, пели Гребенщикова и Цоя и спорили до хрипоты о том, кто из бардов самый-самый.

Случалось, ходили в гости. Попадали в разные компании. В скучных чинно сидели за столом, говорили о политике и спешили поскорее распрощаться. В своих, театральных – веселых и беспафосных, – играли в лото и в карты, гадали и тряслись, радостно маша конечностями, под «Modern Talking».

Редко, но все же приглашали друзей к себе, когда были уверены: разговоров о спящей в соседней комнате Леночке не случится.

Периоды полного просветления случались у Мишиной матери не часто. Как правило, им предшествовали недели странного, отрешенного молчания вперемежку со слезами и надрывными, горькими стонами. В такие моменты Миша готов был бежать из дома куда глаза глядят: задерживался допоздна на работе, а в свободные дни придумывал усадебные вылазки или променады. Аня же в силу неопытности пыталась поначалу справиться с этим состоянием свекрови: подходила, произносила слова утешения, гладила по голове, интересовалась поводом для безутешных рыданий. Но, поймав однажды стеклянный невидящий взгляд, осознала, что женщина ее не видит и не слышит, а потому любые слова и движения просто растворятся в пустоте.

– А врачи, Миш? Ее, наверное, лечить надо, – спросила как-то, желая хоть чем-то помочь и мужу, и его маме.

– Думаешь, не лечили? Чего только не делали! Если бы она хоть лекарства принимала, было бы легче, а то она говорит, что пьет, а сама их прячет, я видел.

Я, вообще, думаю: нам, наверное, стоит подумать о больнице. Хотя бы на эти периоды. Раньше ведь бабушка за ней смотрела. Только тоже долго не выдержала. Кому понравится родную дочь в таком состоянии видеть? Вот сердце и не выдержало: умерла.

Постороннему человеку могло показаться, что Миша говорил о страшной трагедии буднично и почти равнодушно, но Аня понимала: стоит ему проявить слабость, стоит действительно вспомнить о том, как это больно и страшно, он и сам может провалиться в депрессию и истерзать свое сердце. А для этого сердца не желала Аня ничего иного, кроме счастья. Потому и слушала его спокойно, деловито, без охов и вздохов. Понимала одно: для того, чтобы стать действительно полезной, необходимо знать истинную причину трагедии. Поэтому попросила, ласково тронув его за руку:

– Расскажи мне.

– О чем? – Он делал вид, что не понимает. И она настояла:

– О ком. О Леночке.

И он рассказал о маленькой девочке, родившейся инвалидом. О девочке, которая была послана свыше для того, чтобы подарить матери два года счастья, а затем забрать его с собой.

– Знаешь, Ань, я теперь даже не знаю, каких людей на самом деле считать нормальными. Конечно, я не могу судить, какой Лена могла бы вырасти. Знаю, она не смогла бы ни хорошо читать, ни внятно говорить, да и считать, наверное, не научилась бы. Но в одном я уверен: она никого не смогла бы обидеть. А человек, не способный на зло, видится мне нормальнее остальных. Во всяком случае, я точно могу тебе сказать: даун – это не диагноз, а иная и, возможно, лучшая жизнь. Да, они вызывают непонимание, недовольство и раздражение окружающих, но, по-моему, самое главное не иметь всего этого внутри себя. А моя сестренка была самой доброй на свете. Она улыбалась, протягивала ручки, все время складывала губки бантиком, выпрашивая поцелуй. Она всех нас заразила своей добротой. Если бы она осталась жива, вряд ли изменилась бы, так бы и осталась наивным ребенком. Да, наивным и беспомощным, но любящим весь мир. Но вышло по-другому.

Он замолчал. Замолчал тяжело, нехорошо. Надо было собраться с духом, чтобы заговорить об этом, как о чем-то постороннем, не мучаясь вопросом: почему это случилось со мной?

Это потом, через много лет, смертельно больной священник будет уверять Михаила в том, что происходящим в жизни событиям не следует задавать подобный вопрос. У них надо интересоваться, зачем и для чего они происходят. Но и тогда Михаил не проникнется этим советом. Что уж говорить о совсем молодом человеке, требующем от мира всего только самого лучшего, позитивного и радостного? Он так и не мог смириться с тем, что вышло так, как вышло.

– А как вышло? – осторожно спросила Аня.

– Вышел острый фиброз, редкое генетическое заболевание. Опухоли вырастали гроздьями то в одном месте, то в другом и, в конце концов, просто пережали жизненно важные органы. Медицина бессильна.

Он вновь замолчал. Молчала и Аня. Миша понимал, что она борется с искушением сказать то, что принято говорить в тех случаях, когда умирает человек, являвшийся обузой для всех остальных. Может, и хотела сказать, но не сказала, и он был благодарен жене за это. Это означало, что она поняла: в их случае Лена была не обузой, а лучиком солнца, который должен был освещать его матери всю ее будущую жизнь.

– Мама словно потухла. Вот была в ней жизнь – а потом раз, и нет. Совсем нет, понимаешь?

– А папа? – Снова робкий вопрос.

– Нет у меня никакого папы! – неожиданно грубо буркнул Миша и отвернулся. – Не знаешь, где моя сумка? Мне на работу надо.

– Как всегда, в коридоре, – спокойно ответила Аня.

Проявилась непонятно откуда взявшаяся женская мудрость. Она интуитивно чувствовала, когда необходимо переждать, отступить, затихнуть, а когда стоит обидеться или настоять на своем. Сейчас не стала ни настаивать, ни обижаться – и, конечно, через какое-то время услышала ответ на свой вопрос.

Смерть маленькой дочери стала непоправимым горем, но Мишина мама нашла бы в себе силы пережить это, если бы чувствовала хоть малейшую поддержку мужа. Но «этот человек» (именно так, и никак иначе, называл его теперь Михаил) не думал и не хотел думать ни о ком, кроме себя.

– Он всю жизнь меня терпеть не мог.

– Почему?

– Тебе ли об этом спрашивать...

– Моя мать меня просто не замечает. Но она никого не замечает, кроме себя. Она просто равнодушна – это да. Но все-таки я не могу обвинить ее в ненависти.

– Что ж, может, ты и права. До появления Лены я чувствовал постоянный негатив от «этого человека», а когда она родилась, он как-то успокоился и стал относиться ко мне безразлично. Знаешь, будто обрел желаемое и угомонился. Но когда ее не стало, он словно взбесился. В каждом его взгляде, в каждом жесте, в каждом движении читалось: почему он жив, а Лены нет?

– Странно, Миш. Так любить одного ребенка и ненавидеть другого... Я уверена, если бы моя мама родила десятерых, она бы всех по-прежнему не замечала. До сих пор не знаю, каким чудом я-то на свет появилась.

Муж пожал плечами:

– Может, потому, что она больная была, поэтому он ее так любил.

– Не объяснение.

– Согласен. Сейчас-то у него совершенно здоровая девочка.

– У тебя есть сестра?

– Я ее никогда не видел. Понимаю, конечно, она не виновата ни в чем, но это ее так хотел «этот человек» и своим желанием добил мою маму. Он так мечтал о детях... Мечтал не тайно и безнадежно, понимая, что возраст, что упущено время, что так сложилась жизнь, а цинично и открыто. Так и говорил маме: «С тобой так и помру старым дубом, а хочется еще кленом побыть. Родить ты никого не сможешь – дело понятное, так что не обессудь, дорогая, пойду я туда, где мечта моя станет явью, а чем твоя душа успокоится, мне начхать».

– Так и сказал «начхать»?

– Да какая разница, сказал, не сказал... Главное, он так поступил: ушел от матери – и поминай как звали. А она его любила до потери пульса, точнее, до потери сознания, – поправился Миша, помрачнев. – Я потом вспомнил, что была еще одна история, когда он на сторону засобирался. Так мать тогда месяцами на кровати лежала, в потолок уставившись. А потом ничего, встряхнулась как-то, приободрилась. На работу устроилась. Это я потом понял: она Ленку решила родить. Не знаю уж, почему раньше не рожала. Проблемы, кажется, были. Но ведь бывает так: десять лет ничего, а потом раз, и случилось. Наверное, она просто очень сильно захотела. И подействовало: удержала, вернула и дочку родила. А теперь что ей было делать? Она снова легла на диван. Может, просчитывала какие-то варианты, искала способы снова завладеть им. А когда не нашла...

– Разве так можно? – не удержалась Аня от комментариев.

– Как?

– Сойти с ума из-за мужчины... Нелепость какая-то.

– Слепая любовь. – Другого более или менее разумного ответа у Миши не было. Как, впрочем, не было у него никогда ответа и на другой вопрос: – И что она в нем нашла?

– Химия, – откликнулась Аня.

– Что «химия»?

– Ну, вот это: двое видят друг в друге что-то, незаметное для других. А остальные недоумевают по этому поводу.

– Мне все равно, как это называется: химия, физика, биология...

– Жизнь, Мишенька. Это просто жизнь. – Аня секунду подумала и добавила: – И любовь.

– Больная любовь какая-то. Неправильная.

– У нас с тобой будет правильная, – искренне пообещала девушка.

– Какая?

– Счастливая.

Она и была счастливой. Сколько? Кому-то десять лет покажутся мгновением, а для иных обернутся вечностью.

В то первое десятилетие ни у Миши, ни у Ани не было причин обижаться на судьбу. Он обнаружил, что работа на телевидении начала приносить не только средства к существованию, но и моральное удовлетворение. В отличие от временного, но уже казавшегося бесконечным застоя в кинематографе, в Останкине теплилась жизнь: снимали сюжеты, писали программы, а главное – слушали и воспринимали новые идеи. Здесь приветствовалось творчество, особенно молодое: готовность работать и днем и ночью без сна и отдыха.

Михаил оказался как раз из таких: упорных, смелых, знающих и видящих цель. Он всегда хотел быть творцом, а не просто приглашенным режиссером, мечтал о своих сценариях. Он хотел быть создателем и владельцем продукта. И если таким продуктом из-за творящегося в государстве хаоса не могла стать кинокартина, то не было никакого резона не предпринимать никаких шагов в другом направлении.

Увидев «Что? Где? Когда» и возвратившийся на экраны «КВН», посмотрев только «Брейн-ринг» и «Звездный час», Михаил решил, что таким новым продуктом станет телевизионная программа. Дело оставалось за малым: придумать канву. Популярность приобретал жанр ток-шоу. Кроме того, появились передачи, посвященные закрытой прежде теме сексуальных отношений. И по-прежнему огромный интерес у народа вызывали нескончаемые «Санта-Барбары» и «Дикие Розы».

Идею, сама о том не думая, подсказала Аня.

– Устала дублировать, – как-то пожаловалась она.

Миша сочувственно кивнул. Жена разрывалась: репетиции дипломного спектакля, показы в театрах, пусть редкие, но все же случающиеся пробы в кино. А кроме того, дом, в котором и муж, и свекровь... И всякому надо угодить, с каждым поговорить, и всем уделить внимание.

Внимание Аня проявлять умела. Недолюбленная и недоласканная, она будто пыталась восполнить проведенные в черствости годы: улыбалась, делилась нежностью, дарила заботу. Даже свекровь, то ли чувствуя исходившее от невестки тепло, то ли, напротив, ощущая потребность в человеческом тепле самой Ани, будто немного пришла в себя. О Леночке, конечно, вспоминала, но уже без рыданий и криков. Приступы становились реже, менее продолжительными, и все чаще женщина стала интересоваться тем, что происходит в окружающем мире и в жизни близких:

– Сынок, кто бы мог подумать, что в Малом снова играют...

– Откуда ты знаешь?

– Анюта сказала.

– Нет, все-таки с белыми грибами суп получается вкуснее. Хотя и с подосиновиками неплох, правда, сыночек?

– Правда. А кто варил?

– Анюта.

– Как тебе моя новая прическа? Видишь, стрижка, как в молодости?

– Сесть – не встать, мамуля. Ты в парикмахерскую ходила?

– Что ты! Это мне Анюта мастера на дом пригласила.

«Анюта... Везде Анюта. Во всем Анюта, – думал Миша, обнимая жену и гладя ее по блестящим длинным темным волосам. От мелкого беса давно не осталось и следа. Аня была настоящей красавицей, очень похожей на свою мать. – Куда же мы без нее? А она не выдержала: сломалась, устала. Разве он не понимает? Конечно, тяжело, когда ты и швец, и жнец, и на дуде игрец: дома постирай, приготовь; в институте не подведи, о работе будущей побеспокойся, а на нынешней не оплошай. А работа-то тяжелая: в артикуляцию попадать внимания требует и концентрации. Опыта, правда, Аня уже набралась, навострилась за несколько лет. Только все равно устала от перевода чужих речей. Когда это кончится? Скорее всего, никогда: сериалы идут и идут бешеным потоком, и конца и края «Мари-Эленам» и «Милагрос» не видно. Так что не обойтись без дубляжа. Никак не обойтись». И вдруг молнией сверкнула мысль: «Если народ с восторгом поглощает чужое, почему бы не снять свое?»

И понеслось: сначала набрал таких же энтузиастов, готовых пахать за идею, потом договорился о кредите (никаких соинвесторов: обманут и оберут), придумал пару незатейливых жизненных историй и разложил на несколько десятков серий (в главной роли, конечно же, Аня).

Успех превзошел все ожидания: кредит отдали, наняли нормальных сценаристов и даже энтузиастам кое-что перепало. Запущенная машина набирала скорость: штат сотрудников увеличивался, съемки шли непрерывно, и Миша сам не заметил, как уже не каналы диктовали ему условия, а он выбирал, кого бы осчастливить своей продукцией.

Богатство и независимость свалились как снег на голову. Сначала он почувствовал себя гоголем, потом стал принцем на белом коне – «Мерседесе», а затем и королем. А короли не сидят на бревнах в лесопарке, не гуляют без зонта под дождем и не разыгрывают нелепые этюды в подмосковных усадьбах. Они и в усадьбы-то не ездят. Ну, разве что для того, чтобы прицениться. Им теперь любая по карману.

Миша все чаще говорил о покупке дома. И непременно с бассейном. И мебель чтобы итальянская. И гараж обязательно на три машины.

– Зачем дом? – удивлялась Аня. – Детей нет, а для троих и эта квартира – хоромы. А мебель итальянская для чего, если я тебе какую захочешь сделаю: хоть итальянскую, хоть французскую. И модерн могу, и антиквариат, ты же знаешь. Тебе ведь нравилось все, что я здесь смастерила...

Миша кривился, спрашивал вызывающе:

– У тебя разве есть время молотком махать? Твое дело сниматься. И потом, как ты себе это представляешь: вот наш диван, его Аня сделала? Мы что, бедствуем? У нас денег нет? Что люди скажут?

– А какая разница?

– Большая, Анечка, большая. У нас теперь статус, и ему надо соответствовать.

– А гараж на три машины – тоже для статуса?

– Для него, милая, для него.

Аня помолчала недолго, потом произнесла задумчиво:

– Ничего у тебя не выйдет.

– То есть?

– Не получится переехать.

– Почему это?

– Мама ни за что не согласится уехать отсюда.

– С чего ты взяла?

– Здесь Леночка. Разве ты забыл?

– Знаешь, я предпочел бы забыть. И еще: если она так помешана на своей Леночке, она может остаться с ней. А если ты беспокоишься о ее безопасности, не вопрос: наймем нянек, сиделок, тетушек, да кого угодно.

– Любовь не наймешь, Миш. И потом, разве ты не беспокоишься?

– Беспокоюсь, Ань. Но я и о нас беспокоюсь. Я волнуюсь, понимаешь ли, что мы работаем, вкалываем, пашем, а главного в жизни не видим.

Она посмотрела на него как-то странно. Так, будто видела в первый раз. И сказала тихо, как-то надломленно, словно из нее разом ушли все силы:

– Мне казалось, главное у нас уже есть.

Ушла, заперлась в ванной, долго плакала, судя по покрасневшим глазам, но больше ничего так и не сказала. А он тогда не придал особого значения, решил: «Дура. С жиру бесится».

А теперь? Теперь Михаил знал: Аня была гораздо умнее и прозорливее. Она-то сразу понимала, что в жизни главное.

– Любовь... – эхом повторил Михаил за священником. – Наверное, вы правы. Только я ее потерял.

– Потерял? – прозвучало с кровати сочувственное. – Разлюбил, стало быть?

– Почему «разлюбил»? Да я и сейчас...

Договорить он не успел, столкнулся взглядом с глазами, засветившимися одновременно и укором, и радостью. А за взглядом и слова подоспели:

– А говоришь «потерял», дурачок!

17

Нигде и никогда Анна не чувствовала себя так хорошо и спокойно, как теперь в этом таком далеком от ее прежней жизни доме. Разве что ребенком в Комарове было ей так же радостно: вольготно носиться по участку, слушать пение птиц и смотреть на небо без единой мысли в голове.

Теперь, конечно, о пустой голове мечтать не приходилось, да и беззаботность так и осталась навсегда в Комарове. Но было в этой размеренной, почти скучной жизни что-то притягательное, соответствующее ее внутреннему состоянию, что Анна сама не заметила, как сначала перестала тяготиться положением отшельницы, а потом и начала получать от него удовольствие.

Лучшим помощником в этом добровольном заточении была для Анны собака. Анна подобрала Дружка в придорожном овраге. Их как раз перевозили в этот дом, и Анна попросила остановиться (у нее все еще иногда начинало сжиматься под ложечкой из-за езды в автомобиле). Она вышла, спустилась в канаву, увидела в луже дрожащую собаку с перебитой лапой. В машину вернулись вместе. Только теперь Дружок перестал, наконец, бояться снова оказаться брошенным. Поначалу он пытался всюду сопровождать новую хозяйку и по-настоящему волновался, если оставляли дома, запирали в комнате или просили не мешать. Но теперь собака поверила, начала жить своей жизнью. Могла убежать за ворота и несколько часов вынюхивать по окрестностям кошек, могла развалиться на открытом месте участка, подставив брюхо солнышку, и не реагировать на окружающие звуки: стучал ли рубанок, жужжала ли пила, хлопала ли калитка – она не обращала внимания. Была поглощена собственной жизнью – приятной и спокойной, потому что протекала эта жизнь в любимом доме среди любимых людей.

Анна и сама уже привыкла к дому. Конечно, он не был пределом мечтаний. На террасе дуло из щелей, и в ветреные дни становилось невыносимо холодно. В нескольких комнатах до конца не закрывались ставни и, бывало, хлопали в ночи, пугая своим стуком. Винтовая лестница предательски скрипела и грозила ускользнуть из-под ног. Но было в этом здании главное качество, которое скрашивало все недостатки, – по до конца не понятным причинам он казался Анне родным, будто созданным специально для нее.

Хотя, конечно, это было не так, строился он совсем для другой женщины. Хозяин дома, отдавая Анне ключи, так и сказал: «Бери, живи, сколько надо. Это ведь ее дом. Раз она сама не приехала, пусть хоть гости ее поживут».

Она тогда на расспросы не решилась, чужие скелеты ворошить не хотелось – своих полно. Но теперь ей было жалко расставаться с домом. Бегство казалось предательством по отношению к той, которой он был подарен и которая поделилась своим подарком с ней. Анне стало так хорошо и привольно жить здесь, что ей иногда чудилось, будто отъездом она обидит и рассердит сам дом. И так не хотелось его обижать, что она, как могла, оттягивала момент поисков нового пристанища, сборов и переезда.

Хлопот она никогда не любила, всегда собиралась быстро и максимально просто. Наверное, эта черта была одной из немногих унаследованных ею от матери. Та (в отличие от дочери) много раз меняла адреса, пускаясь если не в авантюры, то в приключения, но делала это всегда налегке. Шубки, украшения, звания, медали и дочь кочевали с ней от одного мужа к другому, а остальное – дело наживное. Анна переезжала гораздо реже, но так же просто: чемодан, зубная щетка, паспорт – и вперед, к новым рубежам.

Рубежи перед Аней открылись с момента, как на телеэкраны страны вышли первые серии Мишиных творений. Ее называли открытием, будущей звездой, российской «рабыней Изаурой» и «Дикой Розой» в одном флаконе. Даже строгие критики попали в плен ее молодости, красоты и безыскусности и в рецензиях предпочитали не вспоминать о том, что сериалы – низкопробный жанр.

Аня была счастлива. Почти совсем счастлива. Если бы только не...

– Мама, у нас новый проект. Двести пятьдесят серий – полгода работы. И история интересная.

– Интересные истории у Чехова и Островского. И идут они в театре, а не в телевизоре.

– Зачем ты так?

– Просто хочу, чтобы ты понимала: здесь хвастаться нечем.

– Но меня узнают на улице. Просят автограф, говорят слова благодарности.

– Нука, это дешевая популярность. Да, миллионам интересно узнать, от кого родит и родит ли в конце концов твоя героиня, но ни у одного из них из-за этого не переворачивается душа. Думаешь, кто-то из них стал добрее, посмотрев на твое творчество? Кто-то заплакал, испугался, испереживался по-настоящему? Да, бывают развлекательные комедийные сериалы, неплохие, кстати. Но они преследуют другую цель: рассмешить. И они своей цели достигают. Твоя работа – драма, а драма должна затрагивать серьезные чувства. А не затрагивает, значит, это не пьеса, а всего лишь пародия. Так что ты, Нука, пародистка. Если хочешь посмотреть на настоящее мастерство, приходи ко мне в театр. Чем ломаться перед миллионами, лучше держать в настоящем напряжении пару тысяч человек, сидящих в зрительном зале. Вот так.

И вешала трубку. Всегда вешала первой, не спрашивая, как дела, не приглашая в гости, не интересуясь личным.

Аня и сама не знала, зачем продолжала регулярно звонить, зачем выслушивала все унижения и никогда не решалась первой закончить разговор. Она предпочитала считать, что делала это оттого, что мать есть мать, и лучше, когда она все-таки есть. «Худой мир лучше доброй ссоры» — эта народная мудрость стала девизом их отношений.

— Мама, я вышла замуж.

— Рановато, конечно, но, надеюсь, это того стоило. И кто он?

— Начинающий режиссер.

— Начинающий? Какая глупость! Ты дура, Нука!

— Почему?

— Потому что у начинающего режиссера два пути: либо он превращается в зрелого и успешного, либо очень быстро становится старым, пьяным неудачником. А сейчас он стоит на распутье, и ты зачем-то встала вместе с ним, хотя могла бы сразу пойти в нужную сторону.

— Но мне интересно пройти всю дорогу.

— Я же говорю, дура. Ладно, мне на репетицию надо. Ты отцу позвони. Может, он подкинет твоему режиссеру парочку серьезных операторских идей.

И все. Короткие гудки. И ни одного вопроса о том, где живешь, как живешь, и хватает ли тебе на хлеб, и не подкинуть ли на масло.

— Мама, мне нужен хороший психиатр.

— Нука, я выбираю платье для приема в Академии наук. Андрюша совершил какое-то очередное невероятное открытие, приезжают иностранцы с предложением о покупке. Нам светит «нобель», представляешь?

— Мама, я сказала, что мне нужен психиатр.

— Ах да... я поспрашиваю и перезвоню тебе, если не забуду.

Психиатра мать действительно нашла, и он даже помог свекрови: воспоминания о Леночке стали скорее светлыми, а не удручающими. Но об одном актриса Панкратова забыла – поинтересоваться, кому понадобился врач. А что, если собственной дочери? Хотя и на это «а что, если...» был у Ани готовый ответ: ничего.

– Мама, в субботу презентация нового сериала. В нем хорошие актеры снимались. Приходи, пожалуйста.

– Нука, суббота предназначена для отдыха, а не для походов на презентации. А хорошие актеры в сериалах снимаются от нужды, а не от охоты. У вас там они средства получают для физического существования, а душевную подпитку можно обрести только в театре. Ты бы хоть в антрепризу, что ли, устроилась. Знаешь, сейчас это становится популярным. Театр не репертуарный, график под тебя скроен... Хочешь, снимайся в своем ширпотребе, но и про настоящее искусство не забывай.

Мать высказывала мнение и швыряла трубку. А Аня терпела и слушала. И слушала отчасти из-за того, что понимала: мать права. Вершины творчества в сериале достичь невозможно. Да, качество ушло вперед и, скорее всего, будет идти и дальше. Да, отнюдь не все «мыльные оперы» следует относить к ширпотребу: и бюджет хороший, и историческая подлинность, и талантливые актерские работы. Талантливые, но не гениальные. И не потому, что актеры плохие, а потому что даже самый великолепный актер не может изо дня в день по десять-двенадцать часов играть, как в последний раз, отдавая всего себя без остатка. Так не то что съемочный период, смену не продержаться.

Слова матери не только ранили, но и подстегивали к действиям. После таких разговоров Аня вспоминала свои мечты и стремления, вновь ею овладевало отчаянное желание доказать гордой и самовлюбленной актрисе Панкратовой, получившей к тому времени звание народной артистки России и жалевшей о том, что развалился Союз («А то бы народную СССР дали»), что и она, Аня, ничуть не хуже.

Сначала Аня не стала отказываться от проб в один кинофильм, потом в другой. Затем попросила Михаила взять на ее роль кого-нибудь другого и уехала сниматься в настоящей, большой картине у известного режиссера. Роль получилась удачной, хвалебные отзывы не заставили себя ждать – и вскоре Аня стала обладательницей серьезных кинопремий.

Миша изображал радость и гордость, но не могла она не чувствовать и не понимать его зависти из-за того, что она занималась тем, чего он себя давно лишил.

Колесо вертелось безостановочно: производственная компания расширялась, запуская все новые и новые проекты, из маленькой группы энтузиастов вырос настоящий медиахолдинг, владеющий каналами, радиостанциями и несколькими популярными журналами. Сериалы отошли на второй план, на первом оказались планы, контракты и инвестиции. В голове у Михаила теперь не крутились сценарии, а беспрерывно работал калькулятор. Материальная сторона стала важнее творческой, а собственный статус – главнее желаний ближнего.

Аня же попала сразу в три антрепризы и со съемок уезжала на гастроли, забегая домой лишь для того, чтобы поменять вещи в чемодане. Чего им не хватило: опыта ли, терпения, желания удержать и сохранить – сложно сказать, но, так или иначе, отношения катились в пропасть.

– Миш, – звонила она из Пятигорска, – у нас третий день аншлаги.

– Поздравляю. – Голос скучный и утомленный.

– Ладно, я не за этим звоню. Я хотела спросить: может, приедешь? Здесь воздух такой чистый: прелесть просто. Тебе ведь отдохнуть надо. Погуляли бы, подышали. Представляешь, здесь ведь тот самый Провал, в который Гомиашвили билеты продавал.

– Да провалился бы этот Провал! У меня сроки горят, а ты «погуляем»!

Случалось и наоборот:

– Ань, у меня пауза образовалась. Давай прилечу.

– Да нет, Миш, не стоит. Режиссер ругаться будет, он этого не приветствует. Считает, что это отвлекает актера от работы.

– Иногда полезно отвлечься...

Но отвлекаться вместе не получалось: у Миши церемония ТЭФИ – у Ани гастроли. У нее «Кинотавр» – у него запуск проекта. У мужчины – презентация в шикарном отеле в центре Москвы, у женщины – съемки драматичной картины в каком-нибудь захолустье. А отвлечься хотелось.

Неважно, кто сдался первым. Но им стал Михаил. Отвлекся один раз, отвлекся другой. Аня знала – в творческой тусовке полным-полно длинных языков, да и фотографии его «отвлечений» не заставили себя ждать.

Она промолчала в первый раз, стерпела и во второй, а на третий вместо долгих и мучительных объяснений оставила только короткую записку:

«Яблоко от яблони... Не волнуйся: с ума не сойду. Ушла. Прощай. Аня».

Долгих сборов и шумных переездов она не любила. Поехала к матери. Появлением своим особых эмоций не вызвала. Пришла и пришла. Что есть, что нет – разницы нет. В общем, все, как обычно.

Академик к тому времени отошел в мир иной, оставив народной артистке и шикарную квартиру, и отличное пожизненное содержание в виде процентов, регулярно поступавших на счет (иностранцы прилично платили за научные открытия). На эти средства можно было по-прежнему содержать домработницу, покупать наряды и время от времени поправлять тронутые возрастом участки лица и тела. Душу, правда, скальпель исправить не мог:

– Дура ты, Нука. Показала характер и возвращайся, а то уплывут твои денежки к другой: помоложе и порасторопнее.

– Пусть. Не в деньгах счастье.

– Но и с голым задом, знаешь ли, можно чувствовать себя на седьмом небе только в двадцать, а тебе уже четвертый десяток пошел.

– Сама разберусь.

Разбираться самой не получалось. Миша пробовал вернуть жену. Сработала мудрость «что имеем – не храним, потерявши – плачем». Пытался наладить отношения: приезжал на съемки, ждал у служебного входа после спектаклей и даже домой к теще как-то пришел.

– Ань, ну, оступился, бывает. С каждым же может случиться. Прости. Ну, прости, а?

– Да я бы и сама рада, но если не получается...

– Ты вспомни, ты же сама говорила: «Что ты во мне нашел, я же обычная женщина, простая русская баба». А раз простая – значит, должна уметь прощать. Говорила ведь, Ань?

– Я лукавила, Миш, – ответила с вызовом, не отводя глаз, и добавила громче, так, чтобы слышала великая актриса Панкратова: – Я не простая баба. Я Анук.

Он ушел, а Аня потом еще долго выслушивала игривые актерские упреки, что Анук из нее – как из доярки «Анжелика – маркиза ангелов»:

– Такого мужика самолично отвадить! Дура – дура и есть.

– Не я его в чужие постели укладывала.

– Неважно.

И снова Аня чувствовала, что мать не так уж не права, и мысли эти вызывали раздражение и отторжение. Хотелось сочувствия и понимания. Такого, например:

– Правильно, что ушла, дочка. Строй свою жизнь, – говорила Ане свекровь.

Миша все-таки купил дом и часто проводил там выходные с какой-нибудь начинающей актрисой без диплома и способностей, но, как положено, с силиконовой грудью и ногами от ушей. А Аня проводила время со ставшей родной за прожитые годы женщиной.

И эта женщина, пожертвовавшая своей судьбой из-за мужчины, советовала Ане:

– Живи своим умом. Не будь зависимой. И никого не слушай.

Аня все же послушала. Послушала свекровь и принялась активно устраивать собственную жизнь. Для начала съехала от матери. Как водится, с одним чемоданом и запиской вместо разговоров. Неужели захочется снова отбрыкиваться от упреков в собственной дурости? Такого желания у Ани не было. Было другое: доказать всему миру, а в особенности двум людям, что она справится, выживет и сможет стать и счастливой, и известной, и состоявшейся, и затмит популярностью их обоих.

Говорили ли в ней обиды, амбиции, а может быть, и те и другие сплелись в хитром заговоре, неизвестно, только Аня семимильными шагами побежала к той же цели, к которой всю жизнь шла ее мать. Молодой женщине повезло больше: судьба сжалилась и не заставляла перешагивать через трупы и идти по поверженным головам.

Аню приняли в репертуарный театр после долгих просьб и уговоров с ее стороны.

– К чему вам строгий график и жесткая дисциплина? Вы вольны выбирать картины, проекты и спектакли. По-моему, кино и антреприза – ваша стезя, – говорил ей художественный руководитель.

Но она была непреклонна:

– У меня нет ни мужа, ни детей, так что я бы не возражала, если что-то в этой жизни будет, в конце концов, меня дисциплинировать. Зато есть достаточное количество мозгов, чтобы понять, где именно хороший актер становится гениальным.

– Что ж, добро пожаловать, – отступил худрук, и Аня оказалась на сборе труппы.

Она не ежилась и не смущалась от недружелюбных взглядов коллег женского пола, которые отчетливо понимали: к ним пришла звезда, которая, если и не отберет их роли, то к новым точно не подпустит. Они не ошибались, но их завистливые взгляды вызывали у Ани скорее сочувствие, чем раздражение. Она бы тоже смотрела затравленным зверем, вторгнись на ее территорию чужак с повадками хозяина. А вести себя по-хозяйски пришлось. Чуть зазеваешься – подвинут и растопчут. Требовалось быть предельно внимательной, корректной и очень осторожной, чтобы не вызвать лишних пересудов.

В конфронтацию Аня ни с кем не вступала, но и крепкой дружбы не заводила. Да и может ли родиться настоящая дружба в тесном соседстве с завистью и жесткой конкуренцией? Она просто делала свою работу. Делала так, чтобы однажды каждый существующий в театре язык произнес бы сокровенное «Это она!» с поклонением, восторгом и признанием таланта. А вслед за театром, возможно, и та, что всегда недооценивала и никогда не верила в успех дочери, даже она, непревзойденная актриса Алевтина Панкратова, сочтет себя поверженной и снизойдет-таки до похвалы.

– Мама, я играю Медею.

– Ненормальную, отравившую своих детей в угоду собственной мести?

– Это сложная драматическая роль и вообще великая пьеса.

– Ну... не знаю... Я бы не стала такое играть

«А тебе и не надо играть. Ты и есть Медея».

– Репетирую Бланш в «Трамвае «Желание».

– И что хорошего? Жалкая дурочка, живущая под гнетом мужчины.

– Она – порождение времени. Надо мыслить глобально.

– Нет, дорогая, надо искать то, что лучше для тебя. На Бланш далеко не уедешь.

– Я так не думаю. Это известная героиня и отличная роль.

– По тебе.

«Звучит как оскорбление. Хотя почему «как»? Звучит так, как должно звучать, ведь мать сказала именно то, что хотела».

И наконец:

– Я – леди Макбет!

– Не рановато ли?

«Скепсис понятен. Я же ступила на твою территорию. Это твоя героиня: все, что угодно, ради достижения цели, и даже собственная смерть – не помеха».

– По-моему, в самый раз.

– Что ж, поздравляю.

«Что это? Это со мной происходит?» Аня даже за ухо себя подергала. В трубке повисло напряженное молчание. И она решилась: нарушила его.

– Приходи на премьеру.

– Спасибо. Может быть, и приду.

Не пришла.

– Премьера прошла отлично. Ты читала рецензии?

– Нет. Неужели ты не понимаешь: мне некогда? В конце концов, в моей жизни тоже есть и съемки, и репетиции!

«Все ясно. Никто не должен превосходить актрису Панкратову. А если кто решился – смерть врагу».

Что стало с Аниной жизнью? Да, она добилась своего. Да, на смену шипениям и недовольству пришло открытое признание таланта. Но что еще она видела, кроме стен театра и студийных павильонов? Что слышала, кроме восторженно потрясенных «Это она!» и ставших заурядными пикировок с матерью? Больше ничего. Ничего хорошего.

А плохого хватало. Ведь были и другие разговоры.

– Видел твою Медею.

– Да, я знаю. Мне передали цветы. Спасибо.

– Ты прекрасно играешь.

– Спасибо.

То, что Миша не сомневался в ее актерских способностях, ей было давно известно, так что ни к чему разводить сантименты. Он, впрочем, и не разводил, спрашивал для порядка:

– Ты вообще как?

– Хорошо. Репетирую, снимаюсь. А ты?

Это тоже для порядка. Неудобно же не спросить.

– Нормально.

– Ну... пока?

– Пока.

А в другой раз:

– Я был на «Трамвае...»

– И?

– Здорово. Только роль немного не твоя.

– Значит, плохо.

– Да нет же! Хорошо. Просто я тебя знаю. Знаю, что ты сильнее героини.

– Жизнь научила.

Тогда оба долго молчали. Она обиженно, он – понимая ее обиду. А потом как обычно:

– У тебя-то как?

– Да нормально.

И еще:

– Ань, «Леди Макбет...» – это просто фурор. Ты молодчина. Я уверен, что тебе светит «Золотая маска».

– Спасибо, Миш, я старалась.

– Ань, может, сходим куда-нибудь, а? Отметим успех?

– Не может.

– Ну, как знаешь.

И снова молчание.

– Мама-то как, Миш?

– Спасибо. В порядке.

– А сам?

– Нормально.

Вот из-за этого «нормально» и не могло быть никаких совместных походов и отмечаний. Аня потратила немало времени на раздумья о смысле этого слова. Она долго и тщательно старалась отыскать хотя бы какие-то намеки на то, какую тайну скрывало в себе такое легкое и в сущности ничего не объясняющее «нормально».

Это привычный уклад жизни? Это значит – проснулся, как обычно, с утра в чужой постели, наскоро выпил кофе, жевнул бутерброд, бросил «Пока, малыш!» – и прочь из квартиры, в которую никогда больше не вернешься? Выскочил и сразу включил четвертую скорость: рейтинги, волатильность спроса, выход компании на IPO и куча всяких других важностей, составляющих будни директора крупного медиахолдинга? Нормально – это, конечно, поездки в Майами, Милан и на Евровидение, потому что престижно, модно и «ваще ништяк». И там, разумеется, прогулки по красной дорожке. Да не в одиночку, а непременно в обнимку с хорошенькой и сексуальной.

Аня хоть и занята, но в журналы заглядывает, да и сама бывает на фестивалях. Правда, по красному ковру идет одна с гордо поднятой головой. «С кем попало» – это не про нее. А если приходится столкнуться в фестивальном фойе, или на показе, или на званом обеде, то все чинно и по-светски:

– Привет.

– Привет.

– Рад видеть.

– Взаимно.

– Это Олеся (Маша, Лена, Вика, Наташа)...

– А это я... Ну, пока?

– Пока.

И разве это «нормально»?

Нет, сегодняшняя жизнь казалась Анне куда более нормальной, чем прежняя. Теперь у нее была не только работа, но и дом, и собака, и даже очень робко она могла предположить, что и мама тоже.

А раньше почти восемь лет жизни:

– У меня никого нет, кроме вас...

Так говорила она бывшей свекрови, и грустная, всеми покинутая полусумасшедшая женщина отвечала ей:

– Что с меня взять, деточка? Я старая развалина.

– А разве надо что-то брать? Отдавать ведь тоже приятно.

Свекровь долго и устало посмотрела на нее, потом сказала:

– Ты вторая. Вторая в моей жизни, кто считает, что отдавать важнее.

Пожилая женщина поднялась с кресла, исчезла в комнате и долго гремела там ящиками и шуршала бумажками. Вернулась, держа в руке листок с телефоном, протянула Ане:

– Это номер первого человека. Если тебе когда-нибудь понадобится помощь, ты позвони по этому телефону. Он поможет.

Аня и думать забыла об этой бумажке. Таскала в сумке, не вынимая. Обнаружила через сезон, долго вспоминала, что это за диковинный телефон с каким-то неизвестным и явно далеким от Москвы кодом, потом вспомнила, снова удивилась, хотела было выкинуть, но все же не стала. Засунула под обложку записной книжки. Думала, навсегда, оказалось – до лучших времен. Или до худших. Разве теперь разберешь?

В общем, листочек пригодился. Больше того, оказался спасительным кругом. Обладатель номера снабдил Аню не только ценными советами, но и ключами от дома.

– Я уезжаю, – сказала Аня свекрови год назад.

– Покидаешь меня? – Ее взгляд говорил «И ты, Брут».

– У вас ведь есть... – Аня поколебалась. – Леночка...

– Леночка? – Женщина взглянула на нее как-то странно, будто впервые видела, потом нагнулась к самому уху и прошептала тихо и как-то буднично: – Знаешь, а она умерла. Да-да, я давно тебе хотела сказать.

Не зная, как реагировать на признание, Аня продолжила свою мысль, но уже не так уверенно:

– Ну, еще остается Миша.

– Миша. – Горькая усмешка. От Миши осталось одно название, они обе это знают. Кроме работы и увеличения капитала, его больше ничего не волнует. – Если бы ты только смогла простить его! Пусть не сразу, но хотя бы тогда, два года назад...

Аня подняла руку, словно хотела защититься. О том, что случилось два года назад, она вспоминать не желала, и свекровь не стала настаивать, сказала только:

– ... он мог бы измениться.

И снова обе знают, что это правда.

– Я не смогла.

– Тебе виднее.

– А сейчас?

– А сейчас я уезжаю. – И добавила, оправдываясь: – Так надо.

– И снова тебе виднее. Куда едешь? Секрет? Ладно, не говори. Но догадываться ты мне позволишь?

Глаза женщины блеснули веселой хитрецой и тут же снова погасли, сдавшись в плен мрачным мыслям.

– Вы там бывали? – догадалась Аня.

– Он построил его для меня.

– Дом? Этот человек построил дом для вас?

Женщина кивнула головой и отмахнулась:

– Что было, то быльем поросло. – Теперь вспоминать о прошлом не хотела она. – Поезжай.

Уехала. И жила. И даже пыталась быть счастливой, словно сам дом старался ей в этом помочь. Анна невольно прониклась благодарностью и все чаще спрашивала его, поглаживая старые стены:

– За что же тебя оставили хозяева?

Ей казалось, что сруб отвечает тяжким, протяжным скрипом ставень:

– Не знаю.

И Анне представлялось, что они одни во вселенной: она и приютивший ее дом.

Представлялось до тех пор, пока:

– Нука!

И она спешила на зов, а там уже крутилась собака и радовалась возвращению хозяйки из космоса.

– Не мешайся, Дружок! Да, мама?

Если бы дом мог вздрогнуть, он бы вздрогнул. «Мама? Мама!»

– Ты нашла какой-нибудь вариант?

– Пока нет.

– Поторопись.

– Ладно.

Поторопиться следовало, но уезжать Анне не хотелось. Она чувствовала необъяснимую вину перед домом, казалась себе гадкой, похожей на тех первых хозяев, которых он, конечно, любил и которые его предали. И она снова безвольно сидела на террасе, не пытаясь остановить катившиеся по щекам слезы. Дружок лежал у ног и сочувственно вздыхал, иногда поднимая морду и преданно заглядывая в глаза. А дом потрескивал поленьями в печке. Если женщине не хватает душевного тепла, он подарит ей хотя бы физическое.

19

И физическое, и моральное состояние Алевтины Панкратовой к шестидесяти годам было безупречным. Выглядела она много моложе своих лет, что стало результатом не только многолетнего тщательного ухода за собой и выполненной лет пять назад круговой подтяжки лица, но и ощущения полного и безоговорочного довольства собой.

Конечно, разнообразие ролей и творческая активность не могли не снизиться в силу возраста, но актриса успешно продолжала держаться на самом гребне волны. В театре ее продолжали боготворить и считались с ее мнением: включали в репертуар спектакли с подходящими ее годам и статусу персонажами, регулярно устраивали творческие бенефисы, выделяли премии и учреждали награды. Ее имя было визитной карточкой нескольких кинофестивалей, куда ее неизменно приглашали в члены, а то и в председатели жюри. Судить других Алевтина Андреевна считала делом презанятным и себя достойным, ибо к оценкам ее никто и никогда не имел никаких претензий, и она давно уже получила в околотворческих кругах репутацию кристально честного профессионала. Человеческая же ее честность и нравственность успешно оставались за кадром привычной круговерти, в которой барахталась актриса.

Талантливая обаятельная артистка, обладательница все еще притягательных форм, глаз с поволокой, копны волос, удачных ролей и шикарной квартиры, доставшейся от последнего мужа, – вот и все детали ее публичного образа, которые вполне устраивали обычную прессу и совершенно не интересовали жадную до скандалов и склок «желтую». А скандалов в ее биографии (Аля наедине с собой не кривила душой) набралось бы не только на несколько журнальных номеров, но, пожалуй, и на собрание сочинений. И если в истории с первым мужем предстать беззащитной жертвой казалось проще простого, а рассказ про художника и вовсе был призван сделать из нее героиню, то шагнувшего из окна монтажера актрисе Панкратовой могли и не простить.

Она прочитала огромное количество вдруг всплывших неприятных подробностей чужих биографий, которые меняли представление о своих обладателях далеко не в лучшую сторону. Алевтина Андреевна не могла не понимать, каким ударом могут стать для нее откровения инвалида о бессердечии и карьеризме бывшей жены. А вслед за ним мог заговорить и оператор. Конечно, ничего особенно ужасного ему она не сделала. В конце концов, ему жаловаться нечего: молодая жена, сынишка скоро в школу пойдет. Он не должен был держать на Алевтину зла. Он и не держал, но что могло ему помешать в общении с прессой сказать, например, так:

– Любила ли меня Аля? Не знаю. Скорее всего, нет. Думаю, я был лишь ступенькой к академическим высотам.

А если оператор – ступенька, то какие уж тут сомнения в правдивости монтажера?

Аля к планированию своей жизни привыкла, она и здесь не сделала осечки. Как только страницы журналов запестрели рассказами бывших жен и мужей, домработниц, охранников и костюмерш, Алевтина Андреевна кинулась на поиски своего греха. Безногий монтажер, мать которого к тому времени давно умерла, влачил жалкое существование в доме инвалидов. Вполне вероятно, остатки гордости могли просить его отказаться от помощи актрисы Панкратовой, но казенные харчи были до того невкусными, чужая кровать настолько неудобной, а медицинский персонал так раздражен и необходителен, что за протянутую руку ухватился он без долгих колебаний, как за спасательный круг.

Алевтина сняла ему квартиру, приставила сиделку и открыла счет в банке, на который ежемесячно переводила кругленькую сумму. Конечно же, небезвозмездно и непременно с условием:

– Молчание – золото. Кто старое помянет – тому глаз вон.

– Ты, что ли, выколешь?

– Выколю, не выколю, а отправишься в мгновение ока туда, откуда прибыл. И ни квартиры тебе отдельной, ни масла на хлеб, ни телевизора после десяти. Усек?

Не понял бы разве что слабоумный, а у бывшего монтажера с головой был полный порядок. Он усвоил: выбьешь стул из-под Али – сам больно ударишься. А он любил бутерброды с маслом и ночные новости. И поэтому:

– Ладно. Что было, то быльем поросло.

Платок на чужой роток был накинут окончательно и бесповоротно. Если бы и нашлись какие-то очевидцы (соседи, сослуживцы, родственники), Алевтина Андреевна выстояла бы против любых обвинений. В ее руках были козыри: она никого не бросала. Она заботится о несчастном страдальце, выполняет свой гражданский долг. А то, что ушла? Так разве стоит осуждать за стремление к женскому счастью? Жизнь, как говорится, у всех одна.

И своей единственной жизнью Алевтина Панкратова была довольна в полной мере. На современный манер ее можно было бы назвать селфмейдвумен. Всего, что у нее имелось (роли, популярность, имя, благосостояние), Алевтина Андреевна добилась исключительно благодаря своим стремлениям и величайшему таланту к их исполнению.

Желаний, помимо актерства и публичного признания, она никогда не испытывала, а потому не чувствовала особой горечи ни от ухода из жизни академика, ни от отсутствия среди большого круга приятелей и знакомых по-настоящему близких друзей. Нет, смерть мужа, конечно, выбила ее на какое-то время из колеи, все-таки с ним было приятно появляться в обществе. Кроме того, отсутствием в театральном и киношном мире он лишь подтверждал историю жены о том, что всех заслуг она добилась сама.

Конечно, за годы совместной жизни она нет-нет, да и вспоминала оператора, с которым они варились в одном котле и понимали друг друга с полуслова. Он никогда не удивлялся ночным съемкам, длительным экспедициям или срочному вызову на спектакль из-за болезни другой актрисы. С академиком же такие трения возникали. Он любил жену и мечтал о ее всенепременной доступности в те моменты, когда желал продемонстрировать ее наличие на приемах и раутах по случаю очередного великого открытия.

Быт интересовал академика мало, возможно, потому, что благодаря домработнице Маше квартира всегда была отдраена, обед – в холодильнике, вещи постираны и поглажены – живи и радуйся. Такие радости отсутствовали у оператора, хотя тот никогда не переставал испытывать к Але нежные чувства. А Алевтина, хоть и настаивала, что образованный человек не должен предпочитать умные разговоры котлетам, в душе иногда тосковала о незатейливых, легких и понятных разговорах об искусстве, которые они вели с оператором в те редкие минуты, когда встречались в квартире.

Академик тащил ее в собственную компанию. Естественно, люди в его окружении сплошь и рядом были умные и интеллигентные, смотревшие на Алю скорее со снисхождением, чем с восхищением. Театральный мир они с усмешкой называли тусовкой, многие даже не считали актерство достойной профессией. Алевтине Андреевне было, с одной стороны, и неприятно, и оскорбительно, а с другой стороны, она не могла не испытывать смущения и непривычной для себя робости в присутствии людей гораздо более ученых. Актриса, привыкшая блистать и царить в обществе, на подобных встречах терялась и большую часть времени отмалчивалась, тоскливо стоя или сидя в каком-нибудь углу. Да и при всем желании она вряд ли смогла бы найти интересные темы. Аля считала, что все эти профессора и доценты, элита общества, легко сумеют поддержать разговор из любой жизненной сферы, а вот она и двух слов связать не сможет, если ее спросят о чем-нибудь из биологии или химии.

Муж был нейрохимиком, сделал немало открытий, позволивших успешно лечить болезни головного мозга человека. Поэтому, когда он и его коллеги начинали обсуждать реакции крыс на различные опыты, сыпать терминами и вставлять в речь латинские названия, она чувствовала себя очень неуютно, казалась себе глупой, пустой и никчемной. Отходила в сторону, утешая себя мыслью о том, что никто из них не разбирается во всей подноготной системы Станиславского, не знает наизусть сотен текстов и не умеет играть на сцене.

Эта мысль приносила покой, заставляла расправлять плечи, гордо вскидывать голову и даже улыбаться. Улыбаться до тех пор, пока однажды...

– Познакомься, Алечка, звезда нашей лаборатории Софья Павловна. – Муж галантно представлял ей миловидную женщину средних лет, которая ничуть не смущалась и не краснела от похвал самого академика. – Если бы не ее светлая голова, не видать бы нам премии как своих ушей. Это ведь она заметила, что белые крысы быстрее серых...

Мысли Али тут же улетучились в известном направлении: «Подумаешь, крысы, а ты попробуй сыграй Елизавету Английскую или Кабаниху. Ну, что крысы? Ни чувств не будоражат, ни эмоций не вызывают, а в театре все через себя пропускать надо, а не через формулы и цифры. Так-то».

– ... и еще бывшая звезда балета, – услышала она.

– Кто? – не сразу поняла Аля. – Кто звезда балета?

– Бывшая, – улыбнулась Софья Павловна, отчего сразу же стала еще привлекательнее, – бывшая звезда.

– Постойте, – нахмурилась Аля, – вы Жданова?!

– Она самая, – охотно подтвердила женщина, глядя на Алю с обычной улыбкой, в которой той по привычке мерещилось снисхождение.

Как еще могла к ней отнестись эта Жданова? Алевтина Андреевна отлично помнила, как лет двадцать назад журналы пестрели статьями о знаменитой балерине, получившей травму, неопасную для здоровья, но несовместимую с балетом. Але тогда было искренне жаль эту девушку, жизнь которой рухнула, не успев начаться. Именно так она и считала: жизнь, а не карьера. Потому что в представлении Али на свете не было ничего ужаснее для творца, чем жить, оставаться в здравом уме и твердой памяти – и не иметь возможности выйти на сцену и запомниться зрителю не яркими ролями и чудесными партиями, а душещипательной историей о конце творческой судьбы. Она не верила тогда в искренность балерины, которая уверяла всех в том, что жизнь не закончена и что «если Иглесиас и Соткилава сумели из великих футболистов переквалифицироваться в не менее великих певцов, то, очевидно, путь в обратную сторону, хоть и не проторен, но все же возможен».

Але на мгновение показалось, что она держит в руках журнал и читает старое интервью:

– Есть какие-то определенные планы на будущее, Соня? – спрашивал журналист.

– Знаете, если мне теперь и есть за что благодарить судьбу, так это за то, что травма случилась сейчас, а не лет через пять. Тогда было бы гораздо тяжелее начинать с чистого листа. Вариантов, кроме педагога-хореографа, пожалуй, и не нашлось бы. А сейчас у меня есть надежда попробовать себя в другой области.

Аля тогда поняла ее желание окончательно уйти из балета. Такое отношение было ей знакомо: либо все, либо ничего. Учить других, оставаясь в тени оваций и обожания, не для Али. Она никогда не хотела быть педагогом и неоднократно отказывалась от собственного курса в театральном вузе. Провести мастер-класс, прочитать курс лекций – пожалуйста. Но полностью посвящать свое время студентам, многие из которых, добившись успеха, даже и не упомянут в интервью имя своего мастера, – это увольте, это не для нее. Страна должна знать своих героев, и пока Алевтина Андреевна в состоянии, она будет следить за тем, чтобы все ее заслуги ценились по достоинству. А добрые дела, что могут остаться незамеченными, лучше и вовсе не совершать. Очевидно, в этом отношении они с балериной были из одного теста.

Но в отношении к жизни – точно из разного. Если бы Алю в свое время все же лишили сцены, она если бы и не сгинула от тоски и печали, то успеха в другой области, определенно, не добилась бы. А Жданова вполне себе ничего. Стоит, улыбается, ученую из себя строит. Хотя почему, собственно, «строит»? Она и есть ученый, судя по дифирамбам мужа – очень хороший ученый, грамотный, к мнению которого прислушиваются и чьим советом дорожат. А что Аля? Она ни своего мнения о крысах не имеет, кроме того, что они – страшная гадость, ни дельного совета в области нейрохимии дать не может.

Алевтина Андреевна растерянно пожала бывшей балерине руку, призвав на помощь все актерское самообладание, произнесла спокойно: «Очень приятно» – и поспешила отойти в сторону.

Конечно, она притворялась. Приятно ей не было. Напротив, ей было гадко и отчего-то стыдно, будто звезда ее вдруг помельчала и стала незаметной на небосклоне. Она ощущала себя чужой в этом обществе, и если раньше не хотела в нем бывать по причине скуки, то теперь избегала встреч с учеными дамами, боясь сравнения не в свою пользу в глазах мужа. Все чаще отговаривалась от «научных» банкетов собственной занятостью, а возмущение мужа тем, что он при знаменитой и красивой жене должен выглядеть бобылем, обращала в шутку: надувала губки, хлопала ресницами и расстроенно тянула:

– Ну, ты же понимаешь, Андрончик, репетиции есть репетиции. В конце концов, я на своей работе величина не менее значимая, чем ты на своей.

– Конечно, Алюшка, ты у меня звезда еще всесоюзного масштаба. Я прекрасно помню.

– Напоминать женщине о ее возрасте – дурной тон.

Он смеялся, и конфликт исчерпывался до поры до времени. Но в институте делали очередное открытие, собирали новый прием – и Алевтина искала подходящий повод отказаться. Муж обижался, а она недоумевала: оператор всегда понимал ее загруженность работой и никогда не требовал присутствия жены в неугодных ее душе местах.

Але как-то не приходило в голову, что в творческих кругах их все-таки часто видели вместе и были прекрасно осведомлены о существующем браке, а ученый был из другого мира. Женившись на актрисе, он не перестал быть не только академиком, но и обычным мужчиной-охотником, который не может не испытывать удовольствия от демонстрации своего самого дорогого трофея.

Кто знает, во что могло бы, в конце концов, это вырасти, если бы академик неожиданно не сгорел за несколько месяцев от тяжелой болезни. Именно эти мысли стали сначала осторожно, а потом все настойчивее проникать в голову Алевтины Андреевны вскоре после смерти мужа и довольно быстро укоренились в ее сознании. Она снова получила подарок судьбы: уже немолодая, но все еще полная сил актриса могла целиком и полностью посвятить себя исключительно творчеству, не беспокоясь ни о хлебе насущном, ни о завтрашнем дне, ни об отношениях с окружающими. Теперь она была предоставлена самой себе и могла упиваться почтением режиссеров, поклонением публики и признанием коллег.

Будущее казалось абсолютно безоблачным, но прожитые годы иногда напоминали о себе. Иной раз пошаливала печень, другой – побаливали колени, а третий – подскакивало давление. Нет, Алевтина Андреевна не изводила себя мыслями о смерти, она боялась другого: тяжелой, продолжительной болезни, в которой ее – такую всегда безупречную, такую шикарную и полную жизни – могут увидеть слабой, неприбранной и некрасивой. Немощь казалась ей самым страшным актерским горем. Конечно, она понимала, что для любого человека это трагедия, но все же считала, что именно для артиста нет ничего ужаснее, чем обнаружить перед публикой свое внезапное бессилие и медленное угасание. А потому, благо средства позволяли, Алевтина Андреевна тщательно следила за собой: посещала салоны красоты, делала массажи и другие модные процедуры по уходу за лицом и телом и, разумеется, не работала на износ.

Теперь она могла позволить себе играть лишь в репертуарном театре и ругать других за съемки в низкобюджетных сериалах. Ее карман всегда был полон, а потому актрисе легко удавались разговоры о высоком искусстве. Она, конечно, снималась, без этого нельзя: мгновенно забудут, и поминай как звали. Но не чаще раза в год и только в достойных картинах. Тому, кто не знает нужды, легко говорить о прекрасном и обвинять других в неразборчивости. Но разве Алевтина Андреевна когда-нибудь задумывалась о ком-либо, кроме себя?

Себя она считала эталоном, свои поступки, суждения и даже мысли – единственно правильными и достойными подражания. Именно поэтому сначала Панкратова с презрением относилась к звездности своей дочери, заработанной игрой в сериалах самого разного качества, а потом, пусть не с презрением, но с несказанным недоумением – к желанию разойтись с создателем тех самых сериалов.

– Нука, это просто глупость: не прощать такого человека.

– Какого «такого», мама?

– Ты прекрасно понимаешь, о чем я. Влиятельного, обеспеченного.

– Когда-то ты пела по-другому: говорила, что только такая идиотка, как я, могла связаться со студентом. Помнишь, как выговаривала, что замуж надо выходить за генерала, а не мотаться с лейтенантом по гарнизонам в надежде, что из него вырастет что-то путное.

– Что было, то быльем поросло, – Алевтина Андреевна пренебрежительно передернула плечами, будто сказала «Что за вдор!». – К тому же твой пример лишь подтверждает общее правило: редко кому удается связать свою судьбу с неопределенностью, а в итоге оказаться у Христа за пазухой. А ты так бездарно отпускаешь вожжи удачи!

Алевтина Андреевна отметила, как скривились губы дочери. Да, та частенько обвиняла мать в излишней театральщине и постоянной игре на публику. «И с чего бы это она возомнила себя зрителем, ради которого актриса станет растрачивать себя на драму?»

– Нука, это непростительная недальновидность: уходить от мужчины, который сделал из тебя звезду.

Дочь опять усмехнулась:

– А тебе никогда не приходило в голову, что его сериалы имели такой успех еще и потому, что в них снималась я?

– Ну и продолжала бы сниматься! – буркнула актриса. Не в ее правилах идти на попятный.

– Ты же сама говорила о том, что играть надо в театре, а не перед камерой. Вот я и иду в театр.

– Иди! Кто тебе мешает? Только в театре, знаешь ли, тоже сегодня густо, завтра пусто. Сейчас ты прима, а через час с волнением ищешь свою фамилию в листе распределения ролей. Надо не забывать создавать себе тылы, Нука!

– Так, как ты, да?

– А почему бы и нет?

Нука пристально смотрела на мать. Так долго, так пронзительно все понимая, что той даже стало не по себе. Потом молодая женщина усмехнулась и сказала почти беспечно:

– А знаешь, я бы, наверное, смогла, мама, если бы только... – Она надолго замолчала.

– Если бы только...

Дочь снова усмехнулась и произнесла совсем другим тоном: тяжело, удрученно. И куда только подевалась секундная беспечность?

– Если бы я его не любила. И еще... Перестань, в конце концов, называть меня Нукой!

Подобные разговоры повторялись через день. То ли Алевтине Андреевне действительно хотелось научить свое чадо уму-разуму, то ли ей не хватало эмоционального живого общения, а возможно, она испытывала желание снова остаться в одиночестве и, соблюдая приличия, пыталась выжить дочь из своей квартиры.

Во всяком случае, не выдержав нотаций и бесконечных упреков, Нука действительно съехала, и никаких сожалений по этому поводу ее мать не испытывала. Она упорхнула из-под родительского крылышка в пятнадцать лет, сама строила себе дорогу жизни. И преуспела: знала, чего хочет, и упрямо шла к своей цели. А чего хочет Нука? Доказать, что она впереди планеты всей? Забраться на вершину? Пусть попробует. Только вряд ли что-то получится.

У Алевтины Андреевны имелись причины думать именно так. Она, конечно, не отрицала, что и среди нового поколения актеров были по-настоящему талантливые и многообещающие люди, но все же глубины и пронзительности, свойственной ученикам старой школы, она в них не замечала. А может быть, просто время стало другим. Возможно, не актеры стали более поверхностными, а публика менее взыскательной: требовала развлечений, необременительных для души. А ломать комедию, по мнению Алевтины Андреевны, было куда проще, чем достоверно изображать шекспировские страсти.

«Конечно, на Нуку народ пойдет, – рассуждала она. – Да что там пойдет: побежит. Громкое имя – залог успеха, а имя у нее, бесспорно, есть. Ну, придут, ну, посмотрят. И что? Объявят ее новым Смоктуновским, или Жеймо или, на худой конец, Панкратовой? Нет. Побегут дальше за новыми впечатлениями и за следующими именами. Но никто не станет с трепетом следить за каждым ее движением и вдохновенно ловить любое слово, не будет переключать канал со своего любимого сериала на какой-то фильм лишь из-за того, что в нем снималась Анна Кедрова. Медея, Бланш – роли, безусловно, не проходные. В них можно и блеснуть, и даже оставить глубокий след в истории театра, но все же для настоящего триумфа они не подойдут. Да и любая другая роль, даже самого известного и значимого литературного персонажа, не станет знаковой и не позволит Нуке обрести то, чего достигла ее мать. Для этого нужно совершенно другое признание: признание всеобъемлющее, не отдельных людей, а толпы. Такое, чтобы и мастодонты сцены, и начинающие актеры, и монтажеры, и режиссеры, и все-все выпускающие работники театра, и, конечно же, зрители сошлись бы в едином порыве. Тогда зал застынет в напряженном предвкушении, чтобы спустя мгновение выдохнуть трепетно, восхищенно: «Это она!»

20

– Имя-то у нее есть?

– Что?

Михаил непонимающе посмотрел на собеседника. Он так увлекся воспоминаниями, что забыл, где находится.

Он по-прежнему сидел в изголовье кровати в больничной палате. Они о чем-то говорили с отцом

Федором. Ах да, о любви. О том, что он, Михаил, ее вовсе не потерял. Может, и прав немощный старец, может, и живо еще чувство. А иначе почему так ноет в груди, почему что-то застилает глаза и почему так нежно и осторожно произносит Михаил родное и далекое:

– Аня.

– Расскажи мне.

Прозвучало как приказ. В слабом голосе даже послышалась давно утраченная твердость.

Михаил давно закрыл свою душу от посторонних. Внешняя оболочка начищена – и ладно. Он настолько привык к эпитетам, которые не скупясь раздавала ему пресса, что иногда забывался и всерьез начинал считать себя «баловнем судьбы», «охотником за удачей, поймавшим ультрамариновую птицу» или без замысловатых сравнений просто «гениальным продюсером».

Действительно, жаловаться на жизнь было грешно: деньги – в избытке, женщины – в очереди, а в телефоне – сотня номеров разных приятелей, готовых и прийти на помощь, и скрасить одиночество. Только почему же так часто от этого одиночества, сдобренного пустыми разговорами и полными стаканами, становилось тошно и в прямом, и в переносном смысле?

Бывало, ему казалось, что он окончательно смирился с потерей Ани. Читая об ее успехах или приходя на спектакли, он радовался и гордился уже не так, как гордятся родным человеком. Он походил скорее на толкового менеджера, которому льстят успехи его протеже. Любая выпорхнувшая из-под твоего крыла певчая птичка всегда будет напоминать людям о том, кто ее сделал. Взлет бывшей жены играл на руку профессиональным амбициям Михаила. Теперь никто не мог обвинить его в низкопробности сериалов, ведь в них снималась сама Кедрова. С ним уже не отказывались работать именитые режиссеры, у него с удовольствием снимались известные актеры, а его имя в титрах заранее обеспечивало очередной картине зрительский успех.

Дважды он находился в нескольких шагах от женитьбы. В первый раз его остановила радость претендентки, когда он сообщил о невозможности ребенка. Девушка, казалось, испытала облегчение и начала счастливо стрекотать какую-то ерунду об испорченной фигуре, бессонных ночах и сопливых младенцах. Миша тогда вспомнил полные слез большие глаза и растерянный голос:

– Женщина всегда хочет родить от любимого мужчины, а ты предлагаешь мне самой отказаться...

Михаил помнил: Анна тогда была полностью раздавлена. И он предполагал, что прежде чем чаша весов между ним и ребенком склонилась в его пользу, жена провела немало бессонных ночей. А новая претендентка даже не попыталась скрыть радости по поводу того, что ей никогда не придется рожать.

Второй раз Михаил бросил невесту буквально на пороге загса. Хотя тогда в столице не осталось ни одного издания, не попытавшегося представить его в неблаговидном свете, он ни разу не пожалел о содеянном. А как он должен был поступить?

Брызги шампанского, поздравления, легкий мандраж и треп ни о чем в ожидании, когда произнесут твою фамилию и распахнут двери зала торжественных событий. И в этот волнующий миг восхитительная ручка в белой перчатке вытянула указательный пальчик и произнесла недовольно-растерянным тоном:

– Кто это?

Михаил обернулся и увидел пожилую женщину, которая немного растерянно рассматривала публику в зале, не решаясь присоединиться к веселой толпе. Михаил расплылся в улыбке:

– Моя мама.

– Твоя мама? – недовольно протянул голосок.

Миша сначала решил: удивилась, он же не предупредил. Хотя разве о таком предупреждают? Но объяснил все-таки:

– Да. Я за ней водителя послал. Пойдем, я тебя познакомлю.

Миленькая головка с дорогущей диадемой в прическе разъяренно зашипела и сразу же стала походить на медузу Горгону:

– Ты же говорил: она не в себе.

– Не волнуйся, малыш, сейчас у мамы хороший период, и она будет рада за нас.

– Рада? Хороший период? Ты пригласил на мою свадьбу сумасшедшую и говоришь, что у нее «хороший период»?!

Михаил побагровел. Единственное, о чем он жалел впоследствии, – это о том, что сдержался и не оставил отпечаток своей ладони на щеке. На лице, которое мгновенно стало чужим и не просто некрасивым, а омерзительным. Конечно, в этом случае его имя полоскали бы в прессе еще дольше и беспощаднее, но сам Михаил, возможно, смог бы испытать чувство полного удовлетворения.

Но он тогда сдержался, не стал распускать руки. Кажется, бросил какую-то гадость в адрес диадемы и выскочил из загса, увлекая за собой маму. В машине кинул водителю короткое «Поехали!» и замолчал.

Он не видел грозившего ему кулаками вслед отца невесты, не замечал высыпавшей на улицу изумленной оравы приятелей, не обращал внимания на несостоявшуюся жену, рыдавшую у кого-то в объятиях, не слышал удивленных вопросов матери. Он видел и слышал только Аню. Она стояла перед ним, юная, прекрасная и очень серьезная. Внимательно смотрела своими огромными серыми глазами и говорила тихим ровным голосом: «Мы должны жить с твоей мамой».

И это видение было таким реальным, что, проводив мать до дверей квартиры, Михаил спросил:

– Мам, можно я останусь?

И остался. Остался всего на пару недель до очередного явления Леночки. Это Аня могла спокойно реагировать на проявления болезни и даже подыгрывать видениям больной, а Миша предпочитал устраниться.

Аня была мудрее, и сильнее, и лучше. И она была его Аней. А теперь... Теперь:

– Где мне найти такую, как Аня, мама? – спросил как-то во время очередного «докторского» визита.

Совершенно трезвый проницательный взгляд и спокойный мудрый ответ:

– А разве нужно искать «такую, как»?

– Но она не простит меня, мам.

– Ты просто плохо просишь.

Мама была права. Не то чтобы Михаил плохо просил, он вообще больше не просил. Он скорее старался продемонстрировать, что ее отказ от примирения его не только не расстроил, но даже в какой-то степени обрадовал. Если Аня ходила по красным дорожкам фестивалей одна или в компании всей съемочной группы, то Миша неизменно появлялся под руку с новой пассией и всегда норовил их познакомить, словно лишний раз хотел подчеркнуть: «Вот видишь: у меня все шоколадно. Ты не простила, а я не тужу. В одиночестве не страдаю. А ты, дорогая, одна, одна, одна».

В том, что в Аниной жизни так и не появился мужчина, Михаил почему-то не сомневался. Конечно, он не мог быть уверенным в том, что она вела пуританский образ жизни (да это было бы странно для молодой, красивой, известной женщины, за внимание которой наверняка разворачивалась нешуточная борьба), но за отсутствие чего-то настоящего мог поручиться. В противном случае из глаз ее давно исчезла бы грусть, а Михаилу, звонившему поздравить ее с очередной прекрасной ролью, перестало бы казаться, что даже в телефонной трубке он слышит, как бьется ее сердце.

– Думаешь, если я попрошу еще раз, что-нибудь получится? – спросил он маму.

– Я не знаю. Подожди подходящего случая.

И Михаил ждал. Перестал выводить на ковровые дорожки длинноногих красоток, стер из списка контактов сотню ненужных фамилий, начал собирать в своем доме старых друзей. Не шумные пьяные вечеринки без тормозов, а тихие посиделки в мужском клубе: сигары, немного коньяка, бильярд и неспешное обсуждение жизни.

Лишь в одном он не изменился: так и не смог заставить себя чаще бывать у матери. Отговаривался работой, продукты и деньги для сиделок просил завозить водителя. Иногда, взглянув на календарь и отметив, что уже целый месяц не был на Котельнической, все же ехал скрепя сердце, теша себя надеждой, что за пятнадцать минут разговора услышит что-то стоящее. Бывало, надежды оправдывались.

– Аня была, – вдруг сообщала мама. – Хорошо выглядит, привет передает.

– Спасибо, – радовался Михаил и пытался выяснить, о чем они говорили, что обсуждали, но мать лишь отмахивалась:

– Да ну о чем могут сплетничать две одинокие женщины: о растущих ценах и о болячках.

– Она болеет? – пугался Миша.

– О моих болячках, сынок.

Михаил переводил дыхание и счастливо улыбался. «Одинокие» – звонкими трелями разливалось в его голове.

– Знаешь, Мишенька, у меня что-то в боку стреляет в последнее время. Врачи отмахиваются. Говорят, ерунда. Но мне кажется: надо проверить. Может, ты со мной съездишь?

– Конечно, мам. Я скажу Косте (водителю) – он тебя отвезет.

– Меня?

– Ну да, а что?

– Я думала, нас.

– Мамусик, ну, ты же знаешь: у меня в производстве три картины. Встречи, переговоры, бумажная волокита... Я же разрываюсь. Вот, – он бросал обеспокоенный взгляд на часы и сокрушался, – опять полчаса потерял. Мне бежать надо.

– Беги. Беги, конечно, – легко соглашалась мама.

– Я тебе позвоню, скажу, когда Костю ждать.

Миша легко чмокал мать в щеку и убегал из квартиры. Мама провожала его беспечным и даже веселым «Звони!» и лишь после того, как хлопала входная дверь, шептала, совершенно раздавленная:

– Потерял...

А Миша нырял в работу: производил, договаривался, продавал, убеждал и пожинал щедрые плоды. Еще он ждал случая – и дождался.

Нет, конечно, он не мечтал об этом. Конечно, не хотел ее боли, ее страданий и краха ее карьеры. Но где-то в самом дальнем углу сознания пряталась мыслишка: теперь-то она никуда от него не денется.

Он был в этом уверен, но просчитался. Сломленная, уничтоженная и совершенно беззащитная, Аня была еще непреклоннее. Она не пожелала слушать. Прогнала и попросила больше никогда не приходить. А он был настолько разочарован, настолько ошеломлен и уязвлен, что даже не стал задумываться над причинами ее поведения. Принял как данность. Окончательно убедил себя в том, что возвращение к прошлому невозможно, и окунулся в упоение своим горем.

Нет, он знал, что с Аней все в порядке, читал, что ее лечат где-то за границей. Но он уже не ждал ее возвращения. Какая ему разница, вернется ли она на сцену, если она не вернется к нему?

Он ни с кем не обсуждал эту тему, ни у кого об Ане не спрашивал. Даже у мамы. Он вообще уже ничего у мамы не спрашивал. Теперь звонила она:

– Мишенька, ты бы заехал. Галочка сварила чудный супчик!

– Какой супчик, мам?! У меня озвучка, потом монтаж, в ночи презентация.

«Очень нужно есть сиделкин суп!»

– Ну, может, после?

– А после спать, спать, спать.

Если раньше Мише хватало нескольких часов сна, чтобы восстановиться для новой захватывающей гонки, то теперь он посвящал сну все свободное время. Вставал поздно, лениво ковырял сваренную домработницей кашу и отправлялся в город. В машине молчал, не обсуждая с водителем ни новостей, ни песен, звучавших по радио. В городе старался скорее переделать все дела, чтобы вернуться в гнетущую тишину пустого дома и забраться под одеяло. В выходные так же бесцельно валялся в кровати, не чувствуя ни малейшего желания встать и куда-то пойти.

Свой импровизированный мужской клуб тоже закрыл. Слушать рассказы семейных приятелей о детских шалостях и совместных вылазках в аквапарки или по грибы было тошно, завидно и мучительно. Михаилу никого не хотелось ни видеть, ни слышать. Сначала его тормошили, приглашали куда-то, обижались на отказы и подбадривали: «Давай, старик, соберись. Пойдем, встряхнемся!» Потом как-то привыкли к его отсутствию, настаивать перестали, подарили покой.

И только один человек по-прежнему звонил, не отставал, не желал с ним расстаться:

– Мишенька, как ты, сынок?

– Да в порядке, мам. Все хорошо.

– Ты просто давно не звонил.

Быстрый взгляд на календарь. Черт! Не звонил дней десять, наверное.

– Мам, ну ты же понимаешь...

– Я понимаю, понимаю. Просто, может быть...

– Ладно, ма, я заскочу как-нибудь, а сейчас мне надо бежать.

Он вешал трубку и погружался в сон.

– Миша, ты бы съездил со мной на кладбище. Двадцать лет все-таки со дня бабушкиной смерти.

– Я пришлю Костю. Гвоздики купить или розы?

– Разве это важно? Важно, чтобы ты пошел, сынок.

– Мам, ты же знаешь, я терпеть не могу кладбищ.

– А кто их любит, сынок?

Спать, спать, спать...

– Мишенька, я такую книгу недавно прочитала! Соседка дала – чудный автор. Там, представляешь...

– Мам, извини, мне некогда.

Спать, спать...

– Сыночек, я слышала, Каррерас приезжает. Мне бы так хотелось его послушать. Сходим?

– С тобой? Мам, да ты... Разве ты можешь? Хотя сходи, если хочешь, с Галей. Я куплю вам билеты.

– А ты, Миш?

– Нет, я пас. Я...

Спать...

Спал до тех пор, пока однажды в телефонной трубке не раздался встревоженный голос сиделки Галочки:

– Михаил Андреевич, у нас кошка пропала. Вчера еще. Мы все окрестности обегали, но не нашли. А еще...

Михаил спросонья ничего не понял, потом рассердился не на шутку («Совсем с катушек съехали, его из-за какой-то кошки тревожить!»), затем хотел сказать, что купит им новую. Ну, как обычно: он даст денег, Костик съездит на рынок, привезет зверушку и...

– ...а еще ваша мама, ваша мама – она, кажется, умерла.

В трубке – сдавленные рыдания. В душе Михаила – мрак.

На Котельнической застал бригаду «Скорой помощи». Врач выписывал свидетельство о смерти и что-то терпеливо объяснял промокавшей глаза Галочке.

– Что? Как? Почему это случилось? – с порога начал кричать Михаил.

Врач остудил его пыл пристальным взглядом. Ответил спокойно:

– Говорят, тосковала она очень. К тому же кошка вот пропала.

– Разве можно умереть от потери кошки? – только и пробормотал, падая на диван и закрывая лицо руками.

Сквозь ладони снова почувствовал пристальный взгляд, через рыдания услышал ровный голос:

– Вам виднее, какие еще потери ей пришлось пережить. Кошка – последняя капля.

Последняя капля вернулась через две недели после похорон. Вернулась виноватая, довольная и, как выяснилось позже, беременная. Первым желанием Михаила было схватить животное за шкирку и выкинуть в окно, но внутренний голос шепнул еле слышно: «Себя надо выбрасывать, себя».

Так и жили вдвоем, не замечая друг друга, ну, или почти не замечая, словно играли в игру. Он клал еду в миску, когда кошка выходила из кухни. Она ела эту еду, когда Михаил отсутствовал в квартире. Он давал ей понять: «Ты мне не нужна». Она ему: «Я в тебе не нуждаюсь». Так бы и существовали, соблюдая нейтралитет, если бы кошке не вздумалось рожать. Она орала дурным голосом, и Михаил сгреб в охапку, повез к ветеринару. Кошку не спас, зато получил три теплых слепых комочка и тщательные инструкции по выхаживанию. Выходил. Двухмесячных симпатичных котят раздал соседям и снова затосковал.

Не то чтобы ему нечего было делать. Работа не стояла, бизнес требовал внимания, но все это стало каким-то пустым, скучным и неинтересным. Он проводил дни в разборе хлама, которого полным-полно у каждого.

Его мама не была исключением. Он плакал над тетрадками с рецептами, исписанными знакомым убористым почерком, с любопытством разглядывал заполненные старыми марками кляссеры, вертел в руках фотографии.

Вот мама-студентка: стоит у доски и что-то рассказывает с очень серьезным видом. А вот у той же доски и в той же одежде вручает цветы старенькой профессорше, наверное, это защита диплома. На другой фотографии, привлекшей внимание Михаила, мама сидела на кухне в компании подруг. Мама держала в руках гитару и пела. И Мише казалось, что он снова слышит ее приятный, серебристый голос, который когда-то так нравился академику. С недоумением разглядывал мужчина еще одну фотографию. Людей на снимке не было, но изображенный пейзаж показался ему отчего-то смутно знакомым: вековые сосны, высокий деревянный забор и маленькая детская горка на участке земли, куда проникало солнце. «Ерунда какая-то», – пожимал плечами Миша и откладывал снимки. Что за участок? Как он теперь узнает? Хотя надо ли знать?

Записная книжка лежала на видном месте, и Михаил воспользовался ею лишь однажды, когда организовывал похороны. Да и звонил тогда только по знакомым номерам. По двум только продолжал звонить до сих пор. В квартире Аниной матери к телефону упорно подходила незнакомая женщина и недовольным голосом сообщала, что жилье сдано, а местопребывание хозяев неизвестно. Анин мобильный в сети отсутствовал.

Михаил продолжал оставаться на Котельнической. Продал дом, отметил успешный показ очередного сериала и снова ушел в себя, точнее, в ушедшую маму. Единственное, с чем расстался без сожаления, – с коробками с вещами Леночки, остальные свидетельства прошлого бережно перебирал. Что-то вызывало улыбку, что-то удивление, что-то заставляло плакать. Небольшой же запечатанный конверт, на котором было написано «позвонить после моей смерти» и цифры с немосковским номером телефона, привел Михаила в деревню.

Когда он сбивчиво начал рассказывать владельцу номера о смерти мамы, о своей находке, о конверте, тот слушал, не перебивая, а потом только и сказал:

– Приезжай.

И Миша поехал. Поначалу боялся, что местные узнают в нем известного человека, полезут с расспросами, донесут журналистам. А потом догадался: никто здесь его не знает, никому нет дела до количества снятых им картин, и примут его так, как он себя проявит.

Проявить пришлось почти сразу. Человек, пригласивший его, оказался местным батюшкой, к тому же смертельно больным. Михаил и оглянуться не успел, как веселый человек, еще вчера представившийся ему однокурсником матери, живо интересовавшийся подробностями их жизни и отчего-то показавшийся смутно знакомым, стал угасать на глазах и в считаные недели оказался прикованным к кровати. Теперь Михаилу почему-то казалось, что отец Федор накликал на себя эту болезнь для того, чтобы помочь ему, Мише. Будто предвидел, что, надев рясу и попробовав помочь людям, тот обретет искупление и простит себя за былую скупость души.

Михаил душу изливать не привык, если с кем и откровенничал в последние годы, так только с подушкой. Но теперь он знает: священнику можно многое рассказать. Ведь ему же рассказывали, и он слушал, и не бездействовал, а помогал. Может, и ему помогут... Если не делом (какие уж тут дела в двух шагах от смерти!), так мудрым словом.

И Миша, посмотрев на кровать, с которой следили за ним тревожные, беспокойные и ставшие такими родными глаза, заговорил. Казалось бы, простая история: влюбился, женился, изменил, развелся. Сплошь и рядом такие случаются... Такие, да не совсем. В каждой есть что-то свое, особенное, личное, неповторимое. Вот и он рассказывал так, будто ничего подобного никогда ни с кем не случалось. Рассказывал и одновременно удивлялся: его эмоциональность и проникновенность, казалось, ничуть не занимали больного. Тот слушал как-то отстраненно, словно Миша читал вслух какой-нибудь малозанимательный роман. Обычно отец Федор не сводил глаз с собеседника, старался если не кивнуть головой (лежа – тяжело и неудобно), то хотя бы прикрыть веки в знак внимания к говорящему или одобрения услышанному. Теперь же больной смотрел в потолок, отвлеченно теребил простыню, жевал тонкие губы и нетерпеливо поглядывал на Михаила, словно ожидал от него чего-то большего, чем рассказ о былой любви.

Несколько раз за время «исповеди» он все же оживлялся. Михаил заметил, что всякий раз, когда он упоминал о добром отношении своей бывшей жены к свекрови, отец Федор счастливо улыбался и поддакивал:

– Хорошая женщина.

Такая реакция была вполне уместна. Михаил и сам бы обрадовался, если бы услышал, что кто-то заботился о не чужом для него человеке. Хотя радость отца Федора за женщину, с которой он когда-то учился в институте, казалась чрезмерной, анализировать реакции другого человека взволнованный Миша был не способен. «Не слушает, ну и ладно. Интересуется странными вещами («А что говорила мама?» «А знала ли мама?» «А как вела себя мама?») – пускай!»

Михаил начал говорить и теперь находился во власти собственных чувств. Прошлое завладело его мыслями. Он будто заново проживал историю своих отношений с Аней: то счастливо смеялся, вспоминая первые перебранки во время занятий:

– Я говорил ей, что Маруся должна быть нежной, трепетной, воздушной. Легкой, кстати, не только в переносном смысле, но и в прямом: чахоточная ведь. А она, представляете, батюшка, поначалу изображала какой-то нелепый напор и вместо стыдливого, растерянного шепота почти кричала мне в ухо: «Я люблю вас, доктор»[1]. Ой, а эти наши вылазки в усадьбы, – взгляд Михаила делался мечтательным, – никогда после я не придумывал ничего более замечательного. Столько красивых идей воплотил в своих сериалах, такое количество сюжетных поворотов подсказал сценаристам, но ни один из них никогда не воодушевлял меня так же, как те нелепые сценки, что мы с ней взахлеб разыгрывали на садовых аллеях, переписывая на свой лад произведения классиков. А институтская картошка! – Он удивленно усмехался, будто сам не верил тому, что говорил. – Это же надо: называть праздником отварную мороженую картошку со вкусом воды и запахом гари! Уму непостижимо, правда? А с другой стороны, я бы любую фуа-гра с легкостью променял на ощущение того забытого вкуса. Знаете, что это был за вкус? Думаете, того, что я сказал? Воды и гари? Нет, мой дорогой, нет. Ошибаетесь: вкус счастья. Столько воды утекло с тех пор...

То грустил:

– Каким же ослом надо быть, чтобы потерять все это. Помните, как у Шекспира: «... Но ты, благих не-

[1] Речь идет о героях рассказа Чехова «Цветы запоздалые».

бес осыпанный дарами, беречь бы должен был те чудные дары...»[1]

Миша поймал взгляд, в котором за рассеянностью вдруг скользнула тревога, и неожиданно понял: равнодушие и невнимание были наигранными. Глаза в потолок – защита от собственных переживаний. Не был священник ни отстраненным, ни отрешенным, не уходил в себя и не считал исповедь Михаила ненужной. Наоборот: принимал все близко к сердцу, пропускал через себя, а на Мишу не смотрел, чтобы не спугнуть своим слишком заботливым, излишне сочувствующим и по-настоящему отеческим взглядом.

Михаил вдруг почувствовал необъяснимый стыд, словно увидел нечто недозволенное. Смутился, замолчал, потом не мог придумать начало следующей фразы, а потому продолжал молчать и от этого смущался все больше. Спасение пришло в тихо прозвучавшем вопросе:

– А почему ты не пытался ее вернуть?

– Я пытался.

– Отчего же бросил попытки?

– Понял, что она никогда не вернется.

– Никогда не говори «никогда».

21

Никогда раньше дом не испытывал такой тревоги и разочарования, никогда не чувствовал себя таким обманутым и преданным. Даже когда перестали ездить те, первые, хозяева, он проглотил обиду и смотрел в будущее с оптимизмом. Конечно, тогда он был еще совсем новым, пах свежей краской и не скрипел

---

[1] Шекспир У. Сонет № 6.

половицами. Он мог рассчитывать на появление в своих стенах достойных людей, а впоследствии научился видеть плюсы в постоянной смене жильцов. Новые постояльцы – новая жизнь, новые истории. Дом ведь был любопытным. Всякий раз, когда в двери заглядывал прежний хозяин – тот самый, что его построил, – дом приходил в радостное возбуждение. Появление владельца, который что-то убирал, как-то переставлял мебель, перестирывал шторы, означало скорое появление новых людей.

Дому ужасно хотелось узнать, что же случилось с женщиной и ребенком, но такой возможности не было, а потому он с нетерпением ждал других интересных историй. Теперь, глядя в телевизор в комнате больной, дом узнал, что всю свою жизнь был зрителем реалити-шоу под названием «Человеческая жизнь», точнее, жизни. И все просмотренные жизни были ему понятны, финал предсказуем, развитие событий очевидно.

Но Анна собиралась уехать неузнанной и до конца не разгаданной. Она не признавалась дому в своих планах, не раскрывала карт и не обещала забрасывать его письмами.

– Вот сделаю детскую, и уедем, – только и говорила она собаке. – Нельзя же подводить людей. Знаешь, их дочке макет понравился. Так что добьем эту упрямую кровать, – Анна сердито хлопала рукой по деревяшке, которую шкурила, – и поедем.

Глупая собака лишь виляла хвостом. Думала, что не о чем беспокоиться: уж ее-то не бросят, возьмут с собой. Возьмут. Только куда? Предложат такой же огромный участок, по которому можно носиться без удержу, разминая косточки и гоняя нахальных ворон? Или запрут в тесной коробке, называемой квартирой, выделив в качестве места тряпку в коридоре?

Дом помнил, как та, первая, женщина восхищенно ходила по участку, раскидывала в стороны руки и восторгалась:

– Простор-то какой! Не то что в нашей коробке.

А мужчина обнимал ее, чмокал в щеку и отвечал:

– Погоди, мы тоже когда-нибудь новую квартиру получим.

– Когда-нибудь... Андрюшке вон уже трешку дают.

– Так то Андрюшке. Андрюшка академиком станет, помяни мое слово. Я не удивлюсь, если его когда-нибудь на Котельнической поселят.

– Скажешь тоже, на Котельнической!

Про Котельническую дому было неинтересно. А про Андрюшку он вскоре узнал. Он оказался другом мужчины и женщины. Кажется, институтским, но с другого факультета (это дом понял из разговоров). Андрюшка приезжал часто, летом ходил купаться, зимой бегал на лыжах. Мужчина все старался увлечь гостя разговорами, водил по участку, приглашал жарить шашлык, «сыграть партию в шахматишки» или пойти поудить. Но Андрюшку (дом видел) больше интересовала женщина. Он вился вокруг нее скользким ужом, а она – она! – вовсе не возражала. А потом... Потом они не приехали, и история осталась недосказанной.

А теперь хотела уехать и Анна, не заканчивая своей повести, обрывая ее на самом интересном месте. Почему она бросила сцену? Почему не возвращается? И еще целый вагон «почему».

Дому больно было смотреть на Анну. Обычно такие чувства люди испытывают, глядя на тех, кто причинил им боль. Дом тоже чувствовал боль. Он поверил Анне. Он чувствовал, что к нему снова вернулась маленькая хозяйка, которая считала, что людей подводить нельзя. А дома, выходит, можно. А он-то, дурачок, радовался, твердил в упоении и себе, и всем соседним домам: «Это она!»

«Это она!» – все еще отстукивало радостный ритм сердце Анны, когда она, опустошенная и наполненная после спектакля, складывала в машину бесчисленные букеты.

– Проводить? – нарисовался рядом надоедливый Петечка со своим нудным голосом и вечно просящими глазами побитой собаки.

– Сама доеду, – отозвалась Аня, справляясь с последней связкой колючих роз.

– Ты устала.

С первого раза Петя никогда не сдавался. В этом она была виновата сама. Иногда было так тоскливо, что она позволяла ему сесть за руль и домчать себя до дома. И даже в квартиру звала, и кофе наливала, но потом, несмотря на собачьи глаза, выставляла за дверь. Иногда, правда, закрадывалась в голову мысль выйти замуж за такого Петечку и всю жизнь чувствовать, как с тебя сдувают пылинки. И ребеночка можно родить, и никогда не узнать предательства, и быть счастливой... Счастливой? Полет фантазии тут же останавливался. А как же смешные сценки в усадьбах, праздничная картошка и споры о чеховской Марусе? Воспоминания смеялись над мыслями о счастье с собачьими глазами.

– Спасибо, Петь, я сама. Сегодня сама.

– Успех грандиозный, правда? Я даже дышать боялся.

– Я тоже, – призналась Аня.

Нет, конечно, она дышала и произносила монолог, почти ни о чем не думая, кроме интонаций и собственно текста. Но все же не могла не почувствовать, что вот она, та самая единая сила подмостков, партнеров и зрителей, которая подняла ее, приняла, вознесла и теперь любуется, боясь даже прошептать то, что читалось в каждом взгляде и в каждом вздохе скрипучей сцены. «Это она!» – первой завела кисточка гримера. «Это она!» – шелестело оборками платье. «Это она!» – благоговейно шептали студентки с курса худрука театра (мимо них она почти пробежала, боясь опоздать к выходу). «Это она!» – певуче скрипела под ее легкими шагами лестница к сцене. «Это она!» – почтительно держали паузу партнеры по спектаклю. «Это она!» – встретил ее аплодисментами зрительный зал. И уже не отпускал. Или это она держала его в напряжении своим обликом, своим настроением, своей игрой?

Спектакль не был премьерным, да и роль – не самая выдающаяся: заурядная героиня, переживающая любовную драму, согласно замыслу современного драматурга. Но именно сегодня, именно словами и движениями этого персонажа Анна заставила публику выть от восторга, а коллег преклоняться.

Почему? А потому что накануне:

– Привет, я получила билет.

– В который раз, – без особых эмоций согласилась Аня.

Она всегда посылала матери такое своеобразное приглашение на спектакль, и всякий раз великая актриса Панкратова находила очередную отговорку, чтобы не прийти. То Медея казалась ей отвратительной, то Теннесси Уильямс нагонял скуку, то очередной скандал с домработницей оставлял ее «без настроения для прогулок по театрам». Анна так устала от отказов, что, продолжая посылать билеты, перестала уточнять, соизволит ли мать прийти на этот раз. Не хочет – не надо. В конце концов, и об успехе, и о провале ей доложат с одинаковой скоростью – желающие найдутся, у Ани не было ни малейшего сомнения, что Алевтина Андреевна в курсе всех ее триумфов и неудач. Но великой актрисе, видимо, было мало просто знать. Судя по всему, ей неожиданно захотелось поучаствовать в жизни дочери, чтобы продолжить делать эту жизнь невыносимой. А иначе зачем ей звонить? Никогда ведь не звонила. Что же теперь? Аня приготовилась к обороне, но мама, похоже, решила вывесить белый флаг.

– Я, пожалуй, приду.

– Ты?! – Молодая женщина чуть не добавила «белены объелась», но вовремя сдержалась, ответила вежливо:

– Приходи, конечно.

– Буду к началу.

Следовало холодно распрощаться, сохраняя вежливый нейтралитет (именно так и говорила пожилая актриса: доброжелательно, но холодно), но Анна не смогла до конца сдерживать эмоции:

– Мама, а чем обязана?

– Мне предложили сыграть в другой постановке этого режиссера. Хочу посмотреть, что он за птица.

Ну конечно! И как это Аня сразу не догадалась, что о ней снова не идет и речи? Алевтина Андреевна даже не собиралась делать хорошую мину и сочинять небылицы о своем желании посмотреть, наконец, на работу дочери. Нет. Все для себя и все о себе. Аня – так, мимоходом, заодно.

Анне бы расстроиться, сказать грубость, отобрать билет или заявить, что она видеть мать не желает. Но нет. Разве станет она отказываться от пусть такого, но все же шанса доказать великой Панкратовой, что и она, Аня, чего-то стоит? Конечно же, мать оценит и станет гордиться, а там, кто знает, возможно, и полюбит? Ведь большие актрисы не могут не почувствовать ту самую неповторимую ауру, когда каждый уголок театра наполнен немыми возгласами: «Это она!»

В свете рампы Анна не могла разглядеть лица Алевтины Андреевны. Та не зашла к дочери в гримерку ни до, ни после спектакля. Это Анну не удивляло, удивило бы обратное. Анна не расстраивалась и больше не злилась на мать. Теперь она ликовала и упивалась ощущением победы над собой, над залом и, конечно же, над великой актрисой.

Отделавшись, наконец, от Петечки и выехав на дорогу, Анна, все еще в эйфории, несколько раз громко прокричала, заглушая выдающего в магнитоле свои фирменные «Ау» Майкла Джексона: «Это я! Это я! Это я!»

– Это я, – прозвучало в трубке, когда Анна ответила на прорвавшийся сквозь грохот звонок телефона.

– Да? – Женщина затаила дыхание. Сейчас мама скажет, что она была не права. Сейчас признается в ошибках или, по крайней мере, согласится с тем, что и Аня кое-что умеет на сцене, сейчас...

– Прости, я не смогла быть. Как все прошло?

Аня не помнила, как нажала отбой. Телефон ехидно улыбался с пассажирского кресла, Джексон пел о том, что она была похожа на королеву красоты с киноэкрана[1], а слезы застилали глаза. Аня не заметила красный сигнал светофора...

---

[1] Слова из песни Майкла Джексона «Билли Джин».

– Красный, Дружок, слишком обязывает, – Анна вытерла испачканные краской руки о фартук. – Подростку, конечно, хочется яркости и необычности, но через какое-то время ей самой станет неуютно в окружении сплошного красного, так что придется разбавлять атмосферу. Как думаешь, а? – Анна потрепала собаку за ухом, в раздумьях разглядывая кровать. – Немного подсохнет, и нанесем рисунок. Только какой? Что у детей нынче в моде? Надо бы написать, спросить, чего хочет сама девочка. Давай-ка, пойдем, воспользуемся благами цивилизации.

Женщина с собакой вышли из мастерской и направились к дому, который с тоской наблюдал за этой идиллией. Совсем скоро ему придется привыкать к каким-нибудь другим звукам и запахам, а он уже успел полюбить стук молотка (он напоминал ему о собственном рождении и детстве), скрип пилы и жужжание рубанка. Дом наслаждался даже запахом морилки, который ветер, бывало, приносил из распахнутых окон мастерской. А теперь все это должно было исчезнуть.

Дом обидчиво заскрипел ступенями крыльца, когда Анна с собакой поднимались на террасу. Дружок резко остановился, повел ушами, прислушался, будто спрашивая у дома: «Что это ты, старик, разворчался?» Но дом отвечать не собирался. Собака с ее безотчетной радостью и готовностью к любым переменам снова его раздражала. Сдались ему реакции псины! Дом наблюдал за действиями женщины. Она включила ноутбук, застучала по клавишам, перечитала написанное и отвернулась от экрана. Снова обратилась к собаке:

– Знаешь, Дружка, что самое сложное в такой переписке? Получать новые сообщения с просьбой о встрече и отвечать, что я не принимаю и никуда не езжу. Я никуда не езжу, Дружок. Знаешь, почему я этого не делаю? Думаешь, дело в том, что боюсь быть узнанной? Я тебя умоляю! Уж для кого, а для актрисы сохранить инкогнито проще простого. Пользоваться гримом умею так, что родная мать не узнает.

Дом весь обратился в слух. Из разговоров Анны с режиссером и с матерью он уже успел сделать вывод, что женщины хотели сохранить свое пребывание в тайне. Но теперь получалось, что Анна могла себе позволить менять облик и встречаться с людьми, но не делала этого. Почему? Конечно, надолго, наверное, больную оставлять не решалась. Все-таки до электрички идти далеко, да и трястись потом в поезде – удовольствие сомнительное. Но ведь есть же машина. Стоит себе под тентом, ждет своего часа. Он помнил, как привезли женщин. Сидевший за рулем мужчина вынес с заднего сиденья лежачую, вынул из багажника чемоданы и, взяв у Анны деньги и выслушав благодарности, откланялся, оставив женщине какую-то карточку. Карточка эта потом так и валялась на подоконнике, на ней было написано «Водитель по вызову». Но больше его не приглашали, да и поедет ли кто-то в такую даль? Но машина стояла, значит, на ней когда-то ездили. Иначе зачем она нужна?

Анна встала со стула и вернулась к крыльцу. Прислонилась к косяку двери, постояла, не отрывая взгляда от того места, где под тентом пылилась машина:

– И зачем ты теперь нужна? Все равно я не вожу больше.

Дом всегда умел слышать главное. «Больше не водит? Значит, раньше водила, а теперь нет? Почему?»

Анну услышала и та, которая знала ответ на этот вопрос. Услышала и закричала из комнаты:

– Нука! Врач же сказал: «Не вспоминать!».

Анна откликнулась, больше себе, чем матери:

– Разве об этом можно забыть?

22

Забыть о спектакле дочери у актрисы Панкратовой не получилось. В театре она была и в талант Ани поверила. Но одно дело – увидеть свою ошибку, а другое – признать. Продолжать высказывать сомнения по поводу гениальности Аниной игры было бы проявлением скорее глупости, чем упрямства. Алевтина Андреевна менять свои суждения не привыкла, и сознаваться в своем поражении казалось ей настолько мучительным, что она предпочла соврать. Ну, не было ее на спектакле, как же она может о нем судить?

На следующий день после премьеры Алевтина Андреевна проснулась в прекрасном расположении духа. Ей предстояли пробы на картину известного режиссера, но результат был заранее известен. От нее требовалось лишь приехать, отыграть пару сцен и оставить автограф в конце договора. Роль обещала быть интересной и помимо неплохих дивидендов обещала принести изрядное удовлетворение.

Алевтина Андреевна тщательно уложила волосы, нанесла макияж и полюбовалась своим отражением в зеркале: волосы, пусть уже не натурально черные, но все еще густые, обрамляли чудесно подправленный хирургами овал лица. Глаза в результате операции смотрели чуть удивленно, но придавали и без того прекрасному образу особую пикантность: небольшая раскосость только прибавляла шарма. Шея, к которой у Алевтины Андреевны накопилось множество претензий, была чудесно задрапирована широкой нитью жемчуга (конечно же, натурального), а все, что находилось ниже шеи, было подтянуто и аппетитно благодаря косметическим процедурам и искусно подобранному корректирующему белью. Актриса имела полное право остаться довольной своим обликом. Она и осталась. Напевая под нос какую-то дурацкую мелодию, она налила себе кофе и включила телевизор.

Следующие пять минут запечатлелись пятнами разбрызганного кофе на светлой блузе, а в сознании – обрывками фраз диктора новостей: «...получила множество тяжелейших травм, ожоги большой поверхности тела... ... не дают утешительных прогнозов... ...была великолепной актрисой».

Это холодное «была» резануло слух Алевтины Ан дреевны сильнее всего. Дрожащими руками она схва тила мобильный телефон, все еще хватаясь за спаси тельную мысль: однофамилица. Безнадежно: теле фон пестрел десятками непринятых вызовов Актриса Панкратова не любила беспокойства, счита ла лучшим средством от синяков и мешков под глаза ми крепкий восьмичасовой сон, а потому на ночь от ключала звук телефонов.

Отключай – не отключай, а рано или поздно ре альность тебя догонит. Вот и теперь трубка беззву но завибрировала в руках актрисы. Панкратова быст ро нажала отбой и нахмурилась: теперь пристально го внимания прессы не избежать. Станут докучать выпрашивать интервью, каждый час справляться состоянии больной. Но если от журналистов еще можно было отделаться известной фразой «без ком ментариев», и никто не посмел бы Алевтину Андреев ну за это осудить, то как поступить с армией сочувствующих знакомых, которые, конечно же, придут в замешательство, если не найдут актрису Панкратову у постели дочери?

В том, что именно ей придется вытаскивать Нуку с того света, Алевтина Андреевна не сомневалась. В противном случае от ее репутации не осталось бы и следа: слыханное ли дело – бросить ребенка в такой беде! Оставалась, конечно, робкая надежда, что дурочка Нука опомнится и простит бывшего муженька, но, как говорится, на бога надейся, а сам не плошай. Да и рассчитывать на то, что мужчина вдруг, распахнув объятия, примчится к инвалиду, казалось бесперспективным.

Но Михаил вопреки ожиданиям приехал в больницу и взял с врачей клятвенное обещание позвонить ему, «как только Аня (ну что за простецкое имя!) сможет разговаривать».

Сама Алевтина Андреевна собралась с духом и появилась в больнице только спустя неделю. Нет, она исправно звонила врачам и с пристрастием расспрашивала о состоянии дочери, чтобы у тех не было искушения поделиться с кем-нибудь своими суждениями о ее холодности и черствости. Для вездесущей прессы у Алевтины Андреевны имелась прекрасная отговорка: «Спасением дочери занимаются врачи, а я сейчас должна думать о процессе ее восстановления».

Да и отговоркой это, в сущности, не было. Актриса связалась с Америкой и забронировала на имя Анук Кедровой билет с открытой датой – пришла пора художнику отдавать долги. Женщина, бесспорно, действовала в своих интересах: она обязана была продемонстрировать заботу о дочери, чтобы каждое, даже самое дотошное СМИ уверилось: рука помощи Алевтины Андреевны Панкратовой была крепкой и искренней. И все же в этой погоне за собственной выгодой таилось то, в чем актриса страшилась признаться самой себе: настоящее сочувствие и жалость к дочери.

Были ли они запоздалым материнским инстинктом? Скорее всего, не совсем. Женщина понимала: с ее Нукой произошло то, чего сама Алевтина Андреевна боялась больше всего на свете. Стоя на самой вершине, купаясь в почитании и признании, она в одну секунду оказалась на самом дне пропасти, в которой единственное чувство, что останется у людей по отношению к ней, – сожаление. Фотографы будут караулить у дверей палаты и передавать снимки обезображенной женщины в ведущие издания, а журналисты – писать, какой блистательной она была, так, будто бы жизнь ее уже кончилась. Нет. Никто не должен был увидеть Нуку в таком плачевном обличии. Да, могли посочувствовать, пускай и пожалели бы даже, но заживо хоронить никто не смел – обязаны были ждать возвращения. А Нука обязана была вернуться, вернуться с триумфом и, конечно же, с доказательством всеобъемлющей любви и всесильности матери. А для этого нужны были деньги, и перво классные хирурги, и время. И человек, который мо обеспечить все это (опустошать счета академика ак трисе очень не хотелось), поэтому она висела на те лефоне, обсуждая с художником нюансы сделки, от правляла в разные американские клиники заключе ния российских врачей, ждала ответа. В больниц поехала только тогда, когда уверилась, что у нее ест отличный план по спасению дочери.

Возможности примирения Нуки и Миши Алевти на Андреевна, однако, по-прежнему не исключала Эта идея казалась ей превосходной еще и потому что Михаил, как человек небедный, мог взять часть расходов на себя, а следовательно, утаив эту информацию от художника, актриса получила бы еще и неплохой шанс подзаработать.

Но эти корыстные помыслы Нука разбила в пух и прах за две минуты разговора с бывшим мужем. Михаил приехал буквально через полчаса после того, как бывшая теща сказала:

– Трубки вынули, лицевые бинты сняли, можешь приезжать.

Влетел в палату: впереди – огромный букет, за ним – страдающие глаза:

– Анюта, я... Как только... Я все сделаю, только разреши.

Нука выразительно взглянула на мать, и та деликатно вышла из палаты, позволив своей деликатности не заходить слишком далеко, а остановиться у двери и обратиться в слух.

– Зачем ты пришел? – прошелестело с кровати.

– Я хочу помочь.

– Я не нуждаюсь.

«Идиотка! – едва не вырвалось у Алевтины Андреевны. – Нашла время для гордости!»

– Аня, ты когда-нибудь простишь меня?

В палате воцарилось молчание. Актрисе казалось, что даже на таком расстоянии она слышит звук капельницы.

– Так простишь или нет?

Послышалось слабое шуршание подушки. Алевтина Андреевна поняла, что дочь покачала головой.

– Никогда?

Шуршание повторилось.

Михаил выскочил из палаты, едва не сбив пожилую актрису с ног. Та вернулась, объятая негодованием и готовая отчитать непутевую Нуку на чем свет стоит. Но увидела остановившийся, устремленный в стену взгляд, руки, перевязанные бинтами, и только спросила:

– Зачем ты так?

– А как, мам?

– Не до гордости сейчас, Нука.

– Не до нее.

– А что же ты?

– Я люблю его, мама. Только разве тебе понять?

Алевтина Андреевна почувствовала неприятный укол. Со времен всепоглощающей страсти к художнику она не испытывала сильных чувств ни к одному мужчине. Она всегда выбирала личную выгоду и была этим счастлива. Чувства она берегла для сцены, а в жизни порхала от одного мужа к другому, измеряя последствия переезда не глубиной эмоций, а количеством благоприобретений. Другие пути и стратегии были ей неизвестны, оттого собственная дочь и казалась ей человеком с другой планеты. В ее положении здравомыслящая личность ни за что не отказалась бы от любой протянутой руки. А если к тому же это еще и рука дающего, то такой отказ, кроме как сумасшествием, больше никак не назовешь. Но это взгляд ее, Алевтины, а дочь своим остановившимся, упертым в стену видела нечто, старой актрисе неведомое, испытывала чуждые той чувства и думала о чем-то далеком и непостижимом.

Впервые за долгие годы Алевтину Андреевну посетила мысль о том, что мир не так уж прост. Да, много в нем таких, как она: копающих под себя и сшибающих все на пути к собственной цели. Но есть и такие, как Нука: живущие иными категориями, неподвластными другим, первым, и оставляющие за собой право считать себя лучше, чище и благороднее.

С такой постановкой вопроса Алевтине Андреевне соглашаться не хотелось. Было неприятно сознавать, что кто-то может усомниться в ее принадлежности к людям, которые великолепно разбираются, что почем, и могут легко объяснить чужие слова и поступки. Актриса обвинила дочь в излишней гордыне, а та, пусть не прямо, пускай завуалированно, но все же доходчиво и достаточно обидно намекнула матери на ее заблуждение. Алевтина Андреевна почувствовала себя крайне неуютно, потому и сказала:

– Я все-таки попробую, если ты объяснишь.

Актриса увидела совершенно потерянные, лишенные всякого выражения глаза, все еще слабый и какой-то чужой надломленный голос произнес:

– Нечего тут объяснять. Не нужна я ему.

Алевтина Андреевна уселась на кровать дочери с воинственным видом, готовая биться до последнего:

– Не была бы нужна, не пришел бы.

– Это порыв, мама.

Нука говорила как-то устало и отрешенно, словно разговор этот случился не в первый, а уже в сто первый раз. «Это оттого, что она беспрерывно об этом думала, произносила слова про себя и снова и снова уверялась в правильности своего решения», – поняла актриса. И словно в подтверждение этих мыслей дочь продолжила:

– Ну, заберет он меня, ну, попрыгает вокруг первое время. А потом что? Жизнь возьмет свое. Наймет сиделку, как матери, – и поминай как звали. Нет, я не осуждаю, у всех жизнь одна. И в этой жизни практически всем предоставляется шанс открыть не душу, а душонку. Это нормально. В людях столько всего наверчено, каждый из нас винегрет. Только, знаешь, я не хочу быть зеленым горошком в его винегрете. Горошек ведь то кладут, то нет. Без него ведь легко обойтись. Все равно вкусно. Только я знаю, что потом он станет жалеть, что забыл о горошке, будет мучиться угрызениями совести. Если не сам себя погубит, так пресса поможет. Неужели ты этого не представляешь, мама? Я будто вижу все эти ужасные заголовки: «Жена продюсера доживает свои дни в компании сиделок», «Анна Кедрова – великая актриса и несчастная женщина», «Судьба не оставила шансов: фиаско и в любви, и на сцене». Я не хочу этого. Я оставлю горох в своем оливье.

– Писать все равно будут, – не совсем к месту откликнулась Алевтина Андреевна.

– Знаю. – Губы дочери болезненно скривились, по лицу пробежало отчаяние. – Я знаю. Здесь я в относительной безопасности, но это ненадолго. Рассчитывать на этику СМИ нельзя: рано или поздно проникнут, мое «милое» личико «украсит» первые полосы.

По обезображенному лицу полились слезы.

– Лучше бы я умерла, мама!

Алевтина Андреевна не ужаснулась, не замахала руками и не стала причитать «Что ты?! Что ты?!», уверяя Нуку, что жизнь прекрасна в любых ее проявлениях и в том, что светлое будущее не за горами. Нет, врать она бы не стала. Она сама предпочла бы умереть, чем предстать перед публикой в новом жалком обличье.

– Никто тебя такой не увидит, – пообещала она и отправилась в коридоры больницы оповестить вездесущих журналистов о том, что актриса Кедрова поправляется и обязательно ответит на все их вопросы на специальной встрече в конференц-зале больницы, куда она, ее мать, приглашает всех через неделю.

– Это правда, что ее лицо обезображено?

– Она действительно с трудом говорит?

– В спектакли введены другие актрисы: она не вернется на сцену?

Алевтина Андреевна окинула журналистов царственным взглядом и удостоила только одним ответом:

– Следующий вторник, пятнадцать ноль-ноль, конференц-зал.

Она добилась своего: постоянная вахта из камер и микрофонов исчезла из коридоров госпиталя. Путь к новой жизни был открыт.

Накануне запланированной встречи частный самолет, присланный из Америки, понес Анну в руки одного из лучших пластических хирургов мира. Пожилая актриса осталась в Москве держать оборону, а заодно и зарабатывать себе очки в глазах публики. Она играла мать, защищающую свое дитя, и была великолепна в этой роли. Хотя теперь она уже не могла бы поклясться, что это лишь роль.

23

С ролью хозяйки Анна справлялась не очень хорошо. Честно признаться, дому попадались и получше. Бывали такие, что каждый день начинали с выметания сора из углов и потом постоянно что-то скребли, терли и драили. Во времена такого господства дом сиял чистотой, но пребывал в унынии: в стерильности и в запахе хлорки домовые не заводились. Хорошо еще, никому из этих временных хозяек не приходило в голову добраться до чердака и разворошить секреты самого дома.

А тайн там набралось предостаточно. Некоторыми дом мог охотно поделиться: например, одолжить маленьким детям трехколесный велосипед, а зимой – крохотные лыжи или объяснить, что простыня, которой завешивали шкаф в гостиной во время приезда первых временных хозяев, вовсе не сушилась там в дождливую погоду, а служила самым настоящим киноэкраном. Иначе как объяснить присутствие на чердаке проектора и коробки с диафильмами? Имелись и секреты, которые дом предпочел бы оставить при себе, – вроде забытых фотографий, что напоминали ему о владельцах, или тюках с одеждой, где хранились чепчики, распашонки и ползунки.

В Анне, несмотря на то, что она ни разу не устроила генеральной уборки (не вымыла окон, не постирала штор и не разобрала шкафов), дом безоговорочно признал человека, с которым хотел бы поделиться своей историей. Но женщина сначала упрямо предпочитала чердаку сарай, пропадая там целыми днями, а теперь была занята сбором своих вещей, и подниматься на чердак было у нее сейчас причин еще меньше, чем когда-либо.

Анна паковала коробки, пребывая в расстроенных чувствах. Она успела обжиться в этом доме, и необходимость переезда ее угнетала. С другой стороны, она пыталась найти в грядущем переезде хоть что-то хорошее и, подбадривая собаку, искала слова утешения для себя:

– Знаешь, Дружок, рядом с нашим будущим домом есть пруд. Я смотрела фотографии: вид отличный. Ты же умеешь плавать? Все собаки умеют. Вот и будешь меня катать, – говорила она, запаковывая инструменты.

Времени на сборы оставалось не так уж и много. Эдик через неделю обещал прислать водителя, чтобы доставить их к новому месту жительства, которое нашел опять же он. Предстояло уехать еще дальше от Москвы. Все попытки Анны отказаться от этого варианта были разрушены железным аргументом матери: «Там нас точно никто искать не станет». Анне действительно сложно было представить, что кто-то из солидных заказчиков решит проехать триста километров из простого любопытства взглянуть на мас тера. Но, с другой стороны, существовал серьезный риск потерять клиентов: желающих отправлять за своей мебелью машины и без того было немного, а так станет еще меньше. Скорее всего, Анне придется самой искать способ доставки, а это лишние хлопоты и меньшие деньги. Впрочем, другого выхода не было. Анна должна была ехать: она всегда отдавала свои долги, а этот долг был особенным.

С той самой минуты, как в ее забинтованной голове перестали звучать восторженные вопли пораженной публики и восхищенное «Это она!» превратилось в вопросительное, сказанное голосом матери, Анна переживала потрясение за потрясением. Но все эти волнения от встречи с матерью, с Михаилом, с сочувствующим персоналом больницы и с понурыми коллегами не шли ни в какое сравнение с тем ужасом, который она испытала, встретившись с собственным отражением в зеркале.

Жизнь по-настоящему закончилась. Анну перестало волновать происходящее, ей стало безразлично все, что происходило вокруг. Она не думала, почему вдруг актриса Панкратова вместо съемок и репетиций дежурит у ее постели, не спрашивала, когда ее выпишут из больницы и какое назначат лечение. Об этом и не надо было спрашивать, ей и так рассказывали это каждый день, но она ничего не слышала и ничего не отвечала. Говорить было и тяжело, и больно, и как-то совсем не нужно. Мертвые не разговаривают.

Анна молчала тогда, когда мать сообщила, что из больницы исчезли журналисты; молчала, когда вдруг среди ночи ее стали одевать и обувать, хотя предполагали выписать через месяц; молчала, когда ее погрузили в самолет, и даже тогда, когда пожилая актриса, стоя у каталки, вдруг на глазах у врача неловко клюнула дочь в щеку и прошептала: «Все будет хорошо». Даже тогда Анна не проронила ни звука. Куда ее везут? Зачем? Почему? Безразлично. У мертвых нет чувств.

Чувства вернулись месяца через три, когда американский хирург, сняв бинты и осмотрев результат своей работы, удовлетворенно кивнул и коротко прокомментировал:

– Much better![1]

Только через неделю после этого заявления Анна наконец решилась взять в руки зеркало, в котором увидела себя почти прежнюю. Черты лица немного изменились, но о безобразных шрамах напоминали только синяки и кровоподтеки – следствие пластической операции. Еще через пару дней она впервые с момента аварии улыбнулась, а еще через трое суток, когда в Лос-Анджелесе была глубокая ночь, а в Москве уже вовсю бушевал новый день, она наконец набрала номер и сказала в трубку:

– Спасибо, мама!

Обе неловко молчали. Алевтина Андреевна считала лишним отзываться чем-то традиционным, типа «Не стоит благодарности», а Анна все еще не могла выудить из хоровода мыслей, не дававших ей покоя последние месяцы, самую главную. Наконец ей показалось, что она нащупала. И тогда:

– Почему?

– Что «почему»? – не сразу поняли ее за океаном.

– Почему ты это сделала?

Алевтина Андреевна могла покривить душой, сказать о материнских чувствах или о том, что любой бы на ее месте... Но она ответила правду:

– Потому что ты – великолепная актриса.

Их разделяли тысячи километров, но никогда еще мать и дочь не чувствовали себя ближе друг к

---

[1] Гораздо лучше (*англ.*).

другу. Но старшая была не из той породы, чтобы упиваться мигом сентиментальности и давать волю чувствам, потому и сказала небрежно:

– К тому же и не мне ты вовсе обязана. Я только попросила.

– А кому же? – удивилась Анна.

Она впервые задумалась о том, что ее лечение стоило очень больших денег, вспомнила частный самолет, оснащенный всевозможными медицинскими приспособлениями, и врача, не сомкнувшего глаз все время полета. Мать была вполне обеспеченной женщиной, но не баснословно богатой, чтобы заплатить за все это.

– Да так, одному человеку. Ладно. Поправляйся и возвращайся.

Алевтина Андреевна положила трубку с ощущением того, что наговорила слишком много, а Анна – с чувством, что от нее отделались. Первой и единственной мыслью было: Михаил! Больше никто не стал бы жертвовать таких огромных денег на ее спасение. Но, насколько она помнила, и в активах самого Михаила, и в активах его знакомых присутствовали очень дорогие машины, но самолеты там все же не фигурировали.

Сыграть головную боль и бессонницу и получить от медсестры таблетку снотворного – для актрисы плевое дело. Подложить эту таблетку в чай самой медсестры – задача сложная, но выполнимая. Анна справилась, и ночью уже листала свою историю болезни, с удивлением обнаружив на банковских переводах имя совершенно незнакомого человека.

– Скоро вас переведут в санаторий. Там бассейн, чудный парк для прогулок, библиотека, – сообщил врач на следующий день.

– А Интернет?

– Разумеется.

Через мгновение после того, как Анна велела Всемирной паутине отыскать загадочную личность, раскрылось инкогнито спасителя, но любопытства так и не удовлетворило. Известный художник, судя по выдержкам из статей и интервью, которые женщина бегло просмотрела, жил в Сан-Франциско и владел несколькими галереями по всей Америке. Кроме того, Интернет пестрел анонсами его новой выставки, которая должна была открыться через месяц.

– Когда меня отпустят?

– Недели через три, через месяц.

Через месяц Анна стояла на пороге модной (судя по количеству народа внутри) галереи искусств.

Перелет из Лос-Анджелеса был коротким и совершенно неутомительным. Остановившись в гостинице, женщина впервые за долгое время переоделась из спортивного костюма в цивильную одежду, которую купила в бутиках аэропорта перед вылетом. Анна надела светлое платье цвета топленого молока, которое заканчивалось чуть выше колена, темно-коричневые классические лодочки и такого же цвета укороченный пиджачок, на лацкан которого прикрепила брошь в виде бабочки. Жаль, она не могла носить тонкие колготки, пришлось натянуть плотные, но и они смотрелись неплохо. В салоне отеля она сделала маникюр и укладку и, полюбовавшись своим отражением, направилась к стоянке такси, провожаемая восхищенным взглядом метрдотеля.

Дорога до галереи заняла пятнадцать минут. Выйдя из такси, Анна полюбовалась с холма видом заката и нерешительно поднялась по ступенькам к стеклянным дверям, откуда доносилась негромкая джазовая музыка, почти заглушенная голосами.

Она попыталась определить хозяина. Через несколько минут у нее не осталось ни малейших сомнений: высокий седой мужчина в расклешенных (в духе шестидесятых) горчичного цвета джинсах и светлом пуловере расхаживал с бокалом шампанского от одной группы людей к другой, выслушивая комплименты и рассыпаясь в благодарностях. Он выделялся из толпы и своим внешним видом (остальная публика была одета в вечерние костюмы), и манерой держаться (перемещался легко и непринужденно, не заботясь о производимом впечатлении). Было заметно, что человек этот лишен и комплексов, и условностей, может позволить себе многое. Лицо его хранило следы былой красоты, тонкие черты лица свидетельствовали о творческой стороне натуры.

«Это он!» – решила Анна.

Она решительно направилась в его сторону, осторожно тронула за рукав:

– Здравствуйте, я Анна Кедрова.

Первый брошенный на нее взгляд выражал удивление, так обычно смотрят на человека постороннего и незнакомого. Но уже через секунду лицо хозяина изменилось. В глазах одно за другим промелькнули смятение, потрясение и почему-то раскаяние. Он казался совершенно растерянным. Анне даже почудилось, что художник стал ниже ростом и как-то съежился. Наконец он произнес медленно и задумчиво, явно с трудом:

– Анук? Вот, значит, какая ты стала?

– Анук? Вы меня знаете?

Теперь и Анна удивилась не меньше. Кроме матери, ни одна живая душа не называла ее настоящим именем, да и мама предпочитала ограничиваться коротким и требовательным «Нука».

– А похожа, как похожа!

Похожа Анна была только на одного человека на свете. Только глаза ее, в отличие от материнских, были серыми.

– Вы знаете мою маму?

– Ты знаешь ее маму? – пихнул художника в бок стоявший рядом мужчина. – Расскажи-ка нам, – добавил он кокетливо.

– Ваша мама – она? – обратилась к Анне молодая женщина, показывая на висевший на одной из колонн портрет.

Анна взглянула на картину. Сомнений не оставалось: на зрителя смотрела молоденькая и прекрасная Алевтина Панкратова.

– Вы с ней дружили, да? – снова попыталась растормошить она художника.

– Дружил? – вдруг захохотал сосед хозяина и снова пихнул последнего. – Ой, держите меня, если теперь это так называется! Да он был ее мужем!

– Алекс! – гневно рыкнул художник, но было уже поздно.

– Мужем? – Анна отступила на несколько шагов и внимательно посмотрела в серые глаза художника. – А в каком году?

– Кажется, в семьдесят третьем, – услужливо подсказал все тот же беспардонный мужчина.

– Алекс, прошу тебя! – снова одернул художник, впрочем, ругая себя, а не друга. Сам виноват: написал портрет, да к тому же хвастался близостью с этой красивой женщиной – вот и получил. И потом, Алекс выпил больше, чем надо, вот и разошелся. А какой с пьяного спрос?

– Пошли! – Художник дернул Анну за руку и провел в помещение, отделенное от галереи плотной дверью.

– Вы мой отец, да? – спросила она, нисколько не сомневаясь в утвердительном ответе. Все указывало на это: год ее рождения, отсутствие воспоминаний об отце до шестилетнего возраста (время появления оператора), его серые глаза и, наконец, те баснословные счета из клиники, которые он оплатил.

– Нет. Поверь, ты ошибаешься. Твой отец умер еще до твоего рождения.

– Умер? Почему же она никогда мне об этом не говорила и почему, черт возьми, вы оплатили все мои счета?!

То ли художник тоже был нетрезв, то ли угрызения совести не давали ему покоя все эти годы, но он, несмотря на обещание, данное Алевтине Андреевне, рассказал Анне правду. Она слушала, не перебивая и не выказывая эмоций. А когда он закончил, посмотрела тяжелым, нехорошим взглядом. Сказала только:

– Что ж, считайте, что расплатились.

Анна резко развернулась и покинула галерею. Благодарить ее хозяина женщине было не за что.

На следующее утро, когда она уже паковала чемодан, посыльный доставил в гостиницу большой тяжелый прямоугольный сверток с оформленным на ее имя таможенным разрешением на вывоз предмета искусства. Разворачивать упаковку Анна не стала, у нее не было никакого желания смотреть на улыбающуюся, беспечную мать.

В Москве, взяв такси, она тут же направилась в квартиру известной актрисы.

– Держи! – Даже не поздоровавшись, Анна бросила матери картину.

– Что это? – Мать начала срывать бумагу, одновременно разглядывая дочь и не уставая восхищаться: – Нука, ты просто как новенькая! А почему руки-ноги закрыты? Сейчас же тепло. Остались следы, да? Ну, это ничего. Главное – лицо, правда? В театре вообще ничего не заметят и обнажаться заставить не смогут. Даже выгодно, да?

Бумага наконец поддалась, и актриса резко побледнела, взглянула на дочь вызывающе:

– Ты его видела, да?

Анна тяжело кивнула.

– И что он сказал тебе?

– Все...

Алевтина Андреевна шагнула к дочери и произнесла с вызовом:

– Между прочим, мы вернули тебя к нормальной жизни. Могла бы хоть спасибо сказать.

– Спасибо? – усмехнулась Анна. – А за что? За то, что убили моего отца?

Она развернулась, чтобы уйти, но в то же мгновение услышала за спиной звук падающего тела.

С великой актрисой Панкратовой случилось практически то же самое, что и с ее первым мужем: тяжелый инсульт, паралич и полная потеря речи. С одной только разницей: она выжила.

Когда через полтора месяца к ней вернулась речь, первыми ее словами были:

– Долг платежом красен.

Медсестра, сидевшая в палате, решила, что актриса говорит о дочери. Мать помогла ей обрести былую красоту, а теперь дочь не отходит от постели матери. Но если бы Анна слышала это, она смогла бы объяснить, что актриса Панкратова имела в виду исключительно себя и свои личные неоплаченные долги.

О своем дочернем долге Анна, впрочем, тоже не забывала. Напротив, думала о нем все те полтора месяца, что мать не могла говорить. Слухи о возвращении Кедровой быстро распространились по столице. Анне звонили с предложениями и приглашениями, она отговаривалась занятостью в больнице, и тогда у нее интересовались здоровьем матери, а на следующий день в газетах появлялись статьи, цитировавшие ее слова. Анна понимала, что, оставь она мать в столичной больнице или в санатории, или даже в собственной квартире при сиделке, нежданных визитов прессы избежать не удастся. Не так давно мать не позволила ни одному прощелыге сфотографировать Анну в жалком виде, теперь пришла пора дочери отплатить матери тем же.

– Долг платежом красен, – без конца повторяла Анна.

Она сознавала одно: укрыть мать в надежном месте, поручив о ней заботу кому-то другому, – дело ненадежное, всегда найдутся зоркие глаза, большие уши и длинный язык. Только она могла спасти великую актрису от того, что та считала унижением. Они должны были уехать вместе, только так можно было исчезнуть из поля зрения прессы и через какое-то время перестать быть лакомым кусочком для репортеров.

Приняв решение, Анна воспользовалась предложением свекрови и уже через несколько дней после того, как к матери вернулась способность говорить, ехала на встречу с человеком, который без всяких расспросов отдал ей ключи от дома и все велел «кланяться его Леночке». Анна снова позвонила свекрови, чтобы передать приветы.

– Я уезжаю. Знаю, что вы никому не расскажете.

– Не расскажу.

– Спасибо.

– Мне-то за что? Благодари отца Федора.

24

Отец Федор умер во сне через несколько дней после их последнего разговора. Когда Михаил примчался в больницу, медсестра с соболезнованиями вручила ему записку и сказала:

– Как чувствовал вчера вечером, все сокрушался: «Он, – говорит, – предо мной исповедался, а я перед ним не успел». Это он о вас, да?

– Наверное.

– Вы записку-то почитайте. Она ему с таким трудом далась.

На бумаге еле заметными буквами было нацарапано всего три слова *буфет, конверт, дом.*

Уладив в больнице формальности, Михаил кинулся обратно в домик при церкви. Там вместо того, чтобы начать складывать вещи (понятно же, что пришлют нового батюшку и обман раскроется, да и возвращаться в Москву давно пора), распахнул дверцы старого буфета, где когда-то искал паспорт священника и который так и не открывал с тех пор.

Первым в руки выпал фотоальбом, а из него – прядь темных младенческих волос. Михаил распахнул последнюю страницу альбома, откуда постоянно вылезала эта прядка, и прочел выцветшую от времени надпись «Мишенька». Он, конечно, не узнал, но почувствовал: это его волосы!

Бегло просмотрел альбом еще раз, не найдя больше ничего примечательного: фотографии студенческих компаний, где мелькала то молодая мать, то юный отец Федор, то оба вместе. «Конверт, – повторял Михаил. – Конверт». Тетради, блокноты, какие-то старые книги, даже сломанный будильник уже валялись на полу перед буфетом бесформенной кучей, когда Михаил, наконец, вытащил с полки пакет, наполненный письмами.

Верхним оказался тот конверт, что он нашел на Котельнической с указанием передать адресату. Михаил без колебаний заглянул внутрь и вытащил карточку. Два молодых лыжника улыбались в объектив. Женщина кокетливо поправляла шапочку, а мужчина держал на руках ребенка. В мужчине без труда угадывался отец Федор, женщиной была мать Михаила.

а ребенком – сам Мишка. Надпись на обороте фотографии гласила: «Мама, папа, я».

– Папа, – произнес Михаил помертвевшими губами, – папа.

Он быстро разворошил мешок, хватая одно письмо за другим и вглядываясь в прыгающие перед глазами строчки: «Милая Леночка, надеюсь, ты по-прежнему счастлива». «Как там мой сынок? Не обижает его Андрюша?», «Я, знаешь, тоже устроился». «Мишке сегодня уже десять. Большой, наверное, пацан».

И еще целая гора строчек, писем и человеческой боли. Михаил вспомнил о письме, на которое наткнулся во время своего первого осмотра буфета. Вот почему адрес на конверте показался ему знакомым! Это был его адрес, они жили там с мамой и академиком до переезда на Котельническую.

Картина жизни сложилась перед Михаилом в считаные секунды. Студенческая компания, где двое юношей влюблены в одну девушку. Она выходит замуж за одного, рожает ребенка, а через какое-то время все же уходит к другому: более успешному, более харизматичному, но самовлюбленному и так и не желающему простить ей сделанный вначале неправильный выбор. Но первый муж продолжает ее безоглядно любить, настолько преданно, что лишает себя и права общения с ребенком, позволяя усыновить его чужому человеку, и даже мирской жизни, обретая себя в служении людям.

Сначала Михаил разозлился на мать, но затем как-то сразу успокоился: «Если она в чем и была виновата, то жизнь ее за это наказала сполна». Потом ощутил радость от осознания того, что академик никогда не был ему настоящим отцом. И, в конце концов, почувствовал непреодолимую тоску от того, что жизнь подарила ему счастье знакомства с отцом родным, но сделала это счастье таким скоротечным. «Дом», – неожиданно вспомнил он и снова полез в буфет. Очень скоро он вытащил очередной конверт со связкой ключей и адресом деревни в Подмосковье.

Через несколько дней, похоронив отца и собрав пожитки, Михаил уже стоял у калитки старого дома. Он зашел за забор. С удивлением огляделся по сторонам. И сам дом, и вековые сосны, его окружающие, казались ему знакомыми. Он мог поклясться, что на опушке раньше стояла горка, по неровным дорожкам он катался на трехколесном велосипеде, а фотография смеющихся лыжников наверняка была сделана с крыльца.

Михаил взглянул на крыльцо и замер: на крыльце сидела большая собака, которая одновременно и скалила зубы, и виляла хвостом, не зная, как реагировать на незваного гостя. Но собака Михаила совершенно не заинтересовала. Прямо за ней в проеме входной двери стояла, вопросительно глядя на него и чуть заметно улыбаясь, Аня.

Мужчина подошел к крыльцу, медленно поднялся к двери. Женщина посторонилась, пропуская его на террасу, заставленную коробками.

– Ты приехала?

– Уезжаю. Скоро водитель приедет. – Анна качнула головой в сторону стоявшей под тентом машины.

– Так вот для чего я здесь, – сказал Михаил будто самому себе и добавил: – Для того, чтобы тебя остановить.

Анна открыла было рот, чтобы поинтересоваться, по какому праву он станет ее останавливать, но онемела, пораженная пронзительным криком, донесшимся из комнаты:

– Аня! Аня, иди сюда!

25

Алевтина Андреевна Панкратова лежала на кровати, посматривая на свой портрет, присланный из Америки, и выполняя упражнения, предписанные физиотерапевтом. Она медленно шевелила пальцами ног и силилась оторвать пятки от простыни. Правая уже немного поддавалась. Левая пока оставалась неподвижной, но Алевтина Андреевна собиралась следовать предписаниям врача и верила, что встанет на ноги и еще выйдет на сцену. Разве когда-то ее планы оставались нереализованными?

Она как раз почувствовала легкое покалывание в левой щиколотке, когда услышала на террасе голоса. К ним вновь пожаловали гости, точнее, гость. И такой гость, которого (Алевтина Андреевна была в этом уверена) ее дочь ждала больше всего на свете. В это мгновение все ее страхи быть узнанной и сфотографированной в неприглядном виде показались актрисе такими пустыми и глупыми по сравнению с тем, что действительно имеет значение в этой жизни! Она собралась с духом и позвала дочь так, как никогда до этого не делала:

– Аня! Аня, иди сюда!

Спустя несколько секунд в дверях возникла удивленная и растерянная Анна, обеспокоенно спросила:

– Да?

– Там Миша?

– Да.

– Мы должны остаться. Остаться, а потом вернуться в Москву.

– Но мы же не можем, мама!

– Надо возвращаться, дочка.

– Ты не можешь, мама!

– Я не могу, а ты должна.

– Но почему?

– Потому что ты – великолепная актриса!

– Великолепная, – отозвалась Анна и погладила мать по голове. – Великолепная, но не великая.

Великая актриса Панкратова смерила дочь долгим взглядом и царственно, как и положено великим актерам, произнесла:

– Мы никуда не едем.

Анна вернулась на террасу.

– Что случилось? – спросил Михаил.

– Кажется, я перестала быть Нукой.

– Так вот для чего я здесь! – снова сказал мужчина.

– Для чего же? – отозвалась женщина.

– Для того, чтобы все исправить. Как ты думаешь, это возможно?

– Исправить невозможно только смерть. Есть будешь?

Чуть позже, извинившись перед прибывшим водителем и отпустив его восвояси с щедро выплаченной компенсацией, Аня и Миша сидели на террасе, пили горячий чай и неторопливо рассказывали друг другу о жизни.

– Ты смирилась с тем, что она так и не получила наказания? – спросил Михаил о матери Анны.

– Она никогда никого не любила. Разве это не наказание?

Великая актриса Панкратова, лежа в комнате и слыша их разговор, впервые в жизни почувствовала угрызения совести. Ей стало стыдно, потому что она осознала правоту Михаила. Она действительно не получила достаточного наказания, потому что в конце жизни судьба неизвестно за какие заслуги подарила ей счастье почувствовать любовь к собственному ребенку. Впервые за долгое время Алевтина Андреевна заснула совершенно счастливой.

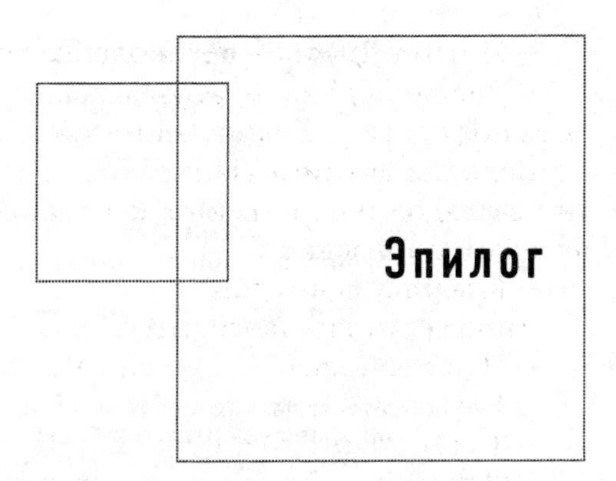

Эпилог

Совершенно счастливым чувствовал себя и старый дом. Теперь – он был в этом уверен – в истории его жизни можно будет поставить красивую точку. В открытое окно чердака ворвался ветер и уронил с высокого тюка фотоальбом. Ветхий от старости и сырости, он развалился на части, усеяв пыльный пол выцветшими черно-белыми фотографиями.

Дом внимательно смотрел на снимки маленького кудрявого мальчика, вспоминал топот его ножек по своим комнатам, слышал веселый смех и видел ямочку на правой щеке. Волнистые волосы мужчины, сидевшего с Анной на кухне, уже подернулись сединой, но смех его оставался тем же: веселым, искренним и счастливым, а на правой щеке все так же проступала глубокая ямочка. И дом, и собака ощущали тот покой и безмятежность, которые могут наступить только тогда, когда все хозяева в сборе.

Литературно-художественное издание

ГАРМОНИЯ ЖИЗНИ
Проза Ларисы Райт

Лариса Райт
(Ройтбурд Лариса Александровна)

ИСПОВЕДЬ СТАРОГО ДОМА

Ответственный редактор *О. Аминова*
Литературный редактор *В. Ахметьева*
Ведущий редактор *Е. Неволина*
Выпускающий редактор *А. Дадаева*
Художественный редактор *П. Петров*
Технический редактор *Г. Романова*
Компьютерная верстка *Л. Панина*
Корректор *О. Степанова*

ООО «Издательство «Эксмо»
127299, Москва, ул. Клары Цеткин, д. 18/5. Тел. 411-68-86, 956-39-21.
Home page: **www.eksmo.ru** E-mail: **info@eksmo.ru**

Өндіруші: «ЭКСМО» АҚБ Баспасы, 127299, Мәскеу, Клара Цеткин көшесі, 18/5 үй.
Тел. 8 (495) 411-68-86, 8 (495) 956-39-21.
Home page: www.eksmo.ru . E-mail: info@eksmo.ru.
Қазақстан Республикасындағы Өкілдігі: «РДЦ-Алматы» ЖШС, Алматы қаласы,
Домбровский көшесі, 3«а», Б литері, 1 кеңсе. Тел.: 8(727) 2 51 59 89,90,91,92,
факс: 8 (727) 251 58 12 ішкі 107; E-mail: RDC-Almaty@eksmo.kz
Қазақстан Республикасының аумағында өнімдер бойынша шағымды Қазақстан
Республикасындағы Өкілдігі қабылдайды: «РДЦ-Алматы» ЖШС,
Алматы қаласы, Домбровский көшесі, 3«а», Б литері, 1 кеңсе.
Өнімдердің жарамдылық мерзімі шектелмеген.

Подписано в печать 10.01.2013.
Формат 84x108 1/32. Гарнитура «Нью-Баскервиль».
Печать офсетная. Усл. печ. л. 18,48.
Тираж 8 000 экз. Заказ № 4844.

Отпечатано с электронных носителей издательства.
ОАО "Тверской полиграфический комбинат". 170024, г. Тверь, пр-т Ленина, 5.
Телефон: (4822) 44-52-03, 44-50-34, Телефон/факс: (4822)44-42-15
Home page - www.tverpk.ru Электронная почта (E-mail) - sales@tverpk.ru

ISBN 978-5-699-62162-0

9 785699 621620 >